BOEKEN VAN MARTHA MCPHEE
BIJ J.M. MEULENHOFF

Engelentijd. Roman
Verrukkelijke leugens. Roman
Amerika. Roman

Martha McPhee

Amerika

Roman

Vertaald door Marijke Voet

J.M. MEULENHOFF

Voor Jasper, mijn Valentine
en altijd voor
Mark en Livia

Oorspronkelijke titel *L'America*
Copyright © 2006 Martha McPhee. All rights reserved.
Copyright Nederlandse vertaling © 2006 Marijke Voet
en J.M. Meulenhoff bv, Amsterdam
Vormgeving omslag Marry van Baar
Vormgeving binnenwerk Adriaan de Jonge
Foto voorzijde omslag Pinto/zefa/Corbis
Foto achterzijde omslag Jerry Bauer

Meulenhoff Editie 2178
www.meulenhoff.nl
ISBN 90 290 7722 0 / NUR 302

I

Campanilismo

Boven het feest stijgt een mooie jongeman op naar een wolk. Terwijl hij naar de hemel kijkt, strekt een meisje met zwarte pijpenkrullen om haar oren haar hand naar hem uit, alsof ze hem terug wil halen. Hij is naakt, volmaakt, en onthult geheel en al wat er voor haar verloren gaat. Zijn rechterhand, vol vage afdrukken van een klauw (misschien van een adelaar, maar daar valt over te twisten), verdwijnt in de wolk, en alleen het meisje – haar mooie gezichtje beschenen door de zon – beseft het. Ze draagt een beige zijden gewaad met een prinsessenlijfje van donkerbruin fluweel, afgezet met pareltjes, dat haar volle borsten omknelt; een klein rond hoedje rust netjes boven op haar hoofd. Het galagewaad klappert lichtjes als ze zich beweegt, in haar wanhopige tred naar de hemel. Haar wangen kleuren blozend roze en haar ogen worden door ernst gekweld. Om haar heen gaat het feest door, aan de voet van een heuvel dicht begroeid met bloeiende rododendrons en azalea's. Meisjes in lange fluwelen gewaden vormen groepjes als boeketten, een koket trekje om hun bekoorlijke lippen, in afwachting van de aanbidding van alle diverse mannen, mannen in fluwelen broeken en fijn afgewerkte vesten van brokaat bestikt met parels en edelstenen. Met hun lange krullende haar dat golft als de capes die om hun schouders vallen, zijn ze even knap en vrolijk als de meisjes. De kleuren zijn rijk en diep, roodbruin, een koninklijk pauwblauw en goud en gouden groen- en wittinten in de kleur van de lucht. Paartjes fluisteren zoete roddelpraatjes, maar niemand weet nog dat zij op hem verliefd is, behalve hij. En wat moet er van haar terechtkomen, en van die liefde, overweldigend en vergeefs? Als je grondig kijkt kun je haar liefde gewoon zien trillen, bonzen onder de zwelling van haar borst, een en al razernij en tederheid. Het feest ontvouwt zich aan de rand van een stad waarboven de klokkentoren van een indrukwekkende kerk opdoemt, hooggelegen boven een van die koele Noord-Italiaanse meren. Het feest wordt gevierd ter ere van de bloeiende rododendrons en de azalea's en van de voltooiing van Fiori, het landhuis van de Cellini's waar deze bloeiende struiken staan. 'Mogen ze minstens duizend jaar bloeien,' heeft signor Cellini misschien gezegd. Hij, de vader van het hopeloos verliefde meisje, bevindt zich ergens tussen de gasten. Zo rekbaar is de tijd. Vijftienhonderd jaar zijn verstreken sinds Augustus de wereld regeerde. Een luitspeler tokkelt op de snaren van zijn instrument, misschien luiden de klokken van de klokkentoren. De mooie jongeman raakt de wolk in al zijn glorie aan. Een breed lint loopt diagonaal over de borst van het meisje en op het lint staat in wervelende speelse gouden letters de naam van de kunstenaar die dit fresco geschilderd heeft – Benvenuto Cellini.

Hij was negentien, geboren in 1500, even oud als de eeuw, en hij was kortgeleden voor een tweede keer uit Florence verbannen omdat hij voortdurend ruziemaakte, als gevolg van zijn trotse en aanmatigende humeur. Hij had nooit eerder een schilderij gemaakt, laat staan een fresco, en hij zou het ook nooit meer doen. Hij had getekend, hij had gewerkt met verf en tempera, maar zijn belangstelling ging uit naar beeldhouwen, het werken met brons en zo nu en dan met goud. Hij vond de schilderkunst inferieur. Een beeldhouwwerk kon, in tegenstelling tot een schilderij, vanuit acht verschillende hoeken bekeken worden en moest dus vanuit acht verschillende gezichtspunten volmaakt zijn. Maar hij had plezier in dit fresco. Hij maakte het voor het meisje, Valeria Cellini, zijn nichtje en ook zijn grote liefde. Volgens de familieoverlevering van de Cellini's (je weet wel hoe families hun mythen hebben, de verhalen die aan hen gewicht geven en hun plaats in de geschiedenis graveren) zou ze hem nooit gevolgd zijn, zelfs als hij het goedgevonden had. Ze zou haar familie en haar stad niet in de steek gelaten hebben – dapper meisje, ze was het symbool van de loyaliteit en de veerkracht van de familie. Van alle dochters van de Cellini's, twintig generaties, was zij de eerste en zij bleef als enige onaangetast door tijd en verandering: vijfhonderd jaar oud, eeuwig mooi en jong, als in barnsteen gevangen terwijl de andere dochters van de Cellinitak (de negentien die na haar kwamen) getrouwd waren en verdwenen in de mythen van andere families. De actie die Valeria zou hebben ondernomen, kon hebben ondernomen, niet ondernam, blijft bevroren in dat ene ogenblik van erna en ervoor; bevroren zoals kunst iets kan bevriezen, na de liefde en voor een kans op alles wat het leven vermocht. Valeria was vijftien.

Benvenuto danste de stad in, ontsnapt uit Florence, om bij zijn oom Cesare Cellini te gaan logeren in de stad Città in de heuvels aan de voet van de Alpen. Hij bleef de hele zomer van 1519. Hij bleef tot hij de stad en de vrienden en familie van zijn oom goed had leren kennen. Hij bleef tot hij verliefd werd, tot het verlegen lachje dat Valeria's bleekroze gezicht in vuur en vlam zette, opbloeide tot een volle lach. Hij bleef tot hij rusteloos werd, ongeduldig, zelfs geen zin meer had in de liefde. Toen vertrok hij, reisde in noordelijke richting naar Zwitserland, keerde om naar het zuiden en ging naar Rome, de stad van zijn dromen, waar een rijke dame zijn beschermvrouw werd en waar hij bleef tot hij de moed had om terug te keren naar de stad die hem verbannen had, maar waartoe hij overduidelijk behoorde. Tegen die tijd was Valeria verbleekt tot een onbetekenend detail, uitgewist door de intensiteit en de lef van zijn levensgeschiedenis.

Maar voor Valeria was zijn verblijf in Città lang genoeg om zich te laten verleiden door hoop, de afgronden van de hoop met zijn diepe schuilhoeken en bronnen, en hij ondekte dat hij zich er ook in koesterde, hoewel ze allebei wisten dat hij nooit (dat misleidende woord) eeuwig zou kunnen blijven en dat hij haar nooit met hem meegenomen zou hebben en dat zij nooit weggegaan zou zijn. Dat is wat ze van hem had liefgehad, dat ze vanaf het begin wist dat ze niet voor altijd samen konden zijn. Dat was de attractie, de aantrekkingskracht, de urgentie achter de liefde – het verlangen om het onmogelijke te overwinnen. Het 'stel dat' tegen die essentie van liefde, het 'stel dat' zegevierend om compleet te worden. Maar de kunst speelde haar troeven uit en Benvenuto verliet Città en hij verliet Valeria en hij verliet eveneens het verhaal op het fresco, een blijk van zijn dankbaarheid, een ode en een buiging voor intense pijn.

Gedurende een lange periode, vierhonderddrieënvijftig jaar om precies te zijn, bleef het fresco in de eetkamer van Fiori, de villa in de heuvels boven het Lago Maggiore, dertig kilometer buiten Città. Het presideerde over feesten en diners en het gewone familiemaal van twintig generaties Cellini's (zondagse diners van *polenta* en *uccellini*, kleine vogeltjes met botjes die zacht en smakelijk waren als merg, die de Cellinimannen schoten in het vogelprieel van het landgoed) tot Giovanni Paolo Cellini en zijn vrouw Elena in de jaren zeventig van de twintigste eeuw het fresco tegen hoge kosten lieten verwijderen, restaureren, voorzien van beschermend glas en weer lieten ophangen in hun villa in Città waar de temperatuur gematigder was. Vocht (overal de vijand van fresco's) vrat door de pleisterkalk, tastte het pigment aan, verslond de schildering langzaam en de Cellini's wilden het redden. Ze wilden dat het intact bleef. Het had twintig generaties overleefd. Giovanni Paolo Cellini, een kleine man op leeftijd (hij kreeg zijn eerste kind toen hij vijftig was) met een stralenkrans van wit haar, die een hand miste en dat verborg door het dragen van een stijve zwartleren handschoen wat hem eerder het uiterlijk van een arbeider gaf dan van een bankier, wilde niet toestaan dat het fresco onder zijn hoede verging. Elena, lang, dun, met donker haar en grote ogen, een goede echtgenote, wilde dat evenmin. Het was de taak van de Cellinivrouwen om te zorgen dat de Cellinifamilie haar rituelen en gewoontes behield, en Elena begreep goed wat haar taak was. Dus toen de zoon van Elena en

Giovanni Paolo in de jaren zeventig een tiener was, werd een begin gemaakt met het zorgvuldig voorbereide proces van het losmaken van het fresco van de muur (uitgraven en vernietigen van zo'n dertig centimeter pleister- en stucwerk achter het schilderij).

De jonge Cesare was vol aandacht voor deze operatie. Hij was een jongen die zich verdiepte in geschiedenis, leerde op het *Liceo Classico* Latijn en Grieks. Hij las Aeschylus in het origineel, maar gaf de voorkeur aan de komedies van Aristophanes omdat hij graag lachte en anderen aan het lachen maakte. Zijn zusje Laura deed net als hij niets liever dan lachen, maar zij ging nog een stap verder. Laura, een grappig klein meisje met dik krullend lichtblond haar waarvan niemand wist hoe ze eraan kwam, wilde later het liefst clown worden. Laura was drie jaar jonger dan Cesare, maar ze wist al wie ze was en wat ze wilde, en op een dag zou ze weglopen naar een clownsschool in Zwitserland; maar dat was later, veel later.

Cesare hield van muziek, speelde piano, leerde songs van Dylan op zijn gitaar en was een hartstochtelijk harmonicaspeler. Hij luisterde ook naar Italiaanse muziek, naar Claudio Battisti en Lucio Dalla, nu en dan (nooit als er iemand bij was) naar Claudio Baglioni (maar Baglioni was minder hip, minder cool, te romantisch op een sentimentele manier, zong over 'kleine, grote liefdes'). Cesare droomde altijd over de Amerikaanse snelwegen waarover Simon en Garfunkel zongen. Amerika was zijn droom, net als Benvenuto van Rome gedroomd had – een plek waar mensen deden waar ze zin in hadden en iedereen alles kon worden wat hij maar wilde.

In 1972 was Cesare veertien, oud genoeg om te weten dat Amerikaanse jongens in Vietnam aan stukken gereten werden. Hij keek naar deze oorlog op de televisie, keek er elke avond naar alsof het een show was, wist natuurlijk heel goed dat het geen show was. Wist dat in Parijs, één land verder in noordelijke en westelijke richting, vredesonderhandelingen gehouden waren, wist dat Nixon naar China was gegaan om een gesprek met Mao Zedong te voeren, wist dat het een historisch moment was. Hij wilde graag weten, Cesare. Hij was een mooie jongen met dik donker haar, zo zwart dat het soms bijna blauw leek.

Het jaar 1972 was net als elk jaar, een jaar vol geschiedenis. Ezra Pound stierf in Italië twee dagen na zijn zevenentachtigste verjaardag. Marianne Moore stierf ook en de dichter John Berryman sprong zijn dood tegemoet vanaf de Washington Avenue Bridge in Minnesota. Zo gaat het en zo ging het en Cesare ging met de stroom mee. Hij zag de protesten tegen de oorlog op de televisie, zag hoe demonstranten op Amerikaanse universiteiten met gas bestookt werden. Watergate begon zich te ontvouwen en Cesare begon de consequenties te overwegen: het ene nachtelijke drama werd vervangen door het volgende. Omdat hij was zoals hij was, net in de puberteit, had hij een vriendinnetje (dat Francesca heette) en samen waren ze razend benieuwd wat er van de *Pioneer* 10 terecht zou komen en van de overblijfsels van de menselijke beschaving die hij op zijn duizendjarige reis in de ruimte bij zich had, vroegen zich af of alles gevonden zou worden, en geïnterpreteerd en hoe? (Een miljoen jaar vanaf nu, tien jaar vanaf nu, twintig, dertig, veertig – hoe zouden ze eraan toe zijn? Hij zou geen bankier zijn zoals zijn vader en zijn vaders vader en zijn vaders vaders vader. Daar was hij tenminste zeker van.) Ergens in het diepste van zijn binnenste wilde hij deel uitmaken van het grote Amerikaanse geheel – grote musici en grote dichters en grote plannen en grote reizen en grote presidenten en grote protesten en grote mislukkingen en grote oorlogen en grote dromen. Mogelijkheden, dat was alles.

Hij was een jongen, een jongen van veertien, toen het fresco verwijderd werd, een jaar jonger dan Valeria toen ze werd vastgelegd voor de eeuwigheid. Maar op zijn veertiende was hij zich niet van haar bewust, zich alleen maar half bewust van zijn moeder, die nerveus door het huis en door de stad rende om de maatregelen voor het fresco te treffen. Nerveus omdat ze een nerveuze energie had die haar opjoeg en die leek te onthullen dat ze wist dat ze niet genoeg tijd had. Lang geleden had ze haar passie voor Russische literatuur en haar dagdromen over reisjes naar Moskou en Sint-Petersburg opgegeven, over ritten in door paarden getrokken arrensleden in de bittere kou, tot je neus in bont gewikkeld, omringd door mensen die een stuk of vijf talen vloeiend konden spreken, vooral over de kinderen die ze eens zou hebben. Ze sprak zelf vijf talen: Italiaans, Frans, Spaans, Duits en Engels. Ze had een tijdje Russisch gestudeerd, maar toen trouwde ze met Giovanni Paolo, een man die alleen maar Italiaans sprak en die nooit verder gereisd had (en dat ook nooit zou doen) dan tot de grenzen van Noord- en Midden-Italië. Hij was ruim tien jaar ouder dan zij, en hoewel ze hem van kindsbeen af gekend had (haar vader werkte als jurist bij de Cellinibank), gaf hij haar in het begin het gevoel dat hij een, weliswaar vriendelijke, vreemde was, en ze voelde hun huwelijk als een arrangement dat misschien meer bedoeld was om haar ouders een genoegen te doen dan haarzelf. In dit nieuwe leven waren haar ambities ontegenzeggelijk minder gecompliceerd geworden en had haar geloof zich ontegenzeggelijk verdiept.

Ze was zich natuurlijk bewust van haar jongen, meer van zijn lichamelijke kant (hij was goed in sport – voetbal, skiën, tennis) dan van wat in hem omging (Amerika, geschiedenis, literatuur). Ze was zich sterk bewust van zijn lichamelijke schoonheid. Hij was veel aantrekkelijker dan zij of haar echtgenoot of hun grappige kleine Laura, hoewel Elena zichzelf in hem kon zien: hij had haar lengte en haar Romeinse neus, lang en gedistingeerd. Ze was zich bewust van Francesca, dochter van een van de rijkste en meest vooraanstaande burgers van Città, die een bloeiende sokkenfabriek en een rekening bij de Cellinibank had; ze was zich ervan bewust dat het dik aan was tussen Cesare en Francesca. Ze gingen samen skiën bij Francesca's huis in Cortina. Ze gingen samen zeilen vanuit Francesca's huis aan de Costa Smeralda op Sardinië. Ze zouden samen opgroeien, verliefd worden op hun veertiende en bij elkaar blijven tot ze tweeëntwintig waren – acht jaar waarin Francesca getransformeerd werd van meisje tot jonge vrouw, met haar amandelkleurige haren en haar volmaakt ronde gezichtje en haar tedere groene ogen, en leerde om niets en alles te verwachten.

Francesca's moeder, signora Marconi, ruim vijftien jaar jonger dan Elena, moeiteloos badend in haar geld, behing zich met goud en hulde zich in mooie kleren, zijde uit Como en Tornabuonileer. Ze was gewoon Elena in hun verschillende villa's uit te nodigen en Elena nodigde haar op haar beurt uit in haar villa's en betrok haar (ze heette Catarina maar ze stond bekend als Cat, uitgesproken met een keiharde K) bij het ingewikkelde proces van de restauratie van het fresco. Elena nodigde Cat uit om het fresco ter plekke te komen bekijken voor het weggehaald werd. Ze nodigde haar uit op het atelier van de restaurateur in Milaan. Ze nodigde haar uit in de villa in Città om Cats mening te horen over de plek waar het fresco moest hangen als het gerestaureerd was. Elena ontbeerde Cats zelfvertrouwen en daarom was Elena zo graag bij haar – alsof Cats zelfvertrouwen op een of andere manier op haar kon overgaan. 'Hier,' zei Cat nadrukkelijk. 'Hier moet het fresco hangen.' Ze was in de woonkamer van de villa van de Cellini's in Città. Cat was diepbruin als gevolg van een Paasuitstapje naar Sardinië. Er hingen kleinere schilderijen aan de muur waar Cat op doelde, maar het was een grote muur die het fresco niet zou opslokken. En Cat was erbij toen het fresco (gerestaureerd) op zijn nieuwe plek werd gehangen. Ze strekte haar lange en slanke en bruine vinger (waaraan een enorme diamant verzonk in een brede band van geel goud) uit naar Valeria's gezicht, trok een cirkel met als mikpunt Valeria's uitdrukking. Wat ze het mooiste aan het schilderij vond, zei Cat, was die pijn. 'Je moet het voelen. Absoluut. In ieder geval een keer, om wat voor reden dan ook.'

Elena zag de mooie hand die pijn omsluiten, die pijn die Elena altijd gevoeld had in de afbeelding van het meisje maar die ze nooit onder woorden had gebracht – een verscheurende extase die over het gezicht vloog, een extase die Elena gezien had op schilderijen van godsdienstige beproevingen, kende van de zielskwellingen van Anna Karenina. Toen ze Cat de pijn zag beschrijven, karakteriseren met het zelfvertrouwen van haar ervaring, had Elena de neiging persoonlijke vragen te stellen, te praten als onbevangen jonge meisjes, toen alles willekeurig en mogelijk was. Natuurlijk deed ze het niet, dat zou onbeleefd zijn. Over zulke dingen praatte je niet en ze was een goede katholiek. Maar de pijn, het hartzeer, die gedijden in de beslotenheid van haar geest. Cat als de heldin met een of andere minnaar, iemand anders dan haar kleine kalende echtgenoot, de sokkenkeizer – een ruwe kus gevolgd door tedere beten aan de achterkant van een bleke ontspannen hals, tedere beten die rillingen van genot door haar heen joegen. Dit beeld flitste even door Elena's gedachten, voor ze het, en meer van dit soort onzin, verjoeg met een gegeneerd gebed aan Sint Judas Taddeüs.

'Een keer maar,' antwoordde Cat, en Elena gloeide weer, een sintel die een windvlaag opvangt, 'die liefde die als een mes door je heen gaat.' En Elena knikte met een warme glimlach, en hoopte dat Cat niet door zou hebben hoe diep haar onwetendheid ging.

'Is dat een klauw?' vroeg Cat, en het onderwerp veranderde in een discussie over iconografie: was het de hand van God of die van Zeus of gewoon de hand van het noodlot. 'Denk je eens in,' zei Cat, 'als al die kunstenaars, Rafaël en Da Vinci en Michelangelo, zelfs Cellini, eens de vrijheid gevoeld konden hebben om wereldse onderwerpen te schilderen. Stel je eens voor wat het resultaat van hun verbeelding geweest zou zijn. Dat verlangen, die pijn, dat zijn onderwerpen genoeg.'

'Toch is het het noodlot,' hoorde Elena zichzelf tot haar verbazing zeggen. Gewoonlijk was ze niet zo vrij met haar meningen. 'Laat het de hand van God zijn of de klauw van Zeus of de wil van de jongen om weg te gaan of verlaten te worden – het is het noodlot.' En ze stelde zich een ogenblik de wereld voor zonder de grote religieuze werken van al die kunstenaars en op dat moment van schrijnende leegte was ze ervan overtuigd dat Cat niet elke zondag naar de mis ging.

Elena wist ook dat haar zoon ergens in de toekomst Cats dochter die pijn zou berokkenen. Francesca was het soort schoondochter dat ze konden verwachten en die ze graag wilden hebben, maar Elena wist dat ze elkaar te vroeg gevonden hadden en dat hun verhouding geen stand zou houden. Ze wist hoe het af zou lopen. Ze wist dat jongens die er goed uitzagen altijd in het voordeel waren. Elena wist dit, en hoewel ze niet kwaadaardig was, gaf het haar toch een beetje een gevoel van triomf.

De intense pijn: de vroege uren van de ochtend, een kalme Sardinische zee, wel honderd kleine bootjes die naar de horizon roeien, vol verlangen om de dagelijkse vangst binnen te halen, alle zwakke geluiden van zo'n beweging, het signaal van de boeien, zeilboten die wiegen in de schommeling van het water, het gekreun van de touwen. Een groene ochtend in Smeralda: zeemeeuwen die drijven op de rug van een licht briesje, hun felle roep, de *forno*geur van brioches die de dageraad overspoelt met de belofte van iets zoets en warms. Francesca is op zoek naar Cesare. Ze is de hele nacht op geweest. Ze is in haar nachtjapon en heeft blote voeten. Haar ronde gezicht en haar enorme ogen worden ontsierd door ongerustheid en uitputting. In de loop van de nacht is het langzaam, zoals de dag aanbreekt, bij haar opgekomen dat dit het einde is. Acht jaar – een hele tijd. Ze is naïef maar niet gek. Hij zal kil en gemeen zijn, want wie weet hoe je een liefde op een goede manier beëindigt? Het is het Nederlandse meisje, weet Francesca, van het feest van gisteravond. Het meisje dat boven iedereen uitstak met haar korte zwarte mannenkopje en de zwarte jurk met de schouderbandjes, dat Engels met Cesare sprak terwijl ze iets te veel wijn dronken. Dat flirtend haar hoofd boog, dronken en lodderig. Dat een idiote lach had. Wat was Cesare mooi, met zijn glimlach die breder werd voor een ander meisje – Francesca had het aandachtig bekeken, en ze zag dat zijn haar bij de slapen terugweek, dat zijn kuiltjes dieper werden als zijn lippen zich krulden wanneer hij zich naar het Nederlandse meisje boog.

Francesca's voeten doen pijn, de rechter heeft een kras boven de instap, genoeg om een pareltje bloed te veroorzaken. Voor Cesare zal deze romance weinig betekenen, voor het Nederlandse meisje ook, maar niet voor Francesca. Voor Francesca zal het de drempel van haar volwassenheid markeren. Ze gaat zitten op de trap die naar de jachthaven leidt. Haar haren zitten in de war. Ze heeft haar tanden niet gepoetst. Ze herinnert zich dat ze veertien was, en zich verbeeldde dat buitenaardse wezens de *Pioneer* 10 vonden, het ruimteschip dat op een of andere fantastische ster schipbreuk geleden had, en de gedenkplaat binnenin met het beeld van Man en Vrouw ontworpen door Carl Sagan. De naakte man die met zijn hand wuift en daarmee de vreemde wezens oproept in te zien dat hij het goed bedoelt. Ze hadden gelachen, zij en Cesare, om dit eenvoudige idee en alle mogelijkheden van zo'n expeditie. Hun toekomst lichtte even helder en groots op, vol van al de plaatsen waar ze ooit zouden kunnen zijn. Ze was een en al bewondering en nieuwsgierigheid voor Cesares passie voor Amerika.

Ze heeft hem gevonden. Ze weet waar hij is. Daar verderop in de jachthaven, tussen de honderden jachten, brandt het licht in de hut van de zeilboot van haar familie. En hij is daarbinnen met het Nederlandse meisje, allebei naakt als de figuren op de gedenkplaat in de *Pioneer*, maar in elkaar verstrengeld, en hij maakt alles en niets kapot. Ze zit op de koude betonnen trap, terwijl overal om haar heen de bougainville hoopvol bloeit en de wereld naar brioches en honing ruikt, en ze weet dat het door haar komt als ze verrukt van elkaar genieten, omdat zij daar naar hen zit te kijken, en ze weten dat zij hen ziet, en weten dat de pijn erover haar helemaal vanbinnen openrijt, en ze weet dat hun lust daardoor heviger wordt. Ze zal wachten. Ze zal daar blijven zitten tot ze de moed hebben om uit de boot op te duiken in de heldere Sardinische morgen, de lange armen en benen van het meisje om Cesare heen – haar ironische lachje dat doet alsof ze onschuldig zijn. En dan zal Francesca opstaan zodat Cesare haar kan zien, boven hen uit rijzen en drijven op de rug van een zacht briesje.

Cesare wist niet veel van het jaar 1519. Het was het jaar dat Leonardo da Vinci stierf (in Frankrijk) en dat Catharina de Medici geboren werd in de rijkste niet-koninklijke familie in Europa. Ze was de kleindochter van Lorenzo il Magnifico en zou koningin van Frankrijk worden en schoonmoeder van Mary Queen of Scots. Een van haar vele bijdragen aan de wereld zou het ballet zijn en zij was de eerste beschermvrouwe ervan. Fernão de Magalhães begon zijn reis om de wereld, en ging scheep in Sevilla. De feiten van een jaar verweven de tijd tot geschiedenis. Een jonge goudsmid uit Florence vluchtte naar Città, werd in huis genomen door zijn oom die hem naar Fiori bracht, een klein dorpje in de heuvels boven het Lago Maggiore, en daar werd hij verliefd op zijn nichtje Valeria. Haar naam betekent Kracht. Ze was vijftien en had een vitaliteit die Benvenuto in een beeldhouwwerk wilde weergeven en zich eigen wilde maken. Binnen een jaar zou ze met iemand anders getrouwd zijn. De iemand anders staat tussen de gasten, zijn ogen op Valeria gericht, de enige die zich bewust is van haar hevig verlangen. Maar je moet heel goed kijken om dit te betrappen, de kunstenaar die een spelletje speelt, de toekomst voorspelt. Vertelt hij Valeria dat het goed met haar komt? Of vertelt hij zichzelf dat het goed met haar komt? Probeert hij de pijn weg te snijden, eruit te halen zoals je met een doorn zou doen? Er is geen goede manier om een liefde te beëindigen, nietwaar? In die zomer van 1519, toen de paus en de bisschoppen bleven proberen het katholicisme te verdedigen en Catharina bij haar geboorte zoveel voorrechten kreeg en Da Vinci stierf, legde Benvenuto de pijn vast, schilderde zijn fresco van Valeria, die de opstijgende man, te mooi voor het sterfelijk bestaan, tegelijkertijd probeerde terug te halen en te laten gaan. De pijn zou door de tijd reizen, bestudeerd en bekeken en genegeerd worden door generaties van een familie, tot in 1972 een zachtaardige vrouw genaamd Elena hem uit de villa in Fiori weghaalde, liet restaureren, en aan de muur van de villa in Città liet plaatsen, waar het nu nog hangt, onder een zwakke lamp die hem zo voorzichtig mogelijk verlicht met de bedoeling het voor eeuwig te behouden.

Nu bestudeert Cesare het fresco, hij zit in een roodfluwelen leunstoel en de fluwelen gordijnen zijn dicht. Hij bestudeert het zoals hij het vele malen eerder gedaan heeft, piekert over de betwistbare klauw, het idee van het noodlot – maar vanavond kijkt hij naar de schildering alsof het de eerste keer is, want Beth is dood. Hij heeft net vandaag een e-mail van haar man gekregen waarin staat dat Beth dood is. Hij had haar dood zonder het te weten herhaaldelijk op de televisie gezien, steeds en steeds maar weer en nog eens en zou dat nog jaren kunnen doen. Het kleine lichtje hoog boven het fresco werpt zijn schijnsel op de smart van het meisje, de uitbundigheid van de opkomende ster, de vluchtende kunstenaar, niet gedreven door een romantische passie of erfgoed of geld, maar door een verlangen naar een leven zonder zwaartekracht. Hij kijkt afgunstig naar de vluchtende kunstenaar, kijkt hoe het meisje zijn been wil grijpen. Ja, als om hem terug te halen of door hem opgetrokken en meegenomen te worden. 'Hij wilde teruggehaald worden,' zei Beth altijd als ze daar stond. 'Hij wilde dat zij zich uitsprak. Kijk naar zijn linkerhand,' zei ze. 'Kijk nu even. Kijk naar de linkerhand.' En dat deed Cesare nu, de welving van de hand vol verlangen, de welving van de elegante en slanke vingers, die misschien, inderdaad, naar de hare reikten. Eigenzinnige Amerikaanse Beth, zijn mooie rebellie.

Cesare is een drieënveertigjarige bankier in de stad Città. Als rijke en vooraanstaande burger verstrekt hij geldleningen – zoals zijn vader deed en zoals zijn vaders vader deed en zijn vaders vaders vader deed, enzovoort en ga zo maar door – aan grote sokken- en schoenenfabrikanten die nog groter willen worden door modieuzere, steviger, beter uitgevoerde, soepeler sokken en kousen en zolen en hielen uit te denken. Zijn vaders grote succes, in samenwerking met signor Marconi, Francesca's grootvader, en later met haar vader, was gekomen met de panty. Cesare had groot succes, in samenwerking met signor Agnelli, echtgenoot van Francesca zoals blijkt, met antislipsokken voor peuters. De Cellini's zijn de kunst machtig geworden om geld meer geld te laten genereren, hoewel de wereld nu in een economisch dal zit en het terrorisme zich verspreidt als een kankergezwel dat zich over de aardbol uitzaait. En Beth, vijftien jaar van hem weg, is weer weggegaan en nu voorgoed. Zonder het te weten heeft hij haar vaak zien gaan. Ze heeft een man, een dochter en een vader achtergelaten. De vrouw en zoon van Cesare slapen in hun slaapkamer. Van tijd tot tijd bespiedt hij hen, alleen maar om het zachte ritme van hun adem waar te nemen, het rijzen en dalen van hun borst onder de dekens. Het hoofd van zijn vrouw rust op haar kussen, omgeven door een krans van krullend zwart haar, kent alleen maar comfort. Ze schilt haar druiven, heeft de tijd om aan zulke dingen te denken, verricht met het kleine zilveren mesje en vorkje ingewikkelde handelingen met de schil, die ze eraf schuift als een jurk. Ze is de erfgename van een fruitimperium, gewoon fruit, exotisch fruit, geëxporteerd fruit, geïmporteerd fruit – kumquats en kiwi's en manggissen, doerians en ramboetans (toevallig de lievelingsvrucht van de orang-oetang). Ze haalt adem. Ze zullen 's ochtends samen naar Fiori rijden om toe te zien op de aanleg van een zwembad. *Pioneer* 10 is allang voorbij de rand van ons zonnestelsel. Hij vraagt zich af wat er in Beth omging op het moment van haar dood. Wist ze dat ze ging sterven? Hoe lang, hoeveel minuten voelde ze het aankomen? Om wie is haar dochter nu aan het krijsen? De e-mail was zakelijk geweest: '*Ik wilde je laten weten...*' Wist haar man dat Cesare nog van haar hield?

Het is voorbij middernacht, september, een dichte mistnacht, zo een waar Lombardije beroemd om is. De mist hult de Pianura Padana in een sluier, die gevaarlijk over de hele vlakte hangt. Van de Alpen tot de Dolomieten, zo dicht dat het lijkt alsof je hem zou kunnen snijden, zo dicht dat hij de wereld duister maakt. Geen enkel zicht en kettingbotsingen waarbij tientallen en nog eens tientallen auto's en doden betrokken zijn, veroorzaakt door een fatale combinatie van een warme aardbodem en koude lucht en een landvlakte die stilte voortbrengt. Cesare kan Beth voelen; zijn woonkamer is vol van haar zachte geur. Zijn ouders zijn er niet en het is laat en daar is ze. Zijn ouders mogen haar niet, of liever, ze dulden haar als een gril van Cesare. Hij studeert aan de Bocconi universiteit in Milaan. Hij zakt regelmatig voor zijn examens omdat hij niets uitvoert. Hij voert niets uit omdat hij niets om economie geeft, omdat hij weet dat het uiteindelijk betrekking moet hebben op sokken en schoenen. Hij wil zijn leven niet besteden aan het denken over voeten.

Elena verzekert Giovanni Paolo dat de Amerikaanse alleen maar een fase is. Regelmatig (en in het bijzijn van de Amerikaanse) vraagt ze Cesare wat er met Francesca gebeurd is, waarom komt ze nooit meer langs? Het duurt maanden voor zijn ouders Beths naam kennen, voor ze niet meer over haar te praten als over de Amerikaanse. Het maakt niet uit dat er twee jaar voorbij zijn gegaan sinds de ochtend op Sardinië, het maakt niet uit dat Francesca allang verwikkeld is in (en bestemd is voor) de relatie met Agnelli.

Cesares vrouw slaapt, ademt rust. Hij hoort zijn zoon opstaan, vijf jaar, een jaar ouder dan Beths dochter. Luistert hoe de jongen op zijn tenen naar zijn moeders bed gaat, hoe de jongen zich aan de matras optrekt. Stelt zich voor hoe Beths dochter op haar tenen naar haar moeders bed gaat, elke avond, iedere avond. Hij kan haar horen, haar stem als die van zijn zoon die om zijn moeder brult als ze maar een dag is weggegaan. Voor hoe lang? Hoe lang voor een kind vergeet? Cesares vader is nu dood, ruim tien jaar, stierf aan longkanker thuis in zijn bed. Het laatste wat hij tegen Cesare zei was dat hij zijn sigaret uit moest maken; hij zei het afwijzend, beledigd dat zijn zoon een sigaret rookte terwijl hij lag dood te gaan aan longkanker. Cesare had geen sigaret; hij rookte niet. Het antwoord is: nooit. Je vergeet nooit.

Een paar maanden na Giovanni Paolo stierf Elena, ook zij; geen oorzaak maar gewoon verdriet. En hier was Beth, korenblauwe ogen, kort blond haar weggestopt achter haar oren, neusvleugels die zich vreselijk voorzichtig opensperren, zo opgewonden dat de brede vlakken van haar hoge wangen met kuiltjes nog breder worden. Hij voelt haar stralende aanwezigheid bij hem in de kamer, en ze beweert dat het fresco geïnterpreteerd kan worden zoals je maar wilt. 'Dat is de virtuositeit van de kunstenaar. Hij laat het aan ons over.'

'Je bent zo Amerikaans,' zegt hij.

'*Sei cosi Italiano*,' reageert zij.

'Benvenuto's vader wilde dat hij de muziek in ging.'

'Maar hij wilde de kunst in. Hij deed wat hij moest doen.'

'Hij was de regisseur van zijn eigen leven,' zegt Cesare. 'Maar tegen het eind ging hij terug naar Florence.'

'*Campanilismo*,' zegt Beth. 'Hoe diep zijn liefde voor Valeria ook ging, hij zou altijd gehunkerd hebben naar de klokkentoren van zijn Florence.' Hij weet dat ze dol is op de uitdrukking, *campanilismo*, het intense plaatselijke patriottisme ervan. *Campanilismo*: liefde voor je klokkentoren, sterven voor je klokkentoren. Ze is dol op het begrip omdat het geen Amerikaans equivalent heeft en ze is dol op de verschillen, de contrasten van hun respectieve tradities. Nu, in het begin, vormen ze geen bedreiging voor haar, maar hij is al bang voor de kloof die ze zullen veroorzaken. Maar daar wil hij niet aan denken, hij geeft er zoals altijd de voorkeur aan om onaangename waarheden opzij te schuiven, te bewaren voor een later tijdstip. Ze lacht, een aanbiddelijke lach met kuiltjes in haar wangen, duwt Cesare in de fluwelen armstoel en kust hem toegeeflijk met wel honderd kleine kussen. 'Denk je dat ze ooit...'

'*Signorina*,' zegt hij en hij doet alsof hij geschokt is. Dan: 'Natuurlijk hebben ze het gedaan.' Dan kust Cesare haar, en hij begint bij haar tenen.

2

Intense pijn

Ze belde hem door heel Amerika vanuit telefooncellen aan de rand van eenzame benzinestations langs die lange eindeloze wegen, terwijl James geduldig in de auto wachtte, in de veronderstelling dat ze alleen maar naar huis belde. Het was de auto van haar grootmoeder, een zwarte Lincoln, een wagen met een gouden inscriptie op het dashboard met de tekst MRS. OLIVER CARTER BRANDT, III. Dan keek ze naar de auto die daar maar stond te staan in de hete zomerzon. Dan sloot ze haar ogen en wenste dat ze uit de telefooncel te voorschijn zou komen als een soort Supervrouw die de wereld zou veranderen, wenste dat het Cesare was achter het stuur, die deed alsof hij een cowboy was of Jimmy Dean, zijn arm losjes hangend over de rug van de voorbank zoals hij graag deed, zijn zonnebril met zwart montuur op zijn neus. Alleen al omdat de auto zo groot was had hij het heerlijk gevonden erin te rijden, de krochten van New York te doorkruisen, over de brede verkeerswegen te toeren. De statische elektriciteit kraakte door de internationale lijn die hen verbond en herinnerde haar aan de afstand. Zelfs zo kon ze zijn stem duidelijk horen, zijn accent bracht Italië helemaal terug zodat het leek of ze naar hem toe ging, niet van hem wegging. Het was een waagstuk, dat was alles, deze reis naar het westen. Ze kende James nauwelijks. Ze was drieëntwintig en was net afgestudeerd.

Het was 1987, een jaar zoals elk ander. De economie was sterk, de Dow Jones liep op. Velen van hen die niet op Reagan hadden gestemd waren heimelijk verrukt dat hij president was. 'Amerika is te groot voor kleine dromen,' verklaarde Reagan.

Dit was inderdaad het jaar van Milken en Boesky en Gary Hart en Black Monday. Het Iran-Contraschandaal woedde en grifte de namen van North, Schultz, Weinberger en Poindexter in het geheugen. We weten nu hoe het afliep, de opkomst en de neergang, het tij, in perspectief en van een afstand. James zou op 1 oktober in Los Angeles als postdoctoraal student aan de universiteit van Californië beginnen terwijl hij de aarde onder zijn voeten voelde bewegen en Beth een knagende herinnering was. Beth zou op 19 oktober werken bij Lago, een befaamd restaurant in New York, beginnersniveau, wortelen fijnhakken, kijken naar de geschiedenis van mensen die alles verloren hadden, blij dat zij niets meer te verliezen had. Maar eerder in juni ging het er heftig aan toe, Gorbatsjov werkte samen met Reagan om een eind aan de koude oorlog te maken, terwijl Microsoft aan cd-roms werkte. AZT kreeg een patent. Yoko Ono bevorderde over de hele wereld de vrede. Beth marcheerde door dit jaar met alle gewichtigheid en achteloosheid van de jeugd, bewust en onbewust, de details en de feiten van de dag schijnbaar irrelevant, verwezen naar de wazige achtergrond van het heldere beeld van haar toekomst die zich ontvouwde als een lange rode loper waarover zij moest schrijden. Cesare was het enige belangrijke voor haar. Hij zat in haar binnenste, een woeste, bestendige liefde, en vrat haar levend en volledig op.

In het begin waren de gesprekken hetzelfde. 'Kom je?' vroeg Cesare. 'Je weet toch van niet,' zei ze dan, in een poging tot onverzettelijkheid. 'Je komt wel,' antwoordde hij dan met zijn beheerste zelfvertrouwen – een zelfvertrouwen dat dol was op de voorwaardelijke wijs, het 'stel dat' dat alles mogelijk kon maken. Ze had nu al in Italië moeten zijn om met hem te trouwen. Maar met kerst had Cesare onthuld dat hij vreemd was gegaan, door Beth een groenzijden hoed te geven die zijn minnares, een hoedenmaakster gemaakt had. Het was een volmaakte hoed, een eivormig rond hoedje met zachte lagen, die deed denken aan de hoed van Valeria. Zodra ze de doos opengemaakt had kende Beth het hele verhaal, wist eveneens dat de vrouw uiteindelijk niet van betekenis zou zijn.

Maar Beth ging met Pasen niet naar Italië zoals was afgesproken. Vervolgens belde Elena vlak voor Beth afstudeerde om te vragen wanneer ze kwam. Beth kon zich de lange magere Elena voorstellen zoals ze aan de telefoon stond bij de keuken in de villa, zoals ze de hoorn tegen haar oor drukte als om het gekraak weg te duwen, haar afwachtende bezorgdheid, niet over Beths komst, maar over haar zoons toekomst. Beth was dapper, zelfs onvervaard. Ze was in haar appartement in New York, brandweerauto's reden scheurend Sixth Avenue op, haar huisgenootjes douchten en liepen in handdoeken gehuld rond. 'Cesare heeft nog een vriendin,' had Beth tegen Elena gezegd als verklaring dat ze niet spoedig zou komen, maar ook in de hoop dat Elena haar op een of andere manier zou gaan verdedigen en alles goed maken. 'O *cara*,' had Elena teder gezegd, zonder dat haar hart een slag miste, alsof ze al even had staan te wachten om dit te zeggen. 'Hij heeft altijd nog een vriendin.' Er klonk ook een ongeduldige ergernis in haar stem, niet vanwege Beth, maar vanwege haar zoon, vanwege het feit dat hij onmogelijk was, onweerstaanbaar, dat hij harten brak. Beth draaide het telefoonsnoer om zich heen, een lang snoer dat ze om zich heen wikkelde en wikkelde zodat het plastic in haar huid knelde. Beth was niet het meest bezorgd om de mogelijkheid van vriendinnen. Ze was eerder bezorgd om de waarheid dat Elena in staat was de boodschap aan haar over te brengen.

Beth kon Cesare in de telefooncel nu zien alsof hij tegenover haar stond: zijn lange Romeinse neus, zijn dikke donkere haar, zijn heldere gitzwarte ogen, zijn bekakte kleren – Timberlands, opgerolde kakibroek, overhemd van dik katoen – hoewel de manier waarop hij het overhemd in zijn broek stopte, de dunne broekomslag die hij van de opgerolde pijpen maakte, de losgeknoopte boord, de opgestroopte mouwen, dit alles leek in de verste verte niet op zijn vertrouwde saaie uiterlijk. Nadat hij terug was gekomen uit Amerika begonnen al zijn vrienden in

Città kleren te dragen zoals hij. Hij schreef aan Beth, in een van zijn vele brieven, het verhaal dat hij Amerikanen kon klonen. Hij leerde ze ook een rugbybal te gooien, leerde ze de bal met een draaiende beweging vanaf hun hand door de lucht te laten zeilen, leerde ze op een enorm veld in Fiori aan te vallen maar niet aan te raken, leerde het hun met een vastberadenheid en een hartstocht alsof er iets vreselijk belangrijks van afhing dat zij het spel onder de knie kregen. Zijn Amerikaansheid, zijn hybride aard, groeide als iets magisch, als een of andere bloem die geraffineerd tot volle bloei komt, die zich ontwikkelt tot de natuurlijke selectie haar afdankt: de rugbybal die in een hoek is achtergelaten, verslagen door het voetbal.

'Draag je nog van die bekakte kleren?' vroeg ze. Ze herinnerde zich zijn ingeving van een paar jaar geleden om *The Preppy Handbook* in het Italiaans te vertalen, herinnerde zich de lach die zijn gezicht deed gloeien over het idee dat groot genoeg was om een brug voor hen te bouwen. Hij was ook een dromer, dat wist ze, met dezelfde wil en vastbeslotenheid als zij, en ze zou nooit de hoop opgeven dat hij zijn dromen zou toestaan tot ontplooiing te komen. In de auto zette James de radio aan, een mooi countrydeuntje dat uit het raam dreef en de trieste dag leek op te tuigen.

'Amerikaans fabrikaat,' zei Cesare.

'Ik wacht hier op je,' zei ze, en ze keek de lange weg af, maïsvelden zover het oog reikte, en voelde een lichte pijn over de leegheid, over alles wat er niet was. Maar ze geloofde, opstandig en tot op zekere hoogte, dat hij nog net op tijd zou komen, hard op de wind zou binnenstormen, en haar in zijn armen pijn zou doen.

Ze belde hem eerst uit de buitenwijken van Hazelville, een klein stadje buiten Pittsburgh waar James heen wilde omdat hij daar geboren was. James was Beths jaargenoot geweest in haar laatste jaar aan de universiteit van New York, een fatsoenlijke jongen die als kind de pluimen uit de maïs gehaald had, een aankomend geoloog wiens onderwerp Amerika was, in zijn hart een dichter. Beth had zich geërgerd aan het sentimentele idee van een omweg naar zijn geboortestad. Maar dat liet ze hem niet merken. Wat ze hem wel liet merken was dat ze verliefd op hem werd – hevig, waanzinnig. Ze vertelde het hem voor het eerst in een veld zonnebloemen.

Hazelville was een troosteloze stad waar de kolenindustrie allang dood was en waarvan het karakter tientallen jaren verlamd was geweest – weidse lanen met weidse winkelfaçades met lang vergeten namen: Franklin's Five and Dime. Een stad verstopt in de uithoeken en plooien van dit grote land zoals een moedervlek verstopt in vetkwabben. Beth was ook opgegroeid in Pennsylvania, op een commune met een appelfarm in Snyder County, vier uur naar het oosten waar heuvels golvend in nog meer heuvels overgingen en alles verdween in een uitgestrekte blauwe lucht. Het was het land van de amish en de mennonieten, mannen en vrouwen in hun eenvoudige zwarte kleren met hun rijtuigjes en hun paarden die door berg en dal draafden. Beth was meer dan eens stoned geworden met een paar mennonieten jongens. Ze was de dochter van een hippie en een dromer, haar moeder, allang dood, gememoreerd door de naam die haar vader aan de farm gaf: Claire.

Beth en James hadden gekampeerd in een bos niet ver van de weg, aan de rand van James' geboortestad. Beth was er midden in de nacht in de Lincoln vandoor gegaan om Cesare te bellen in een truckerscafé. De motoren hijgden en zuchtten; de zware trucks zwermden met volle lichten, flonkerend en verblindend, om haar heen. Ze was stil, luisterde alleen maar naar zijn stem. De nacht was koud, geen maan en geen sterren. Ze wist dat hij aan de andere kant van de lijn was, dat was genoeg; ze hoefde niets te zeggen. 'Ik hou van je,' zei hij. 'Ti amo.' Ti amo is iets anders dan Ti voglio bene, dat 'ik mag je graag' betekent, maar krachtiger, iets wat een ouder tegen een kind zegt. Ti amo is gereserveerd voor geliefden. Beth kende de subtiliteiten, het moment in hun verhouding dat het ene het andere vervangen had. Ze vond het heerlijk dat zijn taal zo nauwkeurig was.

Hij had haar honderden brieven geschreven tijdens de afgelopen vijf jaar. Ze had ze meegenomen, heen en weer van Italië naar Amerika, van haar vaders farm naar het appartement van haar grootmoeder, naar haar woning op Sixth Avenue. Ze zou ze meenemen als ze volwassen werd, ze zou ze de rest van haar leven meenemen, keurig in een doos gelegd waar ze precies inpasten, gevouwen zoals hij ze gevouwen had, weggestopt in hun enveloppen, de flap waaraan zijn tong gelikt had, een bewijs, een getuigenis, een verkondiging van het absolute. *Ti amo sempre di più*, schreef hij.

Ik zal je de waarheid vertellen: I am andato for you, wat in het Italiaans betekent 'Ik ben weg van je', wat betekent 'Ik ben gek op je', wat betekent 'Ik ben stapelverliefd op je', wat betekent 'Ik zou alles voor je willen doen', wat betekent 'Je kunt op me rekenen', wat betekent 'Mijn leven heeft alleen betekenis als ik aan jou denk', wat betekent 'Je kunt met me doen wat je wilt', wat betekent 'Jij bent de enige die mijn lot kan bepalen: of ik gelukkig zal zijn of dat ik me de rest van mijn leven de tijd zal moeten herinneren toen jij van me hield.'

Waarom hou je van me? Haar antwoord bestond uit deze ene vraag, geschreven op een lang blanco vel papier. Ze was niet mooi, ze had geen stijl, haar raffinement was totaal anders dan dat van Italiaanse meisjes, ze had geen begrip voor zijn manier van leven. Ze kon zichzelf niet zien zoals hij haar zag. Ze had over het algemeen geen gebrek aan zelfvertrouwen, maar al in het begin hield ze zoveel van hem dat het bijna ondraaglijk was. Ze vroeg: *Waarom?* Het was de eeuwige vraag die ze door de jaren heen bleef stellen. Ze streefde naar logica. Gewoonweg: de liefde was moeilijk te geloven. Liefde is moeilijk te geloven. Waarom hou je van me? Wat is liefde? Waarom vinden mensen die ene liefde tussen alle mogelijke liefdes? Wat zijn de krachten, de attracties, de oorzaken, de gevolgen? Wat zijn de vereisten, de vormen, de maten, de afmetingen? Leg uit. Waarom jij? Waarom ik?

Ze had hem ontmoet op een klein Grieks eiland dat als een

lied in de Egeïsche Zee dreef. Ze was achttien. Hij stond op een paar treden die naar een witgekalkt appartement leidden en deed verwoede pogingen met de verhuurster te praten om over de prijs te onderhandelen. Hij werd beschenen door de zon, die in zijn haar gevangen werd alsof hij hem eruit kon schudden. Beth had naar hem gekeken, naar het gebaren van zijn handen, geluisterd naar de vreemde en onbekende woorden. Ze was met twee van haar vriendinnen net op het eiland aangekomen. Er waren ook vrienden van hem, die lachten om zijn pogingen een gesprek te voeren. De oude verhuurster was gehuld in het zwart, gebogen en dik rond haar middel. Hij werd beschenen door de zon, dat detail zou Beth zich eeuwig herinneren, de manier waarop de zon hem belichtte, als het ware speciaal voor haar. En dan de manier waarop hij zich omdraaide, alsof hij voelde dat haar ogen op hem gericht waren. Zijn ogen fixeerden haar, heel even maar, maar lang genoeg om een schok te voelen – een stoot, een steek – en daarna was alles anders.

De zware geur van olie en benzine zweefde door de nacht. Truckers met een buik die over hun broek hing liepen waggelend naar het buffet in het restaurant. Een reizende kapel in de vorm van een oplegger met JEZUS REDT in flikkerend neon op het dak kwam langszij. Als een minnares, een bedrieglijke minnares, gevangen tussen continenten en culturen, gescheiden door een oceaan, voelde ze zich belangrijk, springlevend zoals ze daar stond in de koude nacht met de hoorn tegen haar oor gedrukt. James lag te slapen in de tent, hij geloofde in haar, in haar liefdesverklaring in het veld zonnebloemen.

'*Dai, parla,*' zei Cesare, haar smekend iets te zeggen. Hij wachtte tot ze antwoordde, maar ze zei nog steeds niets. '*Non essere scema,*' zei Cesare, nu ongeduldig: Stijg boven jezelf uit, doe niet zo stom, wees niet zo onredelijk.

Kom me halen, wilde ze zeggen, maar ze zei niets, te trots. Ze herinnerde zich dat hij haar ooit verteld had dat hij wilde dat hij haar vader was omdat hij dan zeker zou weten dat ze haar hele leven van hem zou blijven houden.

'*Cocolina,*' zei hij, plotseling teder.

Wees moedig, wilde ze van hem eisen, omdat ze zijn onvermogen moedig te zijn de schuld gaf van alle ellende. Ze wilde de schuld geven – de schuld geven aan Elena, aan de hele wereld. Ze wilde een schuldige, wilde met haar vinger wijzen, de dader aanklagen. Om haar heen strekte Amerika zich uit en verzwolg haar in de nacht. Ze hing op zonder iets te zeggen. Haar stem verdween als een meetlint in zijn metalen omhulsel en ze wenste dat ze met zijn stem over al die lijnen naar hem teruggezogen kon worden.

Ze reed terug naar de tent, glipte in de slaapzakken die James aan elkaar geritst had. Hij trok haar dicht tegen zijn borst en hoewel haar rug zijn buik aanraakte voelde ze zich helemaal alleen en bang en schuldig omdat alles verkeerd was en omdat ze niet hier zou moeten zijn.

'Ik hou van je,' fluisterde ze en ze dacht aan Città: 's avonds waren de straten en het centrale plein, de piazza Garibaldi, springlevend met mensen die een aperitief gingen drinken, hun vrienden groetten, met hun gebak keurig in papier gepakt, vastgemaakt met een strik. Dat hadden ze wel honderd jaren, misschien duizend jaren gedaan. Want wat was een forum nu eigenlijk? Als ze tussen al die mensen rondliep was het alsof ze er ook de hele tijd bij geweest was.

Ze dacht aan Città, de bank van Cellini die door de hele stad adverteerde, de naam Cellini die je op straat tegemoet schreeuwde, in de kranten, zelfs vanaf gebouwen en bussen en bushaltes. CELLINI. Betta Cellini. Bet Cellini. Betti Cellini. Nooit Beth. Signora van Città, signora van Fiori. Ze kon Elena's plaats innemen, de vrouw van een Cellini worden, hoedster van het geslacht Cellini, moeder van nog meer zoons en dochters Cellini. Nooit Beth. Beth zou iets uit haar verleden worden, een herinnering van haar jeugd. Zo eenvoudig.

Ze was drieëntwintig. Beth had ook haar eigen dromen.

Ze belde Cesare vanuit Gary, Indiana en Peoria, Illinois. 'Amerika is zo lelijk,' zei ze, terwijl ze naar een hemel vol fabrieksschoorstenen en brandstoftanks keek, de lucht zwaar van hun stank. Ze wist dat hij het op prijs stelde als ze Amerika lelijk vond, alsof deze reis een uitspatting was, een poging om Amerika uit haar systeem te krijgen. Ze stelde zich de meren van Noord-Italië voor met de Alpen die eruit op leken te rijzen, de kronkelende weggetjes, groepen gepleisterde huizen die de toppen van kleine heuvels vastgrepen als een kolonie zeepokken, en even wit. En de triomfantelijke klokkentorens die boven dit alles opdoemden. Honderden jaren in dezelfde stad, natuurlijk hielden ze van hun klokkentoren.

Ze belde Cesare vanuit Lake of the Ozarks en het deinende groen van de Flint Hills; ze was verbaasd als het land steeds mooier werd en verbaasd omdat ze altijd gedacht had dat Kansas vlak was. Het land werd niet vlak, leek het, tot ze in Colorado gekomen waren. Vlak als water net voor een golf, dat terugdeinst en helemaal verdwijnt zodat de golf kan groeien. En net als de golf kwamen de Rockies in het zicht, majestueus verheven en met sneeuw bedekt (als schuim) daarboven in de wolken. 'Het is zo gigantisch,' zei ze tegen James, vol liefde voor hem op dit moment bij dit wonder. De wind vloog door het open raampje en James legde haar uit hoe de Rockies ontstaan waren, zijn blonde glimlach straalde door zijn enthousiasme en hij verhief zijn stem om de wind te verslaan. Zijn verklaringen over de tektoniek van continentale aardkorsten en erosie en vlakken ijs klonken logisch toen hij het vertelde, maar Beth raakte al snel de draad kwijt toen ze zich een tropische wereld van vijgenbomen voorstelde die daarna bedekt werd met ijs dat de bergen vermorzelde, vele miljoenen jaren geleden. 'Een nanoseconde geleden, een oogwenk,' zei James. Daarna keek hij met half toegeknepen ogen, strak op de weg gericht en vervolgens op haar. Toen hij begon te beschrijven hoe de Rockies langzaam naar boven waren gekomen, waarbij het continent als een laken werd uitgeklapt om in de wind te drogen, en de zeeën erover heen stroomden de golf van Mexico in, begon Beth te zingen. Ze zong 'God bless America'. Lavendelvelden rolden voorbij en ze vond het heerlijk op de weg, de regelmatige cadans, in afwachting van wat er daarna zou komen.

'This land is your land, this land is my land,' zong James, het antwoord van Woody Guthrie op Irving Berlin.

Beth lachte maar bleef zingen, hoewel ze nog maar een paar woorden kende. 'Hij heeft het in 1918 voor een revue geschreven maar legde het weg omdat er niet genoeg humor in zat. In 1938 herschreef hij het zodat Kate Smith het kon zingen op de dag van de wapenstilstand om aandacht te schenken aan de twintigste herdenking van het einde van de oorlog. Hij was op zijn vijfde uit Siberië hierheen geëmigreerd,' zei ze.

'Je geeft om futiliteiten,' zei hij. 'Maar niet om geologie.'

'Die futiliteit heb ik van een dikke Amerikaan in Spanje. Om een of andere reden heb ik het onthouden.' Ze stelde zich hun toekomst voor. Met James kon het overal zijn, iets dat ze samen bedacht hadden. Hij hield ervan dat ze van koken hield. Hij hield ervan dat ze hem kookfoefjes leerde, hoe je knoflook klaarmaakte, welke pasta je voor welke saus gebruikte (hij had niet geweten dat het ertoe deed). Hij hield ervan haar een gourmetmaal te zien brouwen op een kampvuurtje – buitenissige schotels uit Iran en India die ze tijdens haar vreemde jeugd op Claire had leren maken. Zijn blonde haar werd door de wind gevangen en het raakte helemaal in de war.

James stopte bij een nationaal park. 'Waar gaan we heen?' vroeg Beth. Hij liep voor haar uit, lang en slank, met enthousiaste pas. Hij liep een pad op en ging er vervolgens af, het bos in, zij volgde hem aarzelend, benieuwd waar hij haar heen bracht. Onder een grote pijnboom, dennennaalden op de grond, zei James dat ze haar kleren uit moest trekken, en dat deed ze. Hij zei dat ze moest gaan liggen, en dat deed ze. Ze kon andere trekkers horen, een kind dat lachte, de geluiden van het bos, wat vogels, wat insecten. Zonnestralen flitsten door het bladerdak. Ze kon een vader horen roepen. Hij liet haar daar naakt even liggen, een en al afwachting. Haar hart sloeg op hol. Ze begeerde hem. Hij raakte haar zachtjes aan, een verleiding, haar huid voelde de lucht, haar lichaam smachtte. Cesare schoot door haar hoofd. Ze stelde zich voor dat hij naar haar stond te kijken. Dan bande ze hem uit. James bleef haar aanraken totdat ze hem om meer vroeg. Toen hield hij op. Ze wilde uit alle macht dat hij haar aanraakte. Het was van wezenlijk belang dat hij haar aanraakte. 'Alsjeblieft,' ze hief haar heupen, 'alsjeblieft.' Hij wilde dat ze smeekte. Ze wilde alles doen. Hij raakte haar aan. Hij kuste haar. Alsjeblieft. Hij zonk in haar weg, precies daar waar iedereen het kon zien. Ze kon de vader en het kind horen terwijl ze onwetend voorbijtrokken, hoorde hen stoppen om uit te rusten. Ze wilde schreeuwen. 'Dit gaat lang duren,' fluisterde James, in haar oor koerend. Ze beet in zijn schouder, beet in zijn wang, hij duwde haar hoofd naar achteren. Zijn handen waren overal over haar heen en bewerkten haar en haar huid was koud en heet en ze wilde dat de vader van het pad af ging en haar daar zag en daarna wilde ze dat Cesare zou verschijnen en ook zou kijken. Bladeren drukten in haar rug, takken, een kiezelsteen. Ze spande zich in om hem te bevredigen en ging door tot het leek of haar lichaam de hemel raakte. Toen dacht ze nergens aan.

In Italië heette dat *andare in camporella* ofwel 'neuken in de velden of de bossen'. Dat vertelde ze James later. Ze wist dat het feit dat ze net een Italiaanse was een van de dingen van haar was waar James het meest van hield. Hij maakte altijd lijstjes van de attributen die bijdroegen aan haar Italiaanse uitstraling – ze sprak de taal vloeiend (de dag dat hij haar ontmoette was ze Elsa Morante aan het lezen in het Italiaans en hij had haar laten weten dat hij onder de indruk was); ze droeg haar kleren met wat extra flair, zelfs tot de zwarte eyeliner om haar grote blauwe ogen toe; ze at haar sla na de maaltijd; ze kookte die maaltijd met het gemak en de eenvoud alsof ze in dat land thuishoorde. Met James voelde ze zich exotisch, uitzonderlijk, doordrenkt van dat hele geheim van het andere.

Toen kregen de gesprekken met Cesare een ander karakter.
'Vertel me over hem,' zei Cesare.
'Hem?' herhaalde Beth.
'Hem,' zei hij. 'Ik weet met wie je bent.' Ze had Cesare verteld dat ze met een groep vrienden van de universiteit op reis

was. Zo nu en dan verzon ze uitvoerige verhalen over hun avonturen, vermaakte hem met leugens, van verdwalen in het grootste maïspaleis van de wereld. Het was waar, ergens in North en South Dakota was een heel paleis gemaakt van maïsvliezen. ('*L'America*,' had Cesare gezegd, precies zo, en domweg door de manier waarop hij het woord zei legde hij een wonderbaarlijke absurditeit vast, een paleis van maïsvliezen, de onbezonnen energie van het land. Hij was vooral dol geweest op de supermarkten, met hun brede gangpaden waar alles te koop was. Als je door de A&P liep, spreidde gangpad na gangpad een oneindige keuze ten toon. In gangpad 5, met, om precies te zijn, even kijken, producten in blik, Spaghetti O's en bakbenodigheden, verklaarde hij: 'Ik wil hier de rest van mijn leven blijven wonen.') Maar het was James die ze was kwijtgeraakt in het maïspaleis en ze was een ogenblik bezorgd geweest dat ze hem nooit meer zou zien, dat hij haar verlaten had omdat hij wist waar haar gedachten waren.

Leugens werkten nieuwe leugens in de hand tot ze een fijn filigraanwerk van leugens om zich heen gespannen had. 'Vertel me over je huidige,' vroeg Cesare. 'Jason, Jeremiah, kan me niet schelen. Jack. Jezus Mina.' Ze kon zich voorstellen hoe Cesare in de woonkamer van het huis van zijn ouders zat, in de grote fluwelen stoel met alle lichten uit, met een biertje in het donker onder het fresco van Valeria, in afwachting van een pijnlijke ingreep, een wond die dichtgeschroeid moest worden, zodat alles zoveel gemakkelijker kon worden.

'Hoe is het met de hoedenmaakster?' zei ze. En: 'Je moeder zegt dat je altijd meisjes hebt gehad.'

'Kom naar Italië,' zei hij.

'Dat kan ik niet,' zei ze. Maar precies op dat ogenblik erkende ze de waarheid die er de hele tijd al geweest was. Ze kon naar Italië gaan. Natuurlijk kon ze dat, waarom niet? Wat hield haar tegen? Ze voelde zich een beetje wanhopig vanbinnen, bezorgd, alsof ze er zelf heen zou rennen, vliegen. Betta Cellini, erfgename van het geslacht Cellini.

'Probeer het,' daagde hij haar uit.

'Probeer het zelf,' zei ze, steeds nijdiger. Hij had het ooit geprobeerd in Amerika, maar hij kon zichzelf alleen maar voorstellen als een pompbediende, tanks vullend zoals hij zoveel andere immigranten zag doen. 'Ik ben niet opgevoed om ambitieus te zijn,' had hij gezegd. 'Probeer het,' had ze gevraagd. *Probeer het.* Het leek zo verstandig, zo gemakkelijk – een woord van niets. Als hij van haar hield zou hij het voor haar doen.

'Hoe heet hij?' vroeg Cesare.

Niet deze, wilde ze zeggen. Soms vertelde ze hem over haar vriendjes. Kleine details, genoeg om hem nieuwsgierig te maken. Het was een spel dat ze speelden, met de bedoeling jaloezie of pijn op te roepen, en uiteindelijk hoop – de hoop dat hij zou komen en alle vriendjes de laan uit zou sturen. Ze was er niet zeker van waarom ze James wilde beschermen, wenste tot op zekere hoogte dat ze echt van hem hield zodat alles zoveel gemakkelijker kon zijn. 'Je weet met wie ik ben,' zei ze. 'We zijn net naar Mount Rushmore geweest.'

'Washington, Jefferson, Roosevelt – dat wil zeggen Theodore –, en Lincoln.'

'Bravo,' zei ze. 'Er stond een sterke wind. We zijn bijna weggeblazen, helemaal naar Kansas.'

Ze had James ontmoet op Washington Square op een schitterende voorjaarsdag. Hij was aan het jongleren met vier sinaasappels. Hij bewonderde haar toen ze langsliep, gooide haar een sinaasappel toe en zei dat ze hem op moest eten, en dat deed ze. Ze vond het bevel leuk. Het sap droop van haar kin, zoeter dan ze ooit geproefd had. Hij sloeg haar zorgvuldig gade. De aandacht van zijn ogen liet een hele doos vlinders in haar buik los. Even en voor het eerst kon ze zien dat er meer was dan Cesare. Een strakblauwe lucht. '*Severe clear,*' had James opgemerkt. 'Zo beschrijven piloten zo'n lucht.' De helderheid maakte haar aan het lachen. Hij vertelde haar dat haar lach hem beviel. Hij begon gedichten voor haar achter te laten, tussen de bel en haar stuur gestoken. ('Ik rijd op mijn fiets,' had Cesare haar geschreven, 'door heel Città net als een Amerikaanse jongen.') In het begin had Beth geen serieuze bedoelingen gehad met James, alleen maar weer een vriendje.

'Hij,' zei Cesare. 'The *ragazzo*, vertel me over hem.' Er was iets gemeens en bitters in zijn stem, alsof er bij hem ook een knop was omgedraaid.

Ze herinnerde zich de eerste keer dat ze afscheid namen, nadat ze een jaar bij elkaar waren geweest. Ze hadden bij de vertrekpoort op het vliegveld van Zürich gestaan – snikken, vertrokken gezichten, lelijk, rood en grotesk, alsof het een soort dood was. Toen was ze negentien. Kort nadat ze thuis was gekomen na het afscheid in Zürich, vier jaar voor haar tocht naar het westen, toen ze net haar eerste jaar begon aan de universiteit van New York, belde hij haar om te zeggen dat hij gehoord had dat paren via de post konden trouwen. Hij maakte uitvoerige plannen voor hun huwelijk, maakte grappige tekeningen van haar idiote familie – haar vader, haar grootmoeder, en alle mensen uit de commune in alle idiote kleren die ze volgens hem aan konden hebben – naast zijn kleine en vormelijke familie: lange moeder, kleine vader, zusje met blonde krullen.

Ze kon hem een teug, een slok horen nemen, hoorde hoe hij in het donker zijn bier zat te drinken. De hoorn drukte hard tegen haar wang; de hoorn werd haar wang. Op een hoek van de straat, bij een pompstation, op die weg.

Soms ging het gesprek over gewone zaken: over zijn werk; zijn vrienden; over zijn moeders plannen voor het huwelijk van zijn nichtje; over Fiori; over Valeria en Benvenuto en de azalea's en rododendrons die eeuwig bloeiden; over zijn avonden op de piazza; over wat zij met haar leven wilde doen; over haar verlangen chef-kok te worden en eigenaar van restaurants; over hoe ze voor een vrouw op Claire die daar ging trouwen van een kleine chocoladecake een immense bruidstaart voor tweehonderd man wilde maken. Beth was geboren om te dromen. Haar moeder was omgekomen op een kleine Turkse weg, terwijl ze met Beths vader zat te dromen over hoe hun leven zou zijn en wat het zou betekenen. Hij had dit verhaal talloze malen aan Beth verteld. Zijn verhaal over de dood van Claire (en de ogenblikken ervoor) werden Beths herinnering aan haar moeder. Het was een van zijn manieren waarop hij, zou ze later begrijpen, hen drieën, het gezin levend hield. 'Ik voel me alsof ik droom,' zei haar moeder vaak. 'Laat ze horen,' antwoordde Beths vader dan. 'Hoe gingen ze?' vroeg Beth dan altijd, ook al kende ze zijn antwoord. Claire droomde van een appelboomgaardcommune waar iedereen kon wonen zolang ze een bijdrage leverden, waar ouders elkaar met hun kinderen konden helpen en niemand een te zware last hoefde te dragen. Ze hadden het perceel gezien; ze waren van plan geweest het te kopen als ze terug waren uit Turkije. Claire was vijfentwintig toen ze doodging, twee jaar ouder dan Beth nu was. Beth kon duizenden dromen verzinnen voor haar leven met Cesare, maar uiteindelijk kon hij slechts één droom verzinnen.

'Vertel me over haar,' vroeg Beth, met ogen die prikten terwijl ze die weg af keek, een weg die langer werd door nog meer weg met spiegelingen. Zo werkte het spel niet. Een regel die ze zelf gemaakt had. Ze wilde geen details over zijn vriendinnen weten. Weg. Ze had de rest van Amerika nooit gezien. Ze was opgegroeid op de appelfarm en was daarna naar New York gegaan voor een deel van de middelbare school en de universiteit. Haar vader had Claire nooit verlaten – een vreemde vorm van trouw aan zijn overleden vrouw. Beths grootmoeder van moeders kant, een New Yorkse met haar eigen dromen, had Beth toen ze zestien was willen verlossen van de appelfarm en van haar vader en haar naar Italië gestuurd in het kader van een zomeruitwisseling met een Italiaans meisje, Beatrice Nuova (bijgenaamd Bea). Daarna was ze er iedere zomer heen geweest, had twee jaar in Italië gewoond. Beth had veel meer van Italië gezien dan van Amerika. Ze was in elk jaargetijde naar Sicilië geweest, had het in het voorjaar zo groen als smaragd gezien. Ze had de lava van de Etna zien sijpelen, schitterend rood, 's nachts fluorescerend, en door de sneeuw heen zien branden. James wilde Beth Amerika geven, haar al de schoonheid laten zien.

'Jij bent de enige vrouw, Bet.'

'Ik wil de enige vrouw zijn,' zei ze zachtjes. Dan, smekend: 'Kom.'

'Ik hou van je,' zei hij tegen Beth in al die telefooncellen, terwijl opleggers voorbij denderden en haar alle kanten uitbliezen. Hij stond precies voor haar, ze kon hem zo vastpakken. Hij kuste haar voor het eerst. Haar bovenlip, dan haar onderlip – zachtjes, zachtjes. Zijn handen waren op haar ribben, licht als zijde. Zijn handen duwden haar haren weg – witte oleander, gegrilde inktvis, rozemarijn, en de Egeïsche Zee.

'Hou je nog van me?' vroeg hij.

'Vertel me over háár,' vroeg Beth.

'Ik hou van jou,' zei hij. 'Niet van haar.' Er gingen kleine schokken door haar heen, die haar overal een stekende pijn bezorgden.

'Van haar?' vroeg Beth. Natuurlijk wist ze dat er een haar was, maar ze wilde niet dat hij toegaf dat er een *haar* was, net zo min als hij wilde dat zij erkende dat er een *hem* was daarbuiten op de weg. Het was heet in de telefooncel met de deur dicht. Ze wilde niet dat James iets hoorde. James liep buiten te ijsberen, wachtte tot zij klaar was met haar gesprek naar huis. Ze stonden op de parkeerplaats van Old Faithful in Yellowstone, op een afstand van ongeveer achtduizend kilometer van Cesare, achtduizend kilometer van de *haar* die als een bij, een vlieg om hem heen gonsde. Beth wilde die vlieg doodmeppen. De parkeerplaats liep vol met auto's en toeristen met fototoestel, enthousiaste kinderen die over het asfalt dat door de zon zacht was geworden renden, om de geiser te zien uitbarsten. '*Ti amo*,' zei hij weer. 'Laten we niets kapot maken. Laten we verstandig zijn,' zei hij. Tot ziens. *Addio* – Ga met God.

James drukte zijn gezicht tegen het glas van de telefooncel en gluurde naar binnen, terwijl hij zijn hand als een vizier boven zijn ogen hield tegen de zon. Hij zag er belachelijk uit met het maffe, vrolijke gezicht dat hij trok. Ze draaide zich om. Ze wilde niet dat hij haar zag huilen. Twee kleine kinderen vochten om een lappenpop, en trokken allebei aan een been. James klopte op de deur. Ze wilde Cesare alles vertellen. Ze wilde met hem in het gras liggen en de paddestoelen ruiken na de regens in Fiori boven het Lago Maggiore. *Andare in camporella*, zijn lippen die bij haar tenen beginnen. Ze zag zijn familie, een gewone aardige familie: moeder, vader, zoon, dochter – de familie van zijn ingewikkelde tekening van zoveel jaar geleden, met een verbijsterde en grappige uitdrukking op hun gezicht als ze haar familie begroetten. Ze had een deel van zijn familie willen zijn, alsof dat haar gewoon zou kunnen maken. Ze wilde dat ze naast hem zat aan de piano als hij belachelijke teksten bedacht bij een sonate van Mozart, tot vermaak van een heel gezelschap.

'Kun je je vader terugbellen?' gebaarde James met zijn handen, een ingewikkelde dans die ze toch wel wat vertederend vond hoewel ze hem wilde vertellen dat hij een idioot was om niet te zien hoe wanhopig ze van iemand anders hield. Ze wilde dapper zijn (een ander soort dapper) en op het vliegtuig stappen en naar Italië vliegen en hier een eind aan maken. 'Bel hem terug,' hield James aan, die op een voet stond te hinken en haar toelachte en zijn handen naar de hemel uitstak om een uitbarsting na te doen. Hij klopte nadrukkelijk op zijn pols om de tijd aan te geven, zwaaide met zijn arm over de parkeerplaats en sloeg daarna zijn armen over elkaar om aan te geven dat ze nog eens anderhalf uur op deze verdomde plek zouden wachten als ze niet opschoot. Hij zou aanbiddelijk zijn geweest als ze niet op iemand anders verliefd was. In plaats daarvan vroeg ze zich af waarom hij zoveel om een geiser gaf? Er was zoveel dat ze wilde zeggen. Ze wilde haar toekomst redden. De twee kleine kinderen die aan de pop trokken speelden het klaar de benen eraf te rukken. En nu stond het jongetje te huilen. Het meisje hield het afgerukte been triomfantelijk in haar hand. 'Laten we ons als volwassenen gedragen,' zei Cesare. Hij sprak wijze woorden hoewel het leek of hij in vreemde tongen sprak. Ze haalde uit. Ze wilde dit geklets niet horen, dit geklets was helemaal verkeerd.

'Bet, wees redelijk,' zei Cesare.

'*Non posso*,' fluisterde ze. 'Zij.'

'Hoe lossen we dit op?'

'Kom.'

'Bet,' zei hij. Bet. Bet. Het galmde door de hele hete blauwe dag. Zoals hij haar naam zei. Ik kan het niet, zei het. Je weet dat ik het niet kan, zei het. Begrijp het, zei het. 'Sofia,' zei hij. Sprak de naam uit met tederheid en warmte en als een verklaring.

'Sofia?' zei Beth, het meisje werd echt, nam vorm aan, een vorm die druk uitoefende op die van hem. Dit was helemaal verkeerd. Doe Sofia weg, wilde ze zeggen. 'Sofia, wat een sof,' zei Beth, alsof Cesare het zou begrijpen. Ooit zou hij alles wat er in haar omging begrepen hebben. Schuld, gemene, giftige schuld. Het was Sofia's schuld. Tranen prikten in haar ogen, brandden langs haar wangen. 'Ik wil niets over Sofia horen,' zei Beth. 'Sofia is totaal onbelangrijk.'

Daarna was er stilte, een lange stilte. Later veel later, haar hele verdere leven, zou ze over dit moment nadenken. Had ze hem over Sofia moeten laten praten? Had ze over James moeten praten? Zou de waarheid hun bondgenoot geweest zijn? Buiten, smoorheet. De parkeerplaats van Old Faithfull. Een schitterende rotdag. Een geiser die op het punt staat tot uitbarsting te komen. James ongeduldig bij de deur van de telefooncel. Zij drieëntwintig en afgestudeerd in een short met zelf afgeknipte pijpen die James zelf ergens in de Rockies voor haar gezoomd had. Haar haren in vlechtjes. Poindexter en Ollie North en Weinberger die zich gedragen als cowboys en het recht in eigen hand nemen. De aandelenmarkt die krankzinnig omhooggaat, een vlaag van waanzin aanwakkert. Cesare die in zijn stoel zit tegenover een verbazingwekkend fresco in een opwelling geschilderd door een wilde jongeman. Beth wachtte tot hij iets zei dat alles zou oplossen, wachtte tot hij hen weer ongeschonden zou maken. Ze wachtte. Ze wachtte. Ze zou daar nog staan wachten. Hij kon haar tranen horen, voelen op haar wangen. Hij kon voelen hoe ze brak, als glas in duizend verschillende stukken uiteenspatte. Hij wist alles van haar.

Hij hield van haar, waanzinnig en onverklaarbaar. Sofia was niets, een storing. Hij zou zijn hele leven van Beth blijven houden.

Dan: 'Vertel me over hem,' zei Cesare, nu bitter – koel en afstandelijk, haar niet bekijkend vanuit een perspectief van liefde. 'Hoe neukt hij je?'

'Wat?' zei ze. Ze wist niet zeker of ze hem goed gehoord had.

'Komt hij klaar in je mond?' vroeg hij, doodserieus, een plechtstatigheid in zijn toon – alsof hij tijdens dat moment van stilte werkelijk van karakter veranderd was. Niet meer haar geliefde – een vreemde. Hij speelde een soort spel. Ze begon te huiveren. Buiten was het bijna veertig graden, in de cel nog heter.

'Ik heb geen zin in dit spelletje,' zei ze.

'Hoe ziet je gezicht eruit,' vroeg hij.

'Ik word een Italiaanse,' zei ze. Hij lachte, bijna sarcastisch.

'Ik kom naar Italië,' zei ze.

'Beth,' zei James, en hij deed de deur van de cel wijd open, zag nu dat haar gezicht met tranen en kwijl besmeurd was. Ze probeerde de tranen te onderdrukken. Hij sprak de naam goed uit met zijn sterke Amerikaanse accent, een jongen uit het midwesten, met klompen en een spijkerbroek. Hij had fijne, bijna verfijnde trekken, lange vingers en grote handen en een dikke bos blonde haren. Als ze in Kansas waren zou hij geen klompen dragen, bang dat mensen een verkeerd idee over hem zouden krijgen en hem moeilijkheden bezorgen. Hij wist hoever hij kon gaan. 'Liefje, wat is er,' fluisterde hij teder, en bezorgdheid verspreidde zich als een vlek over zijn gezicht. Ze keek hem aan, en zag de hoop in zijn ogen vervliegen. Ze wist nu dat James wist waar ze was en geweest was.

'Is hij bij je?' zei Cesare. Dan, alsof het niets te betekenen had: 'De details,' zei hij vlak. 'Ik wil weten hoe het voelt als hij je aanraakt.' De waarheid voedde en bemoedigde nu deze ommekeer, maakte dat hij zelfverzekerder werd in zijn haat jegens haar. Hij haatte haar nu niet omdat ze hem verraden had maar omdat ze voor altijd een nederlaag zou vertegenwoordigen –

de nederlaag van een deel van hemzelf tegen een ander: vriendelijk en wreed, ambitieus en passief, koppig en apathisch.
Is er een goede manier om een liefde te beëindigen?
Ze legde haar hand op de hoorn en begon James leugens te vertellen, de leugens van filigraan, zo fijn geweven. 'Maakt hij je aan het schreeuwen, smeek je hem?' vroeg Cesare. James stond in de deuropening. Achter hem scheen de felle zon, zodat hij een zwarte schim leek. Hij legde zijn hand op haar hoofd, zachtjes, teder. Hij hield van haar. Ze wilde tegen hem praten, de telefoon ophangen en alles uitleggen, zodat hij alle pijn met zijn tederheid zou wegsnijden. Hem beschermen, van hem houden. Hij was een warme, goede man. Hij zou het begrijpen.

'Ja,' zei ze – langzaam, rustig. Cesare luisterde. James deed de deur dicht. Ze wilde Cesare vertellen dat ze bezig was James te pijnigen. Ze wilde dat hij haar hielp door te krijgen waarom, een eind aan de leugen maken. 'In de auto,' zei ze. Doorkrijgen dat ze niet zo'n gemeen, doortrapt persoon was, dat ze nog steeds aardig en aantrekkelijk was – het lieve blonde Amerikaanse meisje op wie Cesare verliefd was geworden. 'In het bos. Ik smeek hem. Ik trek mijn kleren voor hem uit en ga liggen zodat iedereen me kan zien en ik wacht op hem.' Ze zag James naar de geiser lopen, met hangende schouders, niet verslagen, eerder berustend. Hij was zelfverzekerd.

'Wat doe je als hij je aanraakt? Wat doet je lichaam?' En ze legde het uit tot in de kleinste details, ze beschreef de scène in Colorado toen de vader en het kind voorbijtrokken, beschreef hoe haar lichaam verlangend oprees naar James. Ze was niet gewond, maar haar lichaam voelde nu de pijn, alsof ze gestoken was met een mes, een dolk. Ze bloedde. Ze gaf uitvoerige details, en smeekte hem dan op te houden, maar hij wilde meer. 'Hij vernedert me,' zei ze. 'Is dat wat je wil horen?' Het kon haar nu niet schelen dat hij wist dat ze huilde. Wat kon ze nog meer zeggen? Dan, zacht: 'Ik kom naar Italië,' zei ze. 'Laat me alsjeblieft komen,' zei ze.

'*Putana,*' zei hij. Hoer.

'Ik hou van je,' zei ze. Haar neus trilde. Haar ogen trilden. Een meisje met vlechtjes in een telefooncel.

'Een leugen?' zei Cesare, alsof dat de sleutel, de rechtvaardiging was.

'Nee,' zei ze. 'Hier,' zei ze rustig. 'Je wist dat hij hier was.' Weer een lange stilte. De cel was nu heet, leek het plotseling. Een vlieg landde op haar hand en bleef daar geduldig zitten. De dag was wazig door de hitte, haar voet kon een afdruk achterlaten in het asfalt. De vlieg vloog weg, glipte tussen de twee deuren naar buiten. Opeens dacht ze aan haar moeder. Haar moeders jonge lachende gezicht, zwarte haren verwaaid door de wind, werd vervangen door dat van Cesare, en dan waren ze allebei verdwenen. Cesare was Beths redding. De cel was heet. Old Faithful begon te spuiten, sissend en stomend en sproeiend. Ze wilde die gezichten terughalen. Toeristen die niet dicht genoeg in de buurt waren begonnen te rennen. De parkeerplaats liep leeg, als water dat wervelend in de draaikolk van de afvoer verdwijnt. De hele wereld leeg. Wil je dat ik een hoer ben? wilde ze vragen. Ik zal een hoer zijn, wilde ze zeggen. Italië verdween voor haar ogen – weggeveegd haar verleden in.

'Is dat wat je wil, me nu haten?' zei ze, maar zelfs terwijl ze het zei wist ze dat hij nog van haar hield. Ze dacht dat ze hem kon horen huilen, zag hem in de fluwelen leunstoel zijn tranen onderdrukken, zag hem daar zitten tegenover het schitterende fresco dat hun geschiedenis scheen te verklaren, dat het hun de hele tijd verklaard had, zoals het overal de geschiedenis van geliefden in hun strijd tegen de tijd verklaard had. Ze zag de mooie jongeman opstijgen naar zijn wolk, het meisje bezorgd naar hem reiken, vastbesloten, alsof ze hem terug zou kunnen halen. Beth was in het hart van Amerika. Overal om haar heen waren auto's, een zee van auto's die naar tientallen en tientallen plaatsen leidde. Straaljagers doorboorden de lucht. Ze zag zijn ouders proberen het slopende knagen van de tijd tegen te houden zodat dat feest onuitwisbaar door kon gaan.

3

Twee meisjes in Europa

Liefde is een overwinning op de tijd. Liefde steelt van de dood. De illusie van onsterfelijkheid bloeit een ogenblik, een schitterende bloem, en alles wat er is, is er en alles wat is, is echt. Beth ging terug naar haar verhaal; ze ging een lange tijd terug, hield het tegen het licht als iets concreets, vertelde het aan vrienden. Ze leefde het, droomde het, ademde het. Ze keerde er steeds weer naar terug. Ze had gehoord dat misdadigers naar de plek van de misdaad terugkeren om te staren naar wat ze gedaan hadden, om zich ervan te vergewissen dat het echt gebeurd was, om het levensecht te maken, echt, levend – om de misdaad te bekennen. Ze keerde terug net als Valeria teruggekeerd was door domweg naar het fresco te staren, zoals Valeria's familie twintig generaties lang terug had kunnen keren – terugkeren en herleven en doen herleven en zich herinneren – dat bevroren, stilgezette ogenblik. Liefde is een overwinning op de tijd.

Toen Beth terug was bleef ze het liefst stilstaan bij het begin, de heldere dans met Fatum, dat zijn hand liet zakken, en haar nu eens de ene, dan weer de andere kant uit duwde. Het woord *fatum* is verwant met de woorden *fataal, faam, fee* en *nefast*, die de wortel *fari* gemeen hebben, wat 'spreken' betekent. Sta stil bij *fee*: betovering, tovenarij, illusie: *fata*, een van de schikgodinnen. *Zie*: Fata Morgana, een fee die in middeleeuwse ridderverhalen geroemd wordt. In de Arthurlegenden is Morgan le Fay de halfzuster van Arthur, de vrouw van Uriens, koning van Gorre en ze is een machtige tovenares. Ze probeert de dood van haar broer te bewerkstelligen en doet een poging haar slapende echtgenoot te vermoorden. Ze is slecht; ze is de personificatie van Fortuna die op de bodem van een meer woont in de *Orlando Innamorato* van Boiardo. Ze is een luchtspiegeling, een die vooral (en vaak) gezien wordt in de Straat van Messina, tussen Calabrië en Sicilië. Ze is betovering, toverkunst, illusie. Ze is Clotho die haar draad spint; ze is Lachesis die de richting en de lengte van onze respectieve lotswisselingen bepaalt; ze is Atropos die onverbiddelijk die levensdraad doorknipt; ze is de Schikgodinnen uit de Noorse mythologie. Denk aan goddelijke voorbeschikking. Denk aan wat voorbestemd of gedecreteerd is. Denk aan uiteindelijke afloop, einde, verval, onheil, ondergang, dood, zoals in 'het lot van een vriend bewenen', zoals in 'de fatale dag' of de 'fatale hemel' of het 'fatale krassen van de kraai'. Denk aan fee: betovering, toverkunst, illusie. Denk aan Fortuna die op de bodem van een meer ligt, glinsterende dromen op een watervlak, illusies in roze en lavendel die over de lichte golven springen. Hoe lang zoeken we al naar een patroon, een betekenis, een interpretatie, een reden – de rede?

Beth was niet anders: ze was een meisje, een vrouw die wilde weten waarom. Ze was even ontvankelijk als de rest van ons voor het 'stel dat', voor de romantische denkbeelden dat iets persoonlijks gevolgtrekkingen heeft die het persoonlijke te boven gaan, een goddelijk patroon of minstens een bedoeling. Het zat in haar, dit verhaal, haar mythe, waarvan de kracht met de tijd afnam, maar de vragen hielden stand als mooie zeldzame vlinders die we graag willen vangen en bewaren. Hield hij van haar? Houdt hij nog van haar? Zal hij altijd van haar houden? Wat is de verhouding tussen het Lot en het Toeval, is er verschil tussen beide? Is de liefde alleen maar, zoals Dante zegt, een toevalligheid? Als, in plaats daarvan, het Lot wel bestaat, waarom leidde het haar dan daarheen?

Wie van ons heeft niet een verhaal dat ze graag herhaalt alleen maar omdat het iets terugbrengt – het leven?

Daar. De zomer van 1982. Heet. Beth is in Europa met haar vriendin Sylvia Summerhaze, die nog nooit in Europa geweest is. Sylvia komt van het platteland van Snyder Couty, Pennsylvanië, en is sinds de tweede klas met Beth bevriend. Ze bleven zelfs vriendinnen nadat Beth naar New York verhuisd was, zagen elkaar altijd als Beth naar haar vader ging, en brachten extravagante weekends door samen met Beths grootmoeder. Beth heeft de leiding (wat ze stiekem heerlijk vindt, omdat ze meer ervaring heeft. Ze is tot dusver twee keer naar Italië geweest. Een klein deel van haar denkt over zichzelf als een Italiaanse. Ze spreekt de taal vloeiend en denkt dat ze meer stijl heeft dan ze in feite heeft.) Ze reizen rond op een treinkaartje dat twee maanden geldig is, en na afloop zal Sylvia naar huis terugkeren om te gaan studeren en Beth zal naar Italië gaan om bij Beatrice Nuova en haar familie in de Noord-Italiaanse stad Città te gaan wonen. Beth wacht een jaar voor ze naar de universiteit gaat en leeft van het geld dat haar grootmoeder gefourneerd had en dat wat ze als serveerster in Manhattans West Village verdiend had. Nu zijn de twee meisjes in Spanje. Spanje sponsort de wereldbeker. Italië zal voor het eerst in vierenveertig jaar winnen en West-Duitsland verslaan, en van Paolo Rossi een grote ster op het wereldtoneel maken – een wereldspits. Beth en Sylvia hebben net eindexamen gedaan. Reagan is president. John Hinckley jr. staat terecht wegens een poging hem te vermoorden. In maart stierf John Belushi aan een overdosis. Israël is net Libanon binnengevallen en brengt het Midden-Oosten in beroering. Maar Beth en Sylvia horen in Europa thuis, in ieder geval tijdens de zomer. Ze zijn achttien, duizelig van de mogelijkheden, op reis met hun rugzak, dragen jezusslippers en een rok bedrukt met Indiase motieven, hebben een beetje geld in hun geldriem en een gids met de titel *Europe on $5 a Day*. De dollar is sterk – een heel belangrijk detail voor twee Amerikaanse meisjes in Europa.

Het verhaal begint echt (dat wil zeggen het begin van *daar*) in San Sebastián, waar de Golf van Gascogne en de Golf van Biskaje samenkomen in die flauwe bocht, als Europa zich naar het westen uitstrekt van Frankrijk naar Spanje en naar Amerika reikt. De monding van de rivier de Urumea komt uit in de bijzonder beschermde Shell Bay, en oprijzend boven tuinen en promenades, tamarindes en balustrades, liggen de Monte Urgull en de Monte Igueldo met uitzicht op de zee en het eilandje Santa Clara dat net voor de kust drijft. Beth herinnerde zich dat ze in een roman over San Sebastián gelezen had, een populair oord aan de kust voor vorsten en rijken, bekend om zijn balkonnetjes en omdat je er zo goed kon eten. Ze wist niet meer welk boek het was – ze dacht iets van Hemingway – en wilde, alleen maar omdat ze erover gelezen had, een bezoek aan de stad brengen.

Ze wilde liften van Deva naar Bilbao, Bolivar en Guernica bezoeken en ook de geboorteplaats van Sint Ignatius, de stichter van de jezuïetenorde. Ze wilde doordringen in het hart van het Baskenland, het land van het Euskara, een taal van onbekende oorsprong. Beth was de dromer van de twee vriendinnen. Ze werd gedreven door romantische ideeën en grillen, een verlangen het onmogelijke te laten gebeuren. Sylvia was de denker en de plannenmaker, buitengewoon praktisch. Ze las de gidsen. Ze had blocnotes en potloden, wist hoe je zigeuners moest herkennen (snoezige kindertjes met vieze gezichtjes en vieze kleren die je met behulp van een stuk karton al je geld aftroggelden), wist hoe ze de dienstregelingen van de trein moest lezen en hoe ze hotels moest vinden die goedkoper waren dan jeugdherbergen. Beth vond het heerlijk Sylvia's plannen op te blazen en Sylvia vond het heerlijk dat Beth dat deed. Op het station in Innsbrück, ver na middernacht en alles dicht, was het Beth die Hans tegenkwam, een aardige man die een beetje stotterde, met vriendelijke ogen en een vriendelijk gezicht, die hun zijn grootmoeders bed aanbood voor de nacht omdat zij de stad uit was wegens de vakantieperiode. 'Hij zou een moordenaar kunnen zijn,' zei Sylvia. 'Nou zeg,' zei Beth ongeduldig terwijl ze haar recht aankeek en vervolgens haar blik liet dwalen over het treurige, stille station. 'Waar wil je liever slapen, hier of in een bed?' Het was een groot warm bed met een enorm dekbed van zacht ganzendons. Hij gaf hun om vier uur 's ochtends zachtgekookte eieren te eten, met de zilveren lepels van zijn grootmoeder. Daarna liet hij hen tot ver in de middag slapen.

'Hoe wist je dat hij ons niet zou vermoorden?' vroeg Sylvia terwijl ze tegen Beth aan kroop in het bed van de grootmoeder. Het bed en de kamer roken naar rozenblaadjes en ouderdom. 'Dat kan hij nog steeds,' zei Beth, en ze viel in slaap.

De volgende dag zei ze: 'Vakantieperiode! Moordenaars hebben geen grootmoeders die weggaan wegens de vakantieperiode.'

Van Oostenrijk trokken ze zigzaggend naar Parijs naar Nice naar San Sebastián, en gingen hun neus achterna. In Nice kwamen ze Chas tegen, een Amerikaan die vanaf de straat onder het piepkleine balkon van hun piepkleine pension een serenade met liedjes van Cat Stevens voor hen zong.

'Hij is het, hij is het,' zei Sylvia helemaal oplevend. Ze had een brede lach die zich over haar hele gezicht verspreidde.

'Wie?' vroeg Beth. Ze nuttigden een middernachtelijk hapje van *pain au chocolat* met witte wijn die een beetje smaakte als whisky. Ze konden net zoveel wijn kopen als ze wilden en niemand die er iets van zei. Ze konden lang uitslapen en niemand die er iets van zei. Ze konden dineren, lunchen en ontbijten met chocola, en niemand die er iets van zei.

'Die leuke man van de eenpersoonskamer beneden in de hal.' Sylvia leunde over het balkon en lachte naar hem beneden op straat, terwijl zijn liedjes naar hen opstegen alsof zij drieën de enige mensen ter wereld waren. Vanaf het balkon konden ze een glimp opvangen van de zilveren Middellandse Zee die de maan leek vast te houden. Beth dacht dat hij voor hen allebei zong, maar ontdekte, toen hij vlot zijn plannen veranderde om met hen naar San Sebastián te gaan en met hen de honderdvijftig meter hoge beroemde Monte Urgull te beklimmen (waarop het indrukwekkende standbeeld van het Heilig Hart stond) dat Chas de serenade alleen voor Sylvia bedoeld had – mooie Sylvia Summerhaze met haar lange kastanjebruine haren en haar zeegroene ogen (net een fractie te dicht bij elkaar).

Sylvia was Beths beste vriendin en Beth was jaloers, alsof ze geliefden waren. Het eerste jaar op de middelbare school hadden ze ooit overwogen om samen een vriendje te nemen alleen maar om alles samen te kunnen beleven. De jongen was Jacob, een blonde drummer in een band die Random Joe heette. Random Joe speelde veel van de Police, en Jacob leek een beetje op de drummer van die band, Stewart Copeland – lang en slungelachtig met asblond haar dat een lang hoekig gezicht met lippen zo rood als lippenstift omlijstte. 'Hij heeft een sterke kaak,' zei Sylvia graag. En ze zoende hem en even later zoende Beth hem en in bed op de farm van Beth vergeleken ze hun ervaringen. Gewoon Sylvia zoenen, dat was wat Beth soms het liefste wilde, een van de onuitgesproken ideeën die ze zelf niet helemaal begreep. Jacob zong 'Walking on the Moon'. Hij zong het vaak voor Beth en Sylvia. Hij zei dat hij van Sylvia hield om haar geest en van Beth om haar lichaam. Beth vond het een tijdje leuk dat ze om haar lichaam gewaardeerd werd. In haar geest had ze vertrouwen.

Op de Monte Urgull bewonderde Beth het uitzicht, haar gezicht afgewend van Chas en Sylvia, en ze voelde zich helemaal licht van onafhankelijkheid en van opwinding over het gezelschap van Chas. Chas was vier jaar ouder dan de meisjes. Hij was net afgestudeerd op Harvard en trok al werkend de wereld rond voor hij serieus een baan zou gaan zoeken. Hij vertelde over trektochten in Nepal, op een olifant rijden in India, Engelse les geven in Taiwan. Hij was een goede jongen, een aardige man in wording, maar toch iets bijzonders, met zijn gitaar en zijn ongedwongen manier van doen. Het slag dat je de wereld rond ziet reizen, bevoorrecht en rijk, een jaar aan armoede ziet ruiken alvorens zich te settelen om miljoenen te verdienen in een of andere bankiersbaan, en deze reis zou voor de rest van zijn leven een herinnering zijn aan wat hij van de wereld gezien had en wat hij niet wilde zien, hoewel hij dat nooit zou toegeven. Wat een figuur, hij vertelde even enthousiast over hond eten in China als over trektochten met kamelen, wilde mensen graag laten weten dat hij echt avontuurlijk was geweest – eens, heel lang geleden. Toen had hij op dunne matrassen geslapen met bedwantsen en kakkerlakken, op vuile vloeren in hutten, had een week geen water gezien, had diarree en geelzucht opgelopen. O, maar de Taj Mahal was ongelofelijk mooi, schitterend in de hitte van Uttar Pradesh met al die snoezige arme kinderen die bedelden om snoep en potloden voor school. In de jonge ogen van Beth en Sylvia was Chas alleen maar een avonturier, een en al lef en onverschrokkenheid, reizend in de voetstappen van de grote ontdekkingsreizigers die voor hem kwamen, van Marco Polo tot Vespucci tot Kerourac. En dat vonden de meisjes fantastisch aan Chas, dat hij overliep van verhalen en ideeën – exotische verwachtingen, een verlangen om echt alles mee te maken. De wereld was van hem, en de meisjes vonden dat verleidelijk; 's nachts, tegen elkaar aan gekropen, samen in hun bed, droomden ze hun eigen avonturen, een wereldreis maken, flink genoeg zijn om naar Afrika koers te zetten.

Maar hierboven op de Monte Urgull nam een vastbesloten Chas zijn kans waar om achter Beths rug naar Sylvia toe te sluipen en haar te kussen. (Later zou Sylvia Beth vertellen dat ze niet verrast was door de kus, sterker nog, dat ze erop gehoopt had en hem zelf gekust zou hebben als hij haar niet voor was geweest. 'De begeerte,' zei ze, 'was overduidelijk geweest.' 'Begeerte?' vroeg Beth, en ze had zin om te lachen. Wat wisten zij eigenlijk van begeerte?) En net toen hun lippen elkaar raakten, draaide Beth zich naar hen toe. Daarop wendde ze zich af, voor zij haar konden zien.

De kus trof haar als een klap. Een vlaag van afgunst en razernij overviel haar, greep haar bij de keel. Ze zag Chas Sylvia van haar stelen. Dat was het enige beeld dat ze kon zien. Plotseling haatte ze Chas, begreep (even plotseling) dat hij geen exotische avonturier was maar een oplichter, een dief die Sylvia voor zichzelf wilde hebben en haar verleidde met zijn gitaar omdat ze een eenvoudig lief meisje was. Hij zou haar met zich meevoeren tot hij door een of andere nieuwe gril gegrepen werd. Daar was het beeld, ontwikkeld in die snelle glimp van Sylvia's hoofd dat achterover leunde, haar lippen die de zijne zochten.

Beth zag hen over de wereld zwalken, van olifanten naar hoge bergen naar kleine Chinese mannetjes die graag Engels wilden leren. Zijn lippen zo teder op die van Sylvia, zijn handen zo lichtjes op haar rug, zacht als het lichte zomerbriesje dat haar lange kastanjebruine haren deed dansen. Hun omhelzing was teder, was liefdevol, was romantisch. Beth kon het voelen alsof Chas haar gekust had. Chas had haar moeten kussen.

Beth zou nog lang over dit moment nadenken. Ze zou erover denken vanaf het moment dat ze in Griekenland Cesare tegenkwam en alles en iedereen niet meer echt belangrijk was, zelfs geofferd kon worden, en niets ertoe deed behalve Cesare. Ze werd getroffen door het onbeheersbare verlangen van de liefde, de ontzagwekkende kracht ervan, die onverschilligheid en niet te ontkennen zelfzucht tegenover anderen veroorzaakte, maar daartegenover een intense onzelfzuchtigheid tegenover de ander, de minnaar. Cesare en zij zouden precies vier dagen bij elkaar zijn, in Griekenland, op het Eolische eiland Paros. Ze zouden elkaar tegenkomen op die eerste ochtend toen Cesare Oudgrieks sprak tegen de verhuurster van zijn pension en toen de zon zijn zwarte haar bescheen zodat het bijna blauw werd. Heb je ooit naar een film gekeken als die in brand stond? Het begint als een gaatje en dat wordt dan groter. Naarmate het groter wordt, verslindt het het beeld, neemt het hele scherm in beslag en wist het beeld uit met wit licht tot de film knapt. Herinner je je hoe vlug dat gaat, hoe allesomvattend, hoe niets ertoe doet behalve dat gat, dat steeds groter wordt, dat zegeviert?

Beth deed of Sylvia niet bestond toen ze naar het hotel teruggingen, Sylvia die zich er volstrekt niet bewust van was terwijl ze vrolijk naast Chas voortliep, en die geloofde dat ze een geheim hadden voor Beth, een geheim dat de intensiteit van hun begeerte des te sterker maakte. Beth liep voor hen uit, en haatte ze nu allebei. Ze was de razernij zelf – onredelijke razernij, realiseerde ze zich – bedreigd, bang, alsof ze misschien geloofde dat Sylvia haar in de steek zou laten, haar hier in Spanje alleen zou achterlaten.

'Wat is er aan de hand, Beth?' vroeg Sylvia toen ze weer op hun kamer waren en Beth zo'n tien minuten niets gezegd had. Sylvia danste in het rond en paste jurken. Ze wilde Beth over de kus vertellen, maar ze was bang. Ze begreep slechts vaag waar die angst vandaan kwam; begreep gewoon dat ze beter niet kon zeggen dat ze Chas gekust had. Ze dacht er alleen maar aan dat ze Chas weer zou zien, Chas weer zou kussen. Ze vond zijn adem zelfs lekker ruiken. Het was alsof ze nog in die kus zat, een luchtbel alleen maar om hen tweeën. Ze stelde zich voor dat ze, als Beth eenmaal sliep, weg zou kunnen sluipen voor een middernachtelijke wandeling. Ze had een dringende behoefte om hem weer te zien. Ze wilde los van Beth zijn. Ze wilde alles over Chas weten, dat heerlijke explosieve gevoel nog eens ervaren.

'Wat er aan de hand is?' snauwde Beth, die de vraag van Sylvia belachelijk vond. Sylvia keek naar Beth, keek haar strak aan om zeker te zijn. Beths gezicht onthulde alles, hoewel ze dat probeerde te ontkennen

'Het stelt niets voor,' zei Sylvia.

'Wat stelt niets voor?' hield Beth aan. Ze wilde wreed zijn, wilde dat Sylvia toegaf dat ze gekust hadden, alsof er iets fataal verkeerd aan was.

'Je weet waar ik het over heb,' zei Sylvia.

'O ja?' Ze keken elkaar een hele tijd aandachtig aan en vervolgens gaf Beth toe. 'Hij is nep,' zei ze.

'Ga je proberen mij te overtuigen dat hij vreselijk is terwijl je hem nog geen paar uur geleden ook aanbad?' Beth zag Sylvia niet vaak kwaad. En Beth besloot dat ze Sylvia echt kwaad wilde zien. Ze wilde machtig zijn en slecht, en gemene dingen zeggen.

'Hij gaat in China hond eten, loopt in India een vreselijke ziekte op, gaat naar huis en blijft er de rest van zijn leven over opscheppen en denkt dat hij er op een of andere manier redelijker door is geworden. En intussen laat hij jou vallen als er iets beters voorbijkomt.' Ze had haar vader horen praten over dit soort nepgasten. Ze kende de mantra.

'Dit is belachelijk voor een enkele kus.'

'Ik ga ervandoor,' zei Beth. 'Ik ga naar Italië,' zei ze, en ze wilde dat ze Sylvia het gevoel kon geven dat zij nu had – verstikt, in de steek gelaten. Ze wist dat ze onredelijk was, maar ze kon zichzelf niet tegenhouden. Ze had de neiging met deuren te slaan en in vlammen uit te barsten. Opvliegendheid, noemde grootmoeder dat. 'Naar Beatrice en we gaan...'

'En jullie wat?' zei Sylvia, en haar groene ogen gingen op storm staan hoewel ze wist dat Beth blufte, dat Beatrice in Italië aan het werk was voor haar laatste examens. Maar het ging niet om de waarheid. Het noemen van Bea's naam was nu genoeg voor een fikse ruzie. Beatrice Nuova was Beths andere beste vriendin en in de zomers dat Bea in Amerika was had Beth geprobeerd als trio op te trekken. Maar dat was nooit echt gelukt. Beth bleef altijd de centrale figuur terwijl Sylvia en Bea wedijverden om meer van haar aandacht. Op Claire speelde Sylvia altijd de baas over Bea doordat ze het huis beter kende, liet Bea zien waar alles thuishoorde, stelde haar aan iedereen voor, maakte veelbetekenende opmerkingen tegen Beth die Bea niet kon begrijpen. En dan kwam Bea met een voorstel dat in feite, omdat zij het deed, eerder op een bevel leek: 'Ik zou graag naar New York gaan.' Dat zei ze dan langzaam met haar Italiaanse accent. Elk woord duidelijk uitgesproken, elk woord dat ze tegen Sylvia zei, Om Aan Jou Te Ontsnappen. Toen Beth naar Italië ging bleef Sylvia achter, jaloers op de ervaring van haar vriendin, alsof het een soort afspraak was waar zij noodzakelijkerwijs buitenstond.

Sylvia en Beth maakten nu vreselijk ruzie, alsof ruziemaken het probleem kon oplossen. Ze maakten ruzie over Sylvia's irritante plannen en voortdurende verdachtmakingen van iedereen, over al haar zigeuners. Ze maakten ruzie over Beths onpraktische ideeën. Ze maakten ruzie over van alles en nog wat en over de schoenen van Sylvia die Beth droeg zonder het te vragen. Ze maakten ruzie tot ze in tranen uitbarstten en toen

gingen ze op bed liggen en snikten. Ze waren achttien, over-
weldigd door een nieuw en onverklaarbaar verlangen. Er zou
iets belangrijks met hen gaan gebeuren waar ze niet echt veel
van begrepen. Voor het eerst in twaalf jaar zouden ze voor langer dan een paar maanden gescheiden zijn. Ze stonden op de
drempel van het leven en hoewel ze het nooit in zoveel woorden
hadden kunnen uitspreken oefende het nu uit eigen beweging
een voorwaartse druk uit – het besef dat ze verliefd zouden
worden en volwassen zouden worden en hun vriendschap zoals ze die gekend hadden, en hun levens zoals ze die gekend
hadden voorbij zouden zijn.

'Ik ben jaloers,' bekende Beth.

'Voor de verandering,' zei Sylvia, plagerig, en daarna rustig:
'Ik ben degene die jaloers is.' Ze lagen op het bed, naast elkaar,
Beth in haar ondergoed en Sylvia in een leuke roze zonnejurk
met een witte veter door het lijfje, speciaal voor Chas uitgezocht.

'Je ziet er mooi uit,' zei Beth. De ventilator aan het plafond
bracht de hete lucht in beweging, bracht hun een klein beetje
verkoeling, maar genoeg.

'We gaan,' zei Sylvia, weer de oude en ze verhief zich boven
Beth op een arm. Een late zon lekte door de latten van de jaloe-
zieën, duwde de hitte en de geur van paella naar binnen. Ze
kwam tot zichzelf. Ze hield van drama. Ze hielden allebei van
drama; hadden het nodig, lieten zich erdoor inspireren, ver-
oorzaakten het als de brandstof die ze nodig hadden.

'We gaan er midden in de nacht vandoor,' ging Sylvia verder.
'Het wordt leuk. Waar wil je heen? Afrika? Portugal?' Sylvia
was een lief meisje. Er was niemand van wie ze zoveel hield als
van Beth. Ze kon haar eigen dromen uit haar hoofd zetten als
haar offer Beth gelukkig zou maken. Ze ging heel vaak naar
Beth in New York, zag af van dansavonden en feestjes thuis, alleen maar om bij Beth te zijn. Sterker nog, ze was nu in Europa
met Beth in plaats van op een fietstocht in Alaska met haar
klas. Sinds de tweede klas lagere school had ze gedaan wat Beth
wilde. Wat Beth afwisselend een verschrikkelijk en een heerlijk

gevoel gegeven had. Beth gaf op andere manieren uitdrukking aan haar onbaatzuchtigheid – manieren die niet altijd zo zichtbaar waren en die ze niet altijd kon opnoemen maar die te maken hadden met haar geloof in Sylvia, in haar vermogen om meer te zijn dan een rustig meisje uit Pennsylvanië.

'Maar je houdt van hem,' zei Beth (die zo probeerde onzelfzuchtig te zijn). En ze geloofde echt dat Sylvia verliefd kon zijn. Het was dus mogelijk in een oogwenk verliefd te worden. Dat is wat liefde voor hen was, ogenblikkelijk en allesomvattend. Een schok. Een dolkstoot. En mateloos belangrijk. Ze lazen *Anna Karenina*, en door Tolstoi maakten ze kennis met de gevolgen van ongeoorloofde volwassen liefde. Ze waren al door heel Europa met het boek bezig – eerst Beth, die de bladzijden er voor Sylvia, die haar dicht op de hielen zat, uit scheurde als zij ze uit had. 'Je moet niet zo huilen,' zei Sylvia voortdurend. 'Je verraadt het.' En Beth deed haar best niet te huilen.

'Ik weet niet zeker of ik echt van Chas hou,' zei Sylvia met al de ernst van haar leeftijd. 'Ik ken hem nog maar net.'

'Wil je er niet achter komen?' Maar Beth wist wat ze van Sylvia verwachtte. Beth liet het gebeuren. Sylvia kon haar niet verraden. Ze waren beste vriendinnen. Sylvia Summerhaze, ze was Beths eerste liefde. Beth hield van Sylvia's bleke huid, net als haar naam – die bleke roomwitte nevel die als een sluier over een zomerse schemering hangt. Sylvia hield meer van Beth dan van haar eigen zusje. Dat had ze Beth met nadruk verteld. Wat had dat allemaal belangrijk geleken.

'We gaan ervandoor,' zei Sylvia, nu met meer aandrang. 'Ik wil ervandoor.' Ze begon haar rugzak vol te stoppen met haar kleren, gevolgd door Beth, die ook was aangestoken met het gevoel van dringende noodzaak dat eiste dat ze ervandoor gingen, alsof hun leven ervan afhing. Hun vlucht was snel en bezorgd. 'Als dit voorbestemd is,' zei Sylvia, 'dan lopen we hem wel weer tegen het lijf. Beschouw het als een test van het lot.' Beth vond dat een goed idee, om de goden in verleiding te brengen.

De twee meisjes gingen er vlak voor het avondeten vandoor,

op hun tenen langs Chas' kamer, de straat op, renden naar het station, sprongen op een trein naar Irún waar alle grote treinen samenkomen om je naar het noorden, zuiden, oosten, westen te brengen. In Irún namen ze een trein naar Madrid; daarvandaan konden ze naar Portugal gaan en misschien zelfs naar Afrika. Ze waren misselijk van angst, angst dat Chas op wonderbaarlijke wijze op het perron zou verschijnen terwijl zij op de grote zuidelijke exprestrein wachtten. Om middernacht stapten ze in de trein. Ze vonden het fantastisch dat de stad Irún heette. Ze hadden één run genomen.

'Ben je bedroefd?' vroeg Beth.

'Zie ik er bedroefd uit?' lachte Sylvia. De twee meisjes stonden daar binnen in de trein, en de lucht was vol van het drama dat onstuimig in hun gemoed bonsde.

Ze keken uit het raam, namen afscheid van Irún, terwijl de metalen wielen over het metalen spoor begonnen te rollen. Plotseling klonk Sylvia's naam door de nacht, boven het gedrang uit van alle reizigers die Irún ontvluchtten. Haar naam zweefde door de duisternis in het rookachtige licht van de stationslantaarns. 'Het is Chas,' zei Sylvia stralend alsof ze ook op dit drama gehoopt had, alsof het lot zijn boodschap inderdaad duidelijk had gemaakt. Chas' ronde knappe gezicht sprong op en neer boven alle andere gezichten. *Ongelofelijk*, dacht Beth. *Sneller, sneller*, spoorde Beth de trein aan, verbluft en een beetje manisch, terwijl haar lichaam schommelde door de kracht waarmee de trein vaart maakte.

'Het spijt me,' gilde Sylvia terug, ze wierp hem een hand toe en greep met de andere Beth stevig vast. De greep zei: *Kijk, dit had hij voor me over*. De greep genotterde, genoot, dat een man die voor haar langs de trein rende om op te vreten was.

'We zien elkaar op Korfoe,' zei hij. Zijn blik ving die van Beth op en zei haar dat ze moest beloven Sylvia naar Korfoe te brengen. Beth wilde door de grond zakken. Had ze eraan meegewerkt om iets kapot te maken, vroeg ze zich af. Kon zij Atropos zelf zijn, vermomd? 'De eerste augustus,' voegde hij eraan toe. 'Beloofd?' Wat een mooi woord is dat toch.

'We zullen er zijn,' zei Sylvia. Ze wierp hem een kus toe.

'Dit is nog maar het begin,' zei hij tegen haar. Tegen Beth zei hij: 'Tot ziens, Beth', en hij ving haar blik weer op met zijn lach, begreep alles maar was desondanks edelmoedig. Waar is hij nu, die jongen? Chas. De avond dat hij hun in Nice een serenade bracht lieten ze hem naar hun kamer komen. Hij hielp hen de goedkope wijn op te maken en ze praatten de hele nacht over hun korte leven en over zijn exotische plannen. De vier jaar die Chas van de meisjes scheidde en de zee van ervaring die je op de universiteit opdoet stelde voor hen toen niet zoveel voor. Als je reist is tijd niet belangrijk.

De meisjes vertelden hem over de commune van Beths vader in Snyder County en over hoe het was daar op te groeien en over alle vreemde vogels uit de hele wereld die daar op een gegeven moment langs waren gekomen. 'Ik kon gewoon daar blijven en de wereld zien,' had Beth gezegd, en ze legde uit dat haar vader precies dat deed, dat hij nooit wegging omdat dat volgens hem niet nodig was. Beth wist dat haar vaders gehechtheid aan Claire dieper ging, hem verlamde. Maar daar sprak ze niet over.

'Je zou er gewoon heen kunnen gaan,' suggereerde Sylvia aan Chas.

Indiase wetenschappers, Chinese artsen, kruidengenezers uit Afrika, een beursstudent uit New York, een Franse chef-kok, een Italiaanse modeontwerper, een Spaanse ingenieur – op een of ander moment kwam elk type op doorreis in Claire. Claire was een kleurrijke plaats met kleurrijke denkbeelden over idealisme, gebaseerd op extravagante dromen en fantasieën, en Sylvia (als toeschouwster) beschreef het graag: alle appelbomen en bessen die organisch-biologisch geteeld werden, de chaos, de voorraadkamer met zijn absolute overvloed aan voedsel; Beths vaders neiging om kenners van de Amerikaanse onafhankelijkheidsoorlog toe te staan reënsceneringen op te voeren op het grasveld voor het huis (compleet met kanonnen en musketten), uitgebreide spelletjes rugby (aanvallen, niet aanraken) die ze gespeeld hadden in de weekends vanaf de tijd dat de meisjes klein waren. Sylvia was ook dol op Beths vader, Jackson – een ambitieuze dromer, met een groot rond hoofd dat als een wereldbol op zijn schouders rustte, die op Claire aan zijn bureau zat en de regering schreef om hun te vertellen over het potentieel van waterstof als brandstof, over de hele wereld informatie uitstrooide over scholen en bedrijven in de hoop dat hij gehoord zou worden. Hij had altijd tijd voor Sylvia, zelfs naast al het werk op de farm. Dan hurkte hij naast haar neer zodat hij haar in de ogen kon kijken om uit te leggen wat het betekende om met een auto te rijden die op waterstof liep (een idee dat haar eigen vader, die achterdochtig was jegens Beths vader en Claire, beschreef als gezwets); hij liet haar knipsels zien van een bestelwagen die werkelijk van deze technologie gebruik maakte (zij het een bestelwagen die er raar uitzag met nauwelijks ruimte voor passagiers). Jackson leerde haar hoe je een rugbybal moet gooien, hij leerde haar een vuur te maken, hij leerde haar aandacht aan de lucht te schenken, in het gras te liggen en omhoog te kijken, zodat ze kon leren die te interpreteren en te ontdekken wat voor dag het zou zijn. Ze hield vooral van de aandacht die hij haar schonk, alsof haar nieuwsgierigheid hem echt interesseerde. Ze benijdde Beth omdat ze een vader had die haar ongetwijfeld het gevoel gaf dat ze belangrijk was.

Maar dat vertelde ze niet allemaal aan Chas. Aan Chas gaf ze alleen maar een beschrijving van de grappige romantiek van Claire, ze overdreef de details, genoeg om hem aan het lachen te maken, zelfs ten koste van Claire zoals ze altijd deed als ze vreemden een beschrijving gaf. Beth nam hier geen aanstoot aan; ze vond het heerlijk als ze haar vriendin haar wereld hoorde beschrijven, waardeerde de grondige kennis die Sylvia over Claire had, de humor waarmee ze Claire bekeek, alsof het ook haar wereld was, alsof ze het deelden als zusjes. Sylvia had daarentegen een zusje en een moeder die thuisbleef en een vader die als jurist op de plaatselijke universiteit werkte. Hun leven was Beth zo vreemd als een ander land maar wel een waar ze graag heen wilde omdat het zo betrouwbaar was. Sylvia's huis was net Zwitserland – alles werkte, goed geolied, op tijd.

'En je moeder?' vroeg Sylvia aan Chas, en misschien werd hij toen verliefd op haar – omdat haar niets ontging. Haar kastanjebruine haren vielen over haar linkeroog en ze hield haar hoofd schuin, gaf hem haar volledige aandacht. 'Ze is dood,' zei hij. Hij stak de twee kaarsen op het balkontafeltje aan. Een sprankje zwavel in de lucht, die weer verdween. De vlammetjes werden in hun ogen weerspiegeld.

'Die van mij ook,' zei Beth zakelijk. Er was geen gat of pijnscheut, alleen maar een ogenblik van herkenning, hoewel Beth zich realiseerde dat ze nog nooit iemand anders gekend had wiens moeder dood was.

'Wat erg,' zei Sylvia. Ze had het tegen Chas, maar haar sympathie was ook voor Beth bedoeld. Voor Sylvia was dat altijd zo geweest; ze was bedroefd om Beth omdat ze wist wat Beth miste. Ze zag het iedere keer als haar moeder Beth omhelsde, voelde het in haar ingewanden. Dat maakte Sylvia's liefde voor Beth op de een of andere manier extreem – alsof ze haar net een klein beetje kon geven van wat ze miste.

'Helemaal niet,' zei Chas, en Beth wist dat zijn moeder ook al lang dood was. Hij speelde oude countrydeuntjes, zong de meisjes in slaap. Hij blies de kaarsen uit en stopte hen in en verdween vlak voor zonsopgang naar zijn kamer.

'Vaarwel, Chas,' zei Beth tegen hem terwijl hij langs de trein rende. Ze voelde zich lelijk en hebzuchtig, als een kind van twee dat niet wil delen, maar ze was ook tevreden omdat ze Sylvia weer voor zichzelf had. De trein kreeg vaart.

Kiezen: een van de grote mysteries van de liefde. André Breton, de surrealistische denker, bleef de hele nacht nadenken over de betekenis van kiezen en liefhebben. Exclusieve liefde is het resultaat van een keuze, maar is de keuze niet het gevolg van een reeks coïncidenties? Hebben die coïncidenties misschien een betekenis, gehoorzamen ze aan een verborgen logica? Breton begreep het moment heel goed waarop het toeval de wereld verandert in een die rijk en vreemd is. Het objectieve toeval, noemde hij het – dat moment waarop je het buitengewone herkent in het gewone, het moment waarop een coïncidentie – Fatum? – met het antwoord komt op een vraag die nog niet gesteld is; het moment waarop de liefde haar object vindt en twee levens voor eeuwig verbonden worden.

Die Spaanse nacht is de trein naar het zuiden verstrengeld met Fatum – de machtige hand van Lachesis, zuster van Clotho en Atropos, dochter van Themis – die door het werpen van het lot de menselijke bestemming regelt. Ze laat haar hand zakken en wij zijn niet meer dan een speelbal, een instrument in haar verrukkelijke spelletje. Ze liet haar hand zakken en stuurde Beth zachtjes een andere richting uit – want dit was het verhaal van Beth. Achteraf kun je het duidelijk zien, het ligt daar als een oude wegenkaart van je leven. Herinner je je dat moment, die tijd toen je het gevoel had dat de wereld volmaakt was en de toekomst onbestaanbaar gemakkelijk en er maar een enkele onontkoombare richting was?

Chas was een deel van het verleden, nu achter hen, en het was donker en laat en de meisjes waren moe en merkten opeens dat het druk was in de trein. Reizigers stonden in de gangen en zelfs in de wasruimtes bij de toiletten – veel jongeren net als Beth en Sylvia, ze sleepten met rugzakken, rookten, zagen er ouder uit dan ze waren maar vermoeid als de kinderen die ze waren. Beth probeerde het gerieflijk te maken voor Sylvia, omdat ze zich schuldig voelde over Chas. Ze vroeg steeds maar: 'Heb je spijt dat we ervandoor zijn gegaan?' en Sylvia lachte haar innemende lach. Het was typerend voor Sylvia dat ze, als ze eenmaal een besluit genomen had, geen spijt had en zelden wrok koesterde. Sylvia was al in de reisgids aan het bladeren, klaar om haar plannen te maken. Maar Beth wist dat ze bazig was geweest en veeleisend en dat ze haar vriendin een kans ontzegd had. Ze stond op en deed de deuren van alle coupés open om te kijken of ze echt vol waren, wat zo was, met hele families – kinderen, ooms, grootouders, en er zaten er veel te snurken. Als je door de nauwe gangen van de voortschokkende trein liep, moest je oppassen niet op slapende lichaamsdelen, vingers en tenen te trappen. Er waren zoveel reizigers die het zich gemakkelijk gemaakt hadden net alsof ze in de afzondering van hun eigen kamer waren, met wijd open mond. Ze wilde niet dat mensen naar haar keken als ze sliep. Ze schoof nog een deur open, stak haar hoofd naar binnen en zag een groep van zes nonnen die rijst uit blikjes aten en water dronken uit metalen kroezen, van die goedkope die een metalige smaak in je mond achterlaten Ze praatten rustig in een onbekende taal waarvan Beth dacht dat het Baskisch was. Ze bestudeerde hen een ogenblik en zij haar, en vervolgens deed ze de deur dicht en ging terug naar Sylvia, die in de gang gehurkt op de grond zat. De wagon slingerde en Beth verloor haar evenwicht en viel tegen haar vriendin aan.

'We kunnen hier slapen,' zei Sylvia. 'Een avontuur.' Ze sperde haar ogen wijd en uitnodigend open. Ze begon haar slaapzak uit te rollen en Beth hielp haar. 'Ik sta op de uitkijk,' zei Beth. Een van de nonnen schoof de deur van haar coupé open en keek naar de twee meisjes. De oude non kneep haar mond samen en haar lippen trilden onwillekeurig. Het leek lang te duren, alsof ze (in haar habijt en met haar sluier) hen bestudeerde, alsof zijzelf Lachesis zou kunnen zijn. Toen wenkte ze hen inderdaad met een teken met haar hand naar binnen.

De nonnen verwelkomden de meisjes in hun coupé. Ze hielpen hen hun rugzakken in de rekken boven hun hoofd te stouwen; ze maakten ruimte zodat de meisjes konden zitten; ze gaven de meisjes rijst en water, tegen elkaar murmelend in hun onbekende taal. Een van hen zette het raam een stukje open voor frisse lucht, waarbij tegelijkertijd het gefluit en gekraak van de in de maanloze nacht voortdreunende trein binnenkwamen. Veilig tegen de zachte schoot van de nonnen vielen de meisjes in slaap, zachtjes gewiegd terwijl de trein zich dreunend door de maanloze nacht slingerde.

's Ochtends waren de nonnen verdwenen. Sylvia had zich aan de ene kant van de coupé uitgestrekt, en Beth aan de ande-

59

re, alle zitplaatsen tot hun beschikking, hun sweaters keurig om hun schouders gewikkeld.

'Was dat een droom?' vroeg Sylvia. De enige geluiden waren die van de cadans van de trein.

'Waar waren we gisteren?' zei Beth. Zonlicht drong door de openingen tussen de gordijnen. Sylvia trok ze open. De drukke gang van de vorige avond was nu alleen vol zon.

'Gisteren is voorbij,' zei Sylvia Summerhaze.

'Dat zal wel,' zei Beth alsof dat betwistbaar was.

'Ligt Madrid aan de oceaan?' vroeg Sylvia die bij het raam stond.

'Het ligt beslist niet aan de oceaan,' zei Beth die nog op de bank lag en niet echt oplette. Ze vond het heerlijk door de trein gewiegd te worden. Ze had daar eeuwig kunnen blijven liggen.

'Is er een meer in Madrid?' hield Sylvia aan.

'Er is geen meer in Madrid,' zei Beth, en ze stond op om naar buiten te kijken. Maar ze had alleen maar een vage herinnering aan de geografie van Spanje. De trein reed evenwijdig aan een grote watermassa.

'Waar zijn de nonnen?' vroeg Sylvia plotseling, alsof hun verdwijning misschien verband hield met het verschijnen van het water buiten. Beth keek onder de banken alsof ze op zoek naar de nonnen was. Sylvia lachte.

'Heb je je geldriem?' vroeg Sylvia en ze greep naar haar middel.

'Het waren nonnen,' zei Beth.

'Misschien waren het zigeuners,' zei Sylvia. 'Vermomd.' Maar alles was waar het moest zijn behalve die watermassa, de Middellandse Zee, enorm en korenblauw, als een tweede lucht.

'Jij en je zigeuners,' zei Beth.

De trein was die nacht in tweeën gesplitst, de ene helft ging naar Madrid, de andere naar Barcelona, zo legde de conducteur hun uit met een Spaanse grijns in een mengelmoes van gebroken talen. Rome, Athene, Istanboel kwamen in de plaats van Portugal en Afrika en de fantasie van de meisjes sloeg op hol met nieuwe mogelijkheden.

Toen Beth en Sylvia uit het station van Barcelona kwamen, marcheerde er een groep Amerikanen met speelgoedtrommels, gitaren, ballonnen en Amerikaanse vlaggen voorbij, onder het zingen van de 'Star-Spangled Banner.' Ze dronken goedkope wijn en boden alle andere Amerikanen die zij tegenkwamen er wat van aan. Beth en Sylvia, rugzakken op hun rug, sloten zich bij de optocht aan terwijl die zich kronkelend een weg door de stad baande, de Gran Via af, door het Parc de Ciutadella en het Portal de la Pau naar Las Ramblas waar de straat een en al leven werd met volksdansers en levende standbeelden, muzikanten en goochelaars, kooplieden die van alles en nog wat verkochten. Een oude Amerikaan met een flinke pens bood hun nog meer van die wijn aan die naar whisky smaakte en onderhield hen over vaderlandslievende liederen. Hij droeg geen hemd en hij rook naar zweet en knoflook. Hij vertelde hun het verhaal van Irving Berlins 'God bless America', hoe hij het aanvankelijk voor een revue geschreven had. Hij vroeg hun of ze wisten wie het Amerikaanse volkslied geschreven had (dat wisten ze niet) en vertelde hun over Francis Scott Key, dichterjurist, die inspiratie voor het gedicht had gekregen door 'de dappere verdediging van Fort McHenry tegen de Engelsen op 13 september 1814'. Beth herinnerde zich dat ze elke ochtend trouw aan de vlag zwoer toen ze naar de openbare basisschool ging, zag zichzelf als klein meisje met haar rechterhand op haar hart. Desondanks dacht ze nooit na over vaderlandslievendheid of het vaderland liefhebben, over sterven uit liefde voor het vaderland. En ze kon zich de tekst van de eed met de beste wil van de wereld niet herinneren. 'Maar niets,' zei de oude man terwijl hij tegen de meisjes lachte, 'haalt het bij Katherine Lee Bates' "America the Beautiful". Thine alabaster cities gleam…' zong hij, flitsend met zijn gele tanden. Voor de ogen van Beth en Sylvia verrees New York, glinsterende gebouwen die uit zee oprezen. Het was heet. Ze hadden te veel gedronken. 'Grote goedheid, ze begon het te schrijven op de top van Pike's Peak.' Hij gooide de woorden eruit.

'Ik snap het,' zei Sylvia met een duwtje tegen Beth. 'Het is

4 juli.' Dronken en dwaas als ze waren barstten ze in lachen uit en ze gaven elkaar daarna tekens met hun ogen in hun eigen geheimtaal (meer belachelijk dan bijzonder, door hun wenkbrauwen op te trekken en scheel te kijken) en besloten te ontsnappen alsof met het verlaten van de optocht een ingewikkelder plan gemoeid was dan alleen maar weg te glippen. De oude man begon zijn verhaal aan andere jonge meisjes te vertellen.

Vlak na Las Ramblas passeerden Beth en Sylvia een klein hotel dat met goedkope prijzen adverteerde. Terwijl Beth en Sylvia aan een tafeltje op de binnenplaats wachtten tot hun kamer schoongemaakt was, paradeerden mooie Spaanse meisjes met lange haren en donkere, opgemaakte ogen voorbij. Rode geraniums met klimop vrolijkten de binnenbalkons op. Twee katten strekten gezamenlijk hun rug en begonnen daarna hun poten te likken, lui liggend op een koele schaduwplek. Een donkere forse man zat tegenover de meisjes, wijn in een waterglas op de tafel voor hem. Hij nam een slokje, keek naar de meisjes en bood hun een drankje aan door zijn glas te heffen. In hun ogen leek hij oud, in de dertig of zo. Beth kon niet besluiten of hij knap was of spuuglelijk. De meisjes keken naar elkaar, overlegden in stilte, en besloten het aanbod aan te nemen. Hij riep in het Spaans om een fles en wat glazen. De meisjes konden altijd meer drinken ook al waren ze nu, nadat ze door heel Barcelona gemarcheerd hadden, beslist dronken.

'Ik, Carlos Albertos,' zei de man op zijn borst wijzend. Hij had een zwaar accent. Hij wierp hun schuinse blikken toe, een beetje te begerig. 'Braziliaanse topvoetballer, wereldbeker kampioen,' voegde hij eraan toe.

'Ik Jane,' zei Sylvia wijzend op haar borst. Beth lachte hysterisch, veel harder dan de opmerking rechtvaardigde. Haar neus en haar wangen liepen rood aan.

'Y *tu*?' zei Carlos tegen Beth. Ze haalde een spiegeltje uit haar tas en deed wat lippenstift en poeder op om de hitte die ze op haar gezicht voelde te bedekken.

'Ik Beth,' zei ze.

'Ik Beth aardig vinden,' zei hij.

'Ik ook Beth aardig vinden,' zei Sylvia en ze omhelsde haar vriendin en kuste haar op haar mond. Beth voelde een opwindend gevoel door zich heen gaan en daarna een kleine schok. Hij schonk meer wijn voor hen in. 'Aardig,' zei hij. 'Heel aardig. Wat is jullie land? Duits?' '*Ich bin ein Berliner*,' zei Sylvia. Hij leek de verwijzing niet te begrijpen.

'*Tedesca*,' stemde Beth in. Ze wist niet hoe je *Duits* in het Duits moest zeggen, maar ze wist het wel in het Italiaans. Beth en Sylvia keken elkaar weer aan met die veelbetekenende blik, een blik die aangaf dat ze het een ogenblik leuk vonden Duits te zijn, het leuk vonden iets anders – geeft niet wat – te zijn dan wat ze waren.

'USA?' raadde Carlos weer, uitgesproken als '*oesa*'.

'Rugby is voetbal,' zei Sylvia tegen Beth.

'Ik ben niet achterlijk,' zei Beth, en weer barstten ze in lachen uit. Door heel Spanje werden wedstrijden voor de wereldbeker gespeeld. Morgen zou Italië tegen Brazilië spelen. Wereldspits Paolo Rossi zou Italië een drie-twee overwinning bezorgen. De meisjes waren zich maar vaag bewust van de wereldbeker en wisten zo goed als niets van voetbal. Maar het idee van een voetbalkampioen sprak hun aan. Beth besloot dat hij wel grappig was op zijn forse, atletische manier. En ze vond zijn blik eerder aandachtig dan schuins.

'We moeten hem delen,' fluisterde Beth tegen Sylvia. 'Na Chas...'

'Jij mag deze hebben,' zei Sylvia.

'*Oesa*,' gaf Beth toe.

'*Land of the free*,' zei Sylvia.

'Het is 4 juli,' zei Beth.

'Je verjaardag. *A votre santé*,' zei Carlos in het Frans en hij hief zijn glas. Het leek de meisjes wel of hij een handvol talen aan het uitproberen was.

'Spreken ze geen Spaans in Brazilië?' vroeg Beth aan Sylvia.

'Of Italiaans?' zei Sylvia.

Het duurde een hele tijd voor hun kamer klaar was. Carlos

vermaakte hen met verhalen over voetbal en wijn en met foto's van hemzelf naast zijn spiksplinternieuwe Ferrari. Toen hij deze foto's tevoorschijn haalde geloofden ze dat hij echt wel eens een stervoetballer zou kunnen zijn, hoewel ze er niet achter konden komen of hij de volgende dag in de wedstrijd van Brazilië tegen Italië zou spelen of dat hij vroeger gevoetbald had. Als hij voetbalde, waarom logeerde hij dan in dit hotel en niet in een beter, en als hij zo rijk was, waarom logeerde hij in dit hotel, dat minder dan tien dollar per nacht kostte? Allerlei van dit soort vragen dwarrelden door hun hoofd, maar ze genoten van zijn aandacht. 'Deze auto, mijn baby. Hij heeft een jongetje gedood. Ongeluk,' legde hij uit in gebroken Engels, alsof de auto het alleen gedaan had.

'O wat erg,' zei Beth. Toen Beths moeder gedood werd door de snelle auto in Turkije was Beth bij haar grootmoeder in New York geweest. Claire was niet onmiddellijk gedood. Jackson hield vol dat ze het in feite overleefd zou hebben als ze in Amerika geweest waren, een mantra dat Beth haar hele jeugd gehoord had maar waar ze geen geloof aan hechtte. Het was de schuld van die smalle trage Turkse wegen, zei hij altijd; het had te veel tijd gekost om haar naar een ziekenhuis te brengen. Dit beeld van haar moeder schoot door Beths hoofd, verdween weer zoals dat talloze keren daarvoor gebeurd was en ze zag alleen maar dat jongetje dat op straat stond, het ene ogenblik niets aan de hand en dan weg. Daarna dacht ze om een of andere reden aan Anna Karenina die haar ogen tot spleetjes kneep, in een roes als gevolg van morfine en onstuimige passie. Carlos schonk haar nog wat wijn in. Ze zag dat hij erg grote handen had.

Sylvia verontschuldigde zich en ging naar het toilet en toen ze weg was probeerde Carlos Beth te kussen. 'Je bent zacht, zo teer,' zei hij. Maar ze wilde niet dat hij haar kuste omdat ze in plaats van zijn gezicht het gezicht van het jongetje zag, alsof Carlos haar behalve een foto van zijn auto ook een foto van de jongen had laten zien. Vervolgens ging het gezicht van de jongen over in dat van Chas. 'Ik ben aangeschoten,' zei ze en ze

64

liet zich tegen zijn zachte schouder vallen, wilde beschermd worden. Om een of andere reden wilde ze huilen. Ze dacht dat ze kon gaan huilen en nooit meer ophouden. Ze was een gemeen lelijk afschuwelijk mens. Ze miste haar vader, haar grappige vader die in zijn dromen leefde en Claire nooit zou verlaten. Ze vroeg zich een ogenblik af, en verjoeg de gedachte daarna zoals ze al zo vaak gedaan had, hoe haar moeder en vader samen geweest waren. Zoals Chas en een leuke slimme meid, begerig de wereld te leren kennen en te verslinden? Chas en Sylvia die het licht van de opkomende maan in liepen?

'Je had hem moeten kussen,' zei Sylvia later in hun kamer. 'Hij is beroemd.' Beth had dat ook gedacht. Dan bedacht ze dat ze zich gedroegen als onnozele meisjes van achttien. Ze wáren onnozele meisjes van achttien, wanhopig om passie te begrijpen, verrukt door de aandacht van mannen, opgewonden over de ontdekking van de verleidelijke macht van seks. Ze hadden allebei een vriendje gehad, hoewel niet serieus, niemand die hen nachten in verwondering wakker hield.

'Maar we zijn in Barcelona,' zei Beth, die niet onnozel maar ernstig wilde zijn. 'Stad van de architectuur.' Ze dacht aan de gebouwen van Gaudi – Casa Battlló, La Sagrada Familia, Casa Milá – en wilde hun vreemde surrealistische contouren, kleuren, vormen, dimensies zien, als een stad in een cartoon. Ze legde haar hoofd weer op haar kussen. Ze was moe. Ze had geen zin meer om te huilen. Dat was zoals altijd vlug overgegaan.

'Laten we vanavond gewoon gek doen,' zei Sylvia.

'Laten we hem zover krijgen dat hij ons mee uit eten neemt,' zei Beth, en ze ging plotseling rechtop zitten. Ze realiseerden zich allebei dat ze uitgehongerd waren en dat het lang geleden was dat ze iets fatsoenlijks te eten hadden gehad. Maar dat vonden ze leuk aan het reizen. Je viel af.

'Goed idee. Maar dan moet je hem echt wel kussen, hoor.'

'Denk je dat dat alles is?'

'Hij zal waarschijnlijk wel willen dat je...' en ze maakte een obsceen gebaar.

'Echt?' Beth stond op en keek in de spiegel. Het kamertje was klein en donker, had geen ramen. De muren waren dun. Je kon alles horen, maar de meisjes merkten het niet omdat ze dronken waren. Beth liet haar hemd van haar schouders glijden en keek Sylvia koket en verleidelijk aan, met haar gedachten bij Jacob die haar leuk vond om haar lichaam, en bij de macht van seks. Ze wilde dat Carlos Albertos, stervoetballer van wie ze nooit gehoord had (maar die zoals ze spoedig zou ontdekken inderdaad heel beroemd was), wereldkampioen, haar begeerde om haar aantrekkelijke lichaam.

'Een poes,' zei Sylvia. 'Een stoeipoes, absoluut. We moeten een fantastisch diner kunnen krijgen voor dat lichaam.'

Beth hees haar rok helemaal op tot haar dijen en sprong daarna op en neer op het bed en begon onbedaarlijk te lachen; het idee haar lichaam te gebruiken om een maaltijd voor Sylvia te kopen sprak haar op zekere hoogte aan en ook omdat ze, zonder dat ze het zich volledig realiseerde, wilde zien hoe ver ze kon gaan zonder kleerscheuren op te lopen.

'Het waren karmelietessen,' zei Sylvia die opeens probeerde serieus te worden zodat alles rustig werd, zelfs hun hoofden die op hol geslagen waren. Het was opeens stil, en het gedempte geluid van Spaanse muziek kwam uit een andere kamer binnenzweven.

'Waar heb je het over?'

'De nonnen in de trein. Weet je dat een aantal van hen aan het eind van de Franse Revolutie afgeslacht werd – onthoofd onder de guillotine omdat ze vijanden van het volk waren. Poulenc heeft er een opera over geschreven. Ik heb hem in het Metropolitan Opera House gehoord met mijn moeder.' Beth zag hen voor zich, Sylvia's moeder in stevige witte wandelschoenen, met handtas, sjokkend door New York, arm in arm met haar dochter, een beetje bang voor de slechtigheden die daar konden gebeuren, haar kappershoofd beschermd door een sjaal.

'Doe gewoon,' zei Beth. 'Je maakt me bang. Schakel je hoofd uit. We hebben het nu over mijn lichaam.'

Carlos Albertos, Braziliaanse voetbalster, nam hen mee uit eten en daarna kuste hij Beth en zij kuste hem, in de straat achter het bordeel. Hij was groot en sterk en de kus was lang en nat en vol en een beetje alsof hij haar wilde opeten. Beth voelde zich een vlooitje toen hij zijn armen om haar heensloeg en haar tegen zijn harige borst aan trok. Daarna hield hij haar op een afstand, keek haar in de ogen en vertelde haar dat ze mooi was, het liefste meisje dat hij ooit in zijn armen had gehad. Ze dacht aan de kleine jongen die geraakt was door al dat metaal van zijn rode Ferrari. Ze roken allebei naar rook en, natuurlijk, naar al die wijn – nog meer bij het eten. Op straat schoten auto's voorbij. Mensen botsten per ongeluk tegen hen aan – twee nachtelijke minnaars onder een straatlantaarn. (Of dachten ze misschien dat Beth een hoer was?) Hij vroeg of ze naar zijn kamer kwam.

'Ik kom eraan,' zei ze en ze probeerde vervolgens weg te glippen, maar hij gaf haar geen kans. Hij kuste haar weer bijna als om haar te beschermen. Nu kuste hij haar zachtjes alsof zijn lippen, zijn kus de bedoeling hadden dat zij zich tegenover hem liet gaan. Ze liet zich gaan. Hij ging met zijn vingertoppen langs de rand van haar oren. Ze kon de opwinding door zich heen voelen schieten als extatische stroom die alle kanten uit ketste, helemaal tot haar tenen. Ze had nog nooit eerder de liefde bedreven.

'We gaan,' zei Sylvia, die plotseling met veel geraas op straat stond. Ze stond voor Beth en Carlos met beide rugzakken, over elke schouder een. Carlos trok Beth bezitterig dichter tegen zich aan. Maar de betovering was verbroken en ze kon alleen nog denken: goddank.

Ze lachte met een heel brede grijns en keek vragend naar haar vriendin. 'Bea wacht op ons. Ze heeft haar examens gehaald en wil dat we met haar op reis gaan.'

'Heb je haar gebeld?' vroeg Beth, verbaasd. Ik dacht dat je haar haatte, wilde ze zeggen.

'Ik heb haar gebeld en ze staat op ons te wachten.' Sylvia zwaaide met een spoorboekje. Ze droeg zwarte capri-jeans en geraffineerde schoenen die eruitzagen als balletslippers. De broek en de schoenen waren van Beth, en het waren afleggertjes van Beatrice.

Ze verdwenen met veel verontschuldigingen en lieten Carlos eenzaam achter, in het licht van de straatlantaarn bij de ingang van het hotel.

Later in de trein naar Milaan: 'Het was een bordeel,' zei Sylvia. 'Ik besefte het toen ik betaalde.'

'En dan te bedenken dat hij het voor niets gekregen zou hebben terwijl ik hem had kunnen laten betalen,' zei Beth.

'Zou je hem geneukt hebben?'

'Let op je woorden, jongedame.'

'Ik wist dat ik je moest redden. Ik wilde niet dat je met je lichaam voor mijn maaltijd betaalde.' Nu werd het allemaal duidelijk voor Beth, Sylvia's komst, als een deus ex machina, met haar nieuwe plan.

'Is er niet iets over bordelen en Barcelona. Iets beroemds?' vroeg Sylvia.

'Picasso,' zei Beth. 'Ja. Iets over bordelen en Barcelona en Picasso. Al mijn Gaudi's, we hebben er niet een van gezien.'

Later vroeg Beth: 'Staan we nu gelijk?'

'Niks ervan,' lachte Sylvia.

Voor dit alles, voordat de trein gesplitst werd in de Spaanse nacht vol nonnen, was er nog een toeval in de reeks van Breton, een toeval dat, ook of erbij of gewoonweg zonder meer, die hand van Lachesis had kunnen zijn. Dat andere toeval, of liever het eerste, was Beatrice Nuova. Het was alleen maar per ongeluk dat Beth Beatrice leerde kennen (letterlijk een ongeluk) en als ze Beatrice nooit had leren kennen zou ze nooit naar Città of naar Griekenland gegaan zijn en had ze Cesare nooit leren kennen. En als ze hem nooit had leren kennen zou ze nooit zichzelf geworden zijn.

Beth keek graag, vanuit het perspectief van de tijd, naar de opeenvolging van gebeurtenissen die leidden tot het ontvouwen van een leven. Niet alleen haar eigen leven maar elk willekeurig leven, elk verhaal waarin iets fantastisch (op zijn minst belangrijks) gebeurt als gevolg van iets dat schijnbaar onbetekenend is.

Haar dochter Valeria (geboren in 1997, vijftien jaar na Beths Europese reis met Sylvia), zou hier ook neiging toe hebben. Valeria volgde als een bezetene het pad van haar moeders leven – haar moeders verhouding met Cesare; haar huwelijk met Valeria's vader; haar dood. Beth had bijvoorbeeld op 10 september 2001 een afspraak met een steenrijke handelaar in obligaties genaamd Bas; Beth wilde een nieuw restaurant openen, en Bas was van plan haar daarvoor geld te lenen. Hij was al een stille vennoot in haar andere restaurants (Como en Matera) en had altijd al geheime ambities om chef-kok en restaurateur te worden. Hij identificeerde zich met Beth, en was daarom van plan het nieuwe restaurant te financieren – Preveena, een uitstapje naar de Indiase keuken geïnspireerd door en genoemd naar de moeder van haar stiefzusje. Bas' dochter, een speelkameraadje van Valeria, werd ziek en daardoor kwam het gezin een dag later terug van hun vakantie in Frankrijk. Er werd een nieuwe afspraak gemaakt voor de elfde – 's ochtends in plaats van 's middags omdat zijn middag al gevuld was met een huizenjachtexpeditie naar East Hampton (daar zou hij per helikopter naartoe gaan) met zijn vrouw.

Valeria leek volstrekt niet op haar moeder: ze had donker haar in plaats van blond, grote bruine ogen die ver uit elkaar stonden in een volmaakt rond gezicht, en ze was ongeveer tien centimeter langer. Ze leek in feite meer op haar grootmoeder, Claire, dan op Beth. Maar als Valeria haar gezicht zorgvuldig bekeek kon ze kenmerken onderscheiden die onmiskenbaar van Beth afkomstig waren – haar brede voorhoofd, de volmaakt schelpvormige krul van haar oren, haar golvende haren die bevallig op haar schouders hingen. Dat was een geschenk van haar moeder en daarom kon ze het alleen maar mooi vinden. Wat was nog meer van haar moeder? Haar vader zei altijd: haar vastbeslotenheid, haar wil, haar vermogen om te dromen;

haar volle wangen, dezelfde klank van haar stem. Haar vader zei altijd: 'Ik dacht dat de klank van je stem aangeleerd was.' Ze hield van de klank van haar stem, vond het heerlijk om te praten sinds ze gehoord had dat ze haar moeders stem had.

Valeria herinnerde zich niet echt veel over haar moeder – haar moeders lange nagels die haar rug krabbelden, haar armen, haar benen. 'Krabbelen,' gebood Valeria altijd. Ze herinnerde zich dat ze het heerlijk vond als haar moeder haar zachtjes krabbelde voor ze in slaap viel. Ze herinnerde zich dat haar moeder naar haar keek als ze alleen in haar slaapkamer speelde dat ze in een andere wereld leefde, haar moeder die heel lang in de deuropening stond en alleen maar keek hoe de fantasie van haar kind aan het werk was. In haar herinnering sijpelde een floers van licht door het raam die om de wereld van het spel een gouden waas creëerde. Valeria herinnerde zich dat ze in de keuken stond met haar moeder, eindeloos amandeltaartjes bakte, op haar kop kreeg omdat ze te veel van het beslag at. Valeria klampte zich aan deze flarden vast, kleine kiemen waaruit een moeder ontstond, haar moeder. Wat zou Beth nog meer aan Valeria gegeven hebben, stel dat? Stel dat? Stel dat? Een gekmakend paar woorden – al die belofte en die realiteit in een draaikolk. Stel dat de dochter van Bas, de rijke handelaar in obligaties (hij had vlammend rood haar en een vrolijke lach) niet ziek geworden was (een beetje verhoging zoals later bleek, toch niet de moeite waard om een thuisreis, een afspraak, een leven uit te stellen?) Stel dat?

Voor Valeria de betekenis van haar naam volledig zou begrijpen zouden er ruim vijftien jaar voorbij zijn, ze zou een paar brieven ontdekt hebben (netjes opgevouwen in een doos), ze zou Italiaans geleerd hebben, verschillende reizen naar Italië gemaakt hebben in de grote vakantie (samen met haar vader) en ze zou Leonardo (Cesares zoon) ontmoet hebben.

Beth groeide op in Pennsylvanië, op Claire, en verhuisde naar New York toen ze op de middelbare school zat. In New York woonde ze bij haar grootmoeder in een appartement dat uitkeek over de rivier de Hudson aan de Upper West Side. Haar grootmoeder was een knappe vrouw met een sterke kaak en sneeuwwit haar, al wit sinds ze in de veertig was, dat ze in een knot boven op haar hoofd droeg. Ze was actief bij de opera en gaf bij het Metropolitan Museum of Art rondleidingen in de zalen met barokkunst. Ze had zich gespecialiseerd in Bernini hoewel ze slechts een amateur was. Ze vertelde de mensen graag dat ze een groentje was zodat ze des te meer onder de indruk zouden zijn van haar uitgebreide kennis. Ze was getrouwd geweest met een ingenieur die voor Beths geboorte aan kanker overleden was, en haar een aardig maandelijks pensioen en sociale zekerheid nagelaten had, maar ze deed (en gaf uit) alsof ze veel meer te besteden had. Haar appartement had een vaste huur en kostte haar dus niet veel, maar het was schitterend en maakte dat het leek alsof ze op grote voet leefde. Ze was ambitieus, vooral wat Beth betrof.

In Pennsylvanië woonde Beth bij haar vader, een weduwnaar, op Claire, de commune die hij opgezet had met een lening van Beths grootmoeder (het onderpand daarvoor was de polis van zijn levensverzekering). Hij kwam thuis uit Turkije met Claires lichaam in een kist en hij liet haar cremeren en bracht haar as naar de appelboomgaard waarop ze verliefd waren geworden, en daar verspreidde hij de as. Hoewel hij sindsdien de nodige verhoudingen had gehad (Beth kreeg er een halfzusje bij dat Rada heette, een dochter van Preveena, die een paar jaar haar vaders minnares was geweest) had hij Claire nooit verlaten en zwoer dat hij dat ook nooit zou doen. Beth ging vanaf de vierde tot de achtste klas op de commune naar school, maar na haar eerste jaar op de plaatselijke middelbare school drong haar grootmoeder erop aan dat ze naar een particuliere school in New York zou gaan (een meisjesschool – uniformen en Latijn en paardrijden in het park). Het was een wilde tijd. Vriendinnen die haar leerden vriendschap te sluiten met de portiers in haar gebouw zodat ze 's avonds laat weg kon glippen. ('Geef ze een fooi, dat is alles,' verklaarden ze wijs.) Midden in de nacht was New York het terrein van tieners en zwervers. Ze gingen naar het theater en naar luxerestaurants. Soms gingen ze zelfs naar clubs – Studio 54 en The Volt. Ze aten in restaurants die de hele nacht open waren en glipten vlak voor zonsopgang terug naar huis, zonder dat hun familie er iets van merkte. De kunst was om je op een innemende manier slecht te gedragen. Soms kwamen er drugs aan te pas, hasj en bij gelegenheid, cocaïne.

In sommige opzichten hield Beth meer van New York dan van Claire. Ze hield van de wereldwijsheid, de volwassenheid van haar nieuwe vrienden, hun nieuwsgierigheid naar de wereld. Nadat ze nog maar kort in New York was vond Beth al dat Sylvia zoveel jonger leek dan haar vrienden uit New York. Sylvia was geweldig naïef en babbelde maar door over rugbywedstrijden op vrijdagavond en over Jacobs band, terwijl de jeugd in New York zich bezighield met serieuze onderwerpen zoals het nieuwe schilderij dat de Met net gekocht had voor miljoenen dollars (*het hoogste bedrag ooit uitgegeven en was het dat waard* ?). Ze speelden een spel van wie het meeste wist, een spel dat ze onbewust speelden, maar Beth kon zien dat ze probeerden elkaar met hun kennis de loef af te steken, over echt alles, van kunst tot kleren tot landen tot eten. Hoewel Beth, als ze haar uniform niet aanhad, de kleren droeg die ze op het platteland gewend was (spijkerbroek, bedrukte Indiase rokken met werkmanslaarzen, volumineuze sweaters), en hoewel het gehaaide leven van clubs en hele nachten doorhalen en zoveel geld nieuw voor haar was, kon ze het conversatiespel toch bijhouden. En ze hield ervan omdat het bekend terrein was en in zekere zin had ze het gespeeld sinds haar moeder stierf en haar vader naar Claire verhuisde.

Maar degene om wie het hier gaat, met het oog op dit verhaal, is Beatrice Nuova en *nuova* betekent 'nieuw'. Bea kwam in de zomer van 1980 met een uitwisselingsprogramma van de Rotary uit Città naar Beth en Beth hield evenveel van haar als van Sylvia, als het niet (op een bepaalde manier) meer was.

In de zomer na Beths eerste middelbare schooljaar in New York vond de eerste uitwisseling tussen haar en Bea plaats –

drie weken in het land van de ander waarbij Bea het eerst naar Amerika kwam. En precies zoals New York Beth van een plattelandsmeisje in een grote stadsmeisje had getransformeerd, zo transformeerde Beth Bea van een Italiaans in een Amerikaans meisje – of dat was in ieder geval wat Bea graag wilde. Bea met haar zwarte haren en haar lange neus en haar weelderige figuur was een kracht met een nog grotere wil dan die van Beth. Ze was bazig en veeleisend en teder en wilde dat Beth onmiddellijk Italiaans leerde (Bea sprak uitstekend Engels). Beth werd haar oogappel, haar project, en Beth vond het heerlijk mee te werken. Terwijl Bea in Amerika een waarnemer bleef, gelukkig met haar rol als donker exotisch schepsel uit een vreemd land van wie Beths vrienden (vooral die in Pennsylvanië) niet wisten wat ze ermee moesten, paste Beth zich in Italië aan, vol verlangen getransformeerd te worden. Met Bea droeg Beth haar eerste stringbikini, kwam voor het eerst op een eiland in de Middellandse Zee (ze had zich niet kunnen voorstellen dat water zoveel tinten blauw kon hebben, alsof het alleen maar gecreëerd was om het menselijk oog te behagen), leerde haar eerste vreemde taal (Italiaans). Bea begon met de lessen terwijl ze in het gras lagen bij het openbare zwembad in Orchard Hill, een stad in de buurt van Claire, met Sylvia en andere vrienden van Beth. Bea, lui uitgestrekt in haar stringbikini, werd door iedereen aangegaapt. 'Ze mogen blij zijn dat ik mijn bovenstuk aan heb,' had ze gezegd en ze ging door met haar les: '*È la vacca una persona?*' Is de koe een persoon? En Beth: '*Si la vacca è una persona.*' Beth ontdekte met Bea haar liefde voor de kunst van de Renaissance, zwierf dagen rond in het Uffizi en het Vaticaan – bestudeerde het torso van de Belvedère om erachter te komen waarom Bernini hier het allermeest van hield: het leek te bewegen alsof de ontbrekende ledematen er nog waren. Ze leerde haar spaghetti te draaien (nooit te snijden), leerde haar eigen pasta te maken (in alle maten en vormen en kleuren). Ze leerde ongedwongen topless op een strand te liggen (een Italiaans strand wel te verstaan). Beth leerde de voordelen van ontharen met was boven scheren, hoewel het ontharen met was bij de eerste poging zo'n pijn deed dat ze liever dagen met één behaard been rondliep tot ze genoeg moed verzameld had om de haren van het tweede been te rukken. Ze leerde (uiteindelijk) te skiën en te zeilen en hoe je van een rots moest duiken in de helderblauwe Middellandse Zee zonder het bovenstuk van je bikini te verliezen. Beth leerde hoe je cappuccino moet maken en zelfs hoe je moet flirten. Ze leerde dat de hele nacht opblijven onschuldig kon zijn – om twee uur 's nachts watermeloen eten bij een fruitkraampje met een hele groep vrienden en pitten uitspugen. Ze leerde over geweldige maaltijden midden op de dag en een scheut grappa 's avonds – iets bijzonders dat goed was voor de spijsvertering.

's Avonds hulde Bea Beth in haar modieuze Italiaanse kleren en ze reden naar de stad op Bea's Vespa net als alle andere elegante meisjes op hun hoge hakken, de jongens keurig schoongepoetst en welriekend – volstrekt anders dan Beths vriendjes (uit Pennsylvanië) die prat gingen op hun lange haar en gescheurde spijkerbroek en slordige baard en die niet ophielden te vertellen hoe ze het land doorkruisten achter Jerry Garcia aan en de Grateful Dead en opschepten over wie het meest kon drinken. De Italiaanse jongens waren trouwens ook anders dan Beths vriendjes uit New York, die gekreukelde kaki broeken en overhemden van dikke katoen droegen, en altijd in waren voor diepgaande gesprekken over existentiële angst ook al wisten ze niet precies wat dat inhield.

Bea nam Beth dan bij de hand en ze wandelden door de straten van de stad. Bea's hand was zacht en warm in de hare. Beth wilde in Amerika hand in hand met Bea of Sylvia een straat aflopen, alleen maar omdat het vreemd was en ondenkbaar en omdat mensen daaruit verkeerde conclusies zouden trekken. Bea's vriendinnen bewonderden de blonde Amerikaanse (met haar lange haar dat Bea net in een geraffineerder model geknipt had, laagjes en een piekerige pony). Beth voelde zich in Città een beetje een beroemdheid, een curiositeit – zeldzaam, uniek, gewaardeerd – en ze vond het gevoel dat ze het middelpunt was verrukkelijk. Ze hield van de geschiedenis, de geweldige omvang ervan. Ze hoefde alleen maar door een smalle straat te lopen en ze kon de expansie van de tijd voelen en het leven ervaren door de eeuwen heen.

Beth had geen rust, de eerste zomer toen alles nieuw was. Ze wilde alles in zich opnemen: de leuke meisjes, de welriekende jongens, de verrukkelijke geur van brood in de oven, de winkels met hun keurig geordende waren, winkels waar je niet naar binnen durfde behalve als je van plan was iets te kopen. Alles klopte in Città. Alles was zo goed verzorgd, bloemen voor alle ramen, schone straten, mooi gestroomlijnde Citroëns en Mercedessen en Peugeots die vlot uit opritten met grote elektrische hekken gleden waarachter villa's opdoemden die goed van luiken voorzien waren te midden van tuinen vol abrikoosbomen. Ze was zelfs dol op de luiken: zware metalen schermen die elke middag, met het scherpe schurende geluid van metaal tegen metaal, neergelaten werden om de zon en de hitte tegen te houden zodat de siësta genoten kon worden in de koele duisternis van het huis. Bea's huis werd een duistere en geurige schatkamer, gevuld met het aroma van de risotto's of de pasta's, van de braadstukken en de filets, van de gestoomde groenten, dat lang bleef hangen nadat er na de grote middaglunch was afgeruimd. Elke dag verzamelde Bea's uitgebreide familie zich om de tafel: de vader van Bea's vader – een heel oud mannetje dat woonde in een nabijgelegen villa met een kelder vol bekroonde worsten en salami's die aan het plafond hingen zodat ze droog bleven, waaronder een heel zeldzame salami die van paardenvlees gemaakt was – en de zuster en de moeder van Bea's moeder en Bea's oudere zusje. Maar na de lunch werd het stil in huis want dan sliep iedereen. De hele stad sliep. De winkels sloten hun luiken en het werd stil op straat. Beth lag ongeduldig op bed te wachten tot de siësta voorbij was zodat Bea en zij weer op de Vespa uit zouden kunnen gaan in die fascinerende nieuwe wereld.

Beth leerde het meest van de schoonheid en van de schijnbare eenvoud van een gewone familie: Bea's familie, net als die van Sylvia, was conventioneel en klein en voorspelbaar maar nog hechter dan die van Sylvia omdat beide grootouderparen van Bea zo vlak in de buurt waren. De grootouders van Sylvia woonden ver weg en kwamen zelden op bezoek. En hoewel Sylvia's familie dol was op Beth had ze nooit bij hen gelogeerd, en was ze dus nooit van dichtbij getuige geweest van hun leven als familie. (Beth wist ook dat Sylvia's vader wantrouwend stond tegenover die van haar, en daarom had ze natuurlijk een hekel aan hem.) Bea's familie was anders. Het was de familie die ze in haar dromen altijd had willen hebben. Bea's moeder adopteerde Beth onmiddellijk, haar Amerikaanse dochter en Beth wilde beleefd zijn en een braaf meisje zijn en zorgen dat signora Nuova trots was op haar nieuwe Italiaanse woorden. Signora Nuova leerde haar wat het kon betekenen om een moeder te hebben, hoewel Beth wist dat Claire nooit geweest zou zijn zoals Bea's moeder die haar met haar lange beschermende armen in een geur van een heerlijk en subtiel parfum wikkelde, die haar alles bijbracht over wat er in de wereld aantrekkelijk was. Bea's moeder vond strijken heerlijk, vond het heerlijk alles wat gekreukeld was weer glad en netjes te maken, en ze stond uren te strijken in het souterrain, dat altijd rook naar wasmiddelen en pas gewassen wasgoed. Ze was altijd bezig met klusjes: eten kopen, de was doen of kleren van de meisjes naar de stomerij brengen, koken. Voor dat laatste interesseerde Beth zich hogelijk. Hoewel geen van beiden elkaars taal al te goed sprak, vond Signora Nuova het heerlijk Beth te leren hoe je *risotto alla Milanese* moest maken, of, bijvoorbeeld, *un piatto di funghi di bosco al salvia*; ze leerde haar hoe ze verse pasta en toetjes moest maken: *salame di cioccolata* en *dolce di Città* en *zuppa Inglese* en *crostata della nonna ai fichi*. Beth kwam bijna vijf kilo aan tijdens haar eerste zomer in Italië.

Bea werd het oudere zusje dat Beth altijd had willen hebben en ze vond alles van haar fantastisch en wilde net zo zijn, tot de manier waarop ze haar koffer inpakte: alle schoenen in hun eigen vilten zakjes; haar ondergoed (bh's en bijpassende slipjes van helderwit katoen met piepkleine rode aardbeitjes) verpakt in vloeipapier alsof elk stelletje een cadeau was; haar kleren, op een of andere manier nog keurig gestreken na de hele reis; haar zachte handdoeken die zelfs nog warm leken en naar lavendel roken. Als je Bea zag uitpakken was het alsof je naar een prinses keek. Bea had een aangeboren elegantie en zelfrespect en elk kledingstuk was nog aanbiddelijker dan het vorige. Bea's koffer was van een heel andere orde dan die van Beth, een smakeloos allegaartje van gescheurde Levi's, bedrukte Indiase rokken en T-shirts, zaken waar ze veel om gaf tot ze Bea leerde kennen. Met Bea kon Beth haar wil opgeven en de leiding uit handen geven.

Beth had tijdens de dagelijkse bijeenkomst op school over het zomeruitwisselingsprogramma van de Rotary gehoord. Iemand kwam de meisjes vertellen over een opwindende mogelijkheid in Venetië in Italië. Toen hij vrijwilligers vroeg stak Beth instinctief haar hand op, net als een ander meisje. Ze was een jaar ouder dan Beth. Ze heette Larissa Lord Jones. Ze vulden aanvraagformulieren in, schreven brieven dat ze graag wilden komen, stuurden aanbevelingen en daarna begon het lange wachten. En intussen schetste Beths grootmoeder in woorden beelden voor haar – beelden van paleizen en kanalen en gondels en Italiaanse prinsen die met haar over immense marmeren vloeren walsten. Dit was wat ze wilde voor haar kleindochter. Dit was wat ze gewild had voor haar dochter, niet dat Claire zou trouwen met een dromerige hippie met ambities die ze van haar leven niet kon begrijpen. Voor Beths grootmoeder, die bij iedereen, zelfs bij Beths vader, bekendstond als Grammy, was Europa ouder en daarom beter. Europeanen hadden doorgekregen hoe je moest leven. Grammy zou Beth in stijl steunen met hutkoffers en nieuwe jurken en introductiebrieven van mensen in de Met aan mensen in het Vaticaan en het Uffizi. Hoe groter de beelden werden die Grammy schetste, des te meer wilde Beth gaan en des te meer ging ze Larissa Lord Jones haten. De haat was wederzijds. Larissa haatte Beth. Vervolgens haatte Beth Larissa met een beslissende en volledige haat omdat Larissa won. Ze was ouder, kreeg Beth te horen; Beth zou het volgende jaar nog een kans krijgen.

En hier komt die hand weer, met een rustige maar beslissende uithaal: een paar weken voor Larissa Lord Jones aan haar uitwisseling met Beatrice Nuova zou beginnen (Beth was blijven denken hoe Larissa door de Venetiaanse kanalen dreef met Italiaanse prinsen), werd haar oudere broer op een van de snelle wegen in het westen door een oplegger gedood. Hij zat op een motor toen hij geraakt werd; hij was op slag dood.

De man van de Rotary had het mis gehad wat betreft de stad. Het was Città la Venezia, dat gewoon bekend stond als Città, en absoluut niet Venetië of Venezia. Città, een klein welvarend stadje, genesteld in de uitlopers van de Alpen, had geen roem vergaard wegens haar geschiedenis of haar kunst of haar schoonheid, maar wegens haar schoenen- en sokkenindustrie: Bianchi, Macchi, Ghiringhelli. Città: de hoofdstad van Italiaanse rijkdom en van de voeten.

Dus werden Beth en Sylvia naar Città geblazen. Bea trof hen bij het station, nam hen mee naar haar huis, gaf hun gigantische hoeveelheden pasta te eten, luisterde naar hun verhalen over Chas ('We vinden hem wel op Korfoe,' verklaarde ze. En ze zorgde er inderdaad voor dat ze daar de eerste augustus waren, huurde brommers en ze reden het eiland rond, vroegen andere Amerikanen of ze Chas gezien hadden, maar dat leverde niets op), en hun verhalen over Carlos. (Bea vertelde hun hoe beroemd hij was maar vroeg zich af of hij de echte Carlos Alberto was. 'Maar de Ferrari, de Ferrari,' hielden de meisjes aan.) Bea borg hun rugzakken en hun kleren op in het souterrain. Ze gaf hun groen lederen koffers te leen, die ze vulde met kleren van het afgelopen seizoen, samen met een haardroger en een krulijzer. Ze leerde hun hoe ze op de goede manier mascara moesten dragen en knipte hun haar, gaf hun allebei een pony. In haar eigen land werd ze niet bedreigd door Sylvia, speelde alleen maar de baas over haar net zoals ze dat met Beth deed. En dat werkte op een of andere manier fantastisch.

De volgende dag reden ze met Miki en Dario, twee vrienden van Bea, in een Maserati naar het Toscaanse stadje Forte de

Marmi, een vakantieoord aan de kust. De Maserati was natuurlijk rood, en hij was van Miki, een schatrijke, ellenlange (gewoon gênant) erfgenaam van een krantenbezorgingsimperium. Hij was het soort man dat geldgeile dames waarderen: ongelofelijk aardig en charmant maar toch niet al te aantrekkelijk met zijn slechte gebit en zwakke kaak, en hij struikelde over zijn eigen benen in zijn poging beleefd te zijn. Hij reed hard om indruk op de meisjes te maken. In de achterbak wipten hun koffers op en neer en Sylvia, die deed alsof ze bang was, klemde zich aan Beth vast, maar ze waren te jong om die angst echt te voelen. In het nabijgelegen Pisa regelde Miki een privé-bezichtiging bij maanlicht van de scheve toren. Als ze honger hadden zorgde hij ervoor dat iedereen genoeg te eten kreeg van wat ze ook maar wilden – *tortellini alla panna* en *bistecca alla Fiorentina* en brioches om vier uur 's ochtends vers uit de oven, betaalde de *fornaio* extra omdat ze zo vroeg in de ochtend haar deur voor hen geopend had (wit jasschort, meel op haar gezicht). Hij nam hen mee naar Parma zodat ze echte *prosciutto* en echte *parmigiano* konden proeven. 'Het moet. Je bent in Italië.' Ze sliepen niet. Ze sliepen nauwelijks die zomer. Meer dan tweehonderd kilometer per uur, allemaal in de Maserati gepropt, en Sylvia zingt – je kunt wel raden wat – over een Maserati die honderdvijfentachtig rijdt...

Dario was drukker van beroep, had niet al te veel geld, en was Miki's makker, klein en donker en pezig, fysiek precies het tegendeel van Miki. Hij viel al gauw op Sylvia (die hem een komische afleiding vond), kuste haar in het donker toen ze een wandeling maakten over een pier van rotsblokken, omzoomd door brekende golven, die ver de Middellandse Zee in stak. Hij sprak maar een paar woorden Engels en Sylvia maar een paar woorden Italiaans. 'Ze communiceren door middel van de taal van de liefde,' zei Miki. Het was komisch hen te zien. Beth vond het niet erg Sylvia aan Dario te verliezen omdat ze alle aandacht van Miki had. Het leek Beth gewoonweg dat de romantiek in Europa overal te vinden was en de vrouwen de mannen voor het uitzoeken hadden.

Na twee dagen zonnebaden aan de rand van het smalle strand van Forte de Marmi, met de Middellandse Zee die tegen de kust klotste en *ombrelloni* voor schaduw en *lettini* voor comfort en de verse brioches en tortellini en de snelle Maserati en verhalen over wat het betekent ervoor verantwoordelijk te zijn dat iedereen in Noord-Italië op tijd zijn krant krijgt, verklaarde Miki zijn liefde voor Beth (en Dario zijn liefde voor Sylvia) en de jongens vroegen hun mee te komen naar Griekenland waar ze binnen twee weken met nog wat vrienden op het eiland Paros gingen windsurfen. Zo hielden Italianen vakantie: in een groep, reizen naar een of andere warme plek waar water was en waar je pret en lichaamsbeweging kon hebben en daar minstens een maand blijven. Ze reisden niet zoals Amerikanen in Europa: lange afstanden, allerlei bestemmingen, cultuur opslokken, rugzakken, lange brieven naar huis. (Sterker nog, als Italianen een kaart naar huis stuurden stonden er hoogstens de namen van de vakantiegangers op.) Maar Bea en haar vrienden belden hun ouders elke avond. Zelfs als hun ouders precies wisten waar ze waren en dat ze niet weg zouden gaan van de uitgekozen plek, het bovengenoemde eiland, moesten ze toch iets van hun kinderen horen, anders riepen ze de hulp in van de ouders van andere vakantiegangers, de wet, de nationale garde om hen op te sporen, zenuwachtig tot ze de stem hoorden van de twintigjarige dochter, de zesentwintigjarige zoon. Beth vond het altijd amusant en aandoenlijk het avondritueel van het telefoongesprek gade te slaan: haar vader of grootmoeder zouden denken dat er een ramp gebeurd was als er een telefoontje van overzee kwam. Ze schreef eerder, een doodenkele keer, lange uitvoerige brieven waarin ze al haar avonturen tot in de kleinste details weergaf.

'Ik ben verliefd op je,' had Miki gezegd. Ze waren helemaal doorweekt door de golven die op de pier uiteenspatten. Zijn kussen smaakten zout en hij was zo lang en zo mager en zo rijk. Hij had enorme voeten. De kussen, zout als ze waren, werkten bedwelmend, van die kussen die rillingen door je lijf laten lopen. Beth dacht ook dat ze van hem hield, alleen, hij was zo lang en dan die voeten. Zijn voeten! 'Je bent zo lang,' zei ze. 'Maar hij is zo lang,' zei ze tegen haar vriendinnen. Hij stak zijn hand in haar bloes en omvatte teder haar borst. De sterren verdwenen in het licht van de stralende maan die het water verlichtte tot een glinsterend zilveren vlak. 'Je bent mooi,' zei Miki, 'en ik ben verliefd.' Hij ritste zijn broek open en legde Beths hand op zijn penis en ze had geen idee wat ze ermee moest doen dus hield ze hem gewoon vast en zei: 'Dit kan ik niet. Ik kan Sylvia niet verraden', op een dramatische manier, terwijl ze half deed of dit te belangrijk en ingewikkeld en verwarrend voor haar was tot hij haar gewoon vasthield en haar zei dat het goed was, dat ze tijd hadden – in feite alle tijd van de wereld. Beth keek in het donker om zich heen op zoek naar Sylvia, kon haar nergens ontwaren. Beth sprong over de rotsen terug naar de kust, nat van het zeewater en Miki volgde haar onhandig met zijn hele omvang en zijn voeten. 'Kom naar Griekenland,' schreeuwde hij haar achterna. 'Kom naar Paros.'

Bea hield haar vrienden in het oog, en voelde zich een beetje een koppelaarster, of een marionettenspeelster, trots en gelukkig met haar succes. Ze was verrukt over de uitnodiging voor Griekenland en gelukkig dat ze deze avontuurtjes had bewerkstelligd. Ze was niet bang een vijfde wiel aan de wagen te zijn, daarvoor had Bea te veel zelfvertrouwen. En trouwens, in Città was ze al een tijdje verwikkeld in een kleine flirt met een jongen genaamd Cesare, een knappe jongen die haar aan het lachen maakte als ze elkaar 's avonds in het centrum tegenkwamen om met al hun vrienden uit de stad voor het eten een *prosecco* te drinken. Hij maakte haar aan het lachen omdat hij graag de vreemde details van de anderen die daar bijeen waren observeerde en wel zo dat hij ook zichzelf niet spaarde. Tegelijkertijd straalde hij een zelfvertrouwen uit dat hem op een of andere manier hoog boven alle anderen verhief. Hij was een soort Italiaanse Peter Pan die graag plezier had en deed alsof de wereld zijn speelplaats was. Hij was lang en slank met zwart haar dat bij zijn slapen licht terugweek en hij kwam uit een vooraanstaande familie in Città die vijfhonderd jaar in de stad bankier was geweest. Hij was dol op alles wat Amerikaans was – Levi's en Bruce Springsteen – en als hij en Bea praatten, was het over Amerika, hoewel hij er nooit geweest was. Bea vermaakte hem met haar avonturen op een commune daar. Hoe meer verhalen ze hem vertelde, des te meer hield ze zelf van Amerika, als ze eraan dacht dat ze daar zowel exotisch als ook volkomen onzichtbaar was geweest, waarnemer had mogen zijn. Maar omdat ze Cesare wilde vermaken deed ze alsof ze actief had deelgenomen aan het Amerikaanse leven: ze had rugby gespeeld, had met haar blote handen geiten gemolken, appels en frambozen geplukt, en die zelfs verkocht aan luxe restaurants in New York. Ze had deel uitgemaakt van de gemeenschap op Claire, had een joerte helpen bouwen en een pad helpen kappen (niet waar), had op de school van de commune Italiaanse les gegeven en had kennisgemaakt met de Amerikaanse literatuur. 'Boeken?' vroeg Cesare. Hij las ook graag, hield van boeken in het Engels. De flirt brandde slechts met een heel klein vlammetje, maar flikkerde in Bea's borst vol beloften, nam een groot deel van haar gedachten in beslag – waarvan ze slechts een fractie met haar vriendinnen deelde omdat ze zichzelf niet graag aan de hele wereld blootgaf; zo'n ongedwongen oprechtheid was een karakteristiek dat ze als typisch, vertederend, Amerikaans opmerkte. Cesare, een van Miki's vrienden, was ook op weg naar Paros; Bea stelde zich Beth en Sylvia en zichzelf voor, alle drie onder de pannen en voelde zich opgevrolijkt door het vooruitzicht van de zomer en deze vakantie.

Na de liefdesverklaring reed de Maserati terug naar Città met twee gelukkige jongens die niet konden wachten tot de tien dagen voorbij waren. De meisjes waren ook blij, dat ze weer op zichzelf waren, de baas over hun eigen avontuur, hoewel Bea de leiding nam en hen, zeulend met hun groen lederen koffers, eerst naar Florence bracht, smoorheet in de julihitte om de *David* en de *Slaven* van Michelangelo te zien en de *Venus* van Botticelli die uit het schuim oprees. De meisjes voelden zich versterkt door de cultuur en minder schuldig omdat ze tenminste iets gezien hadden. Het deed er niet toe dat Beth en Bea al dat 'spul' al eerder gezien hadden. Die wetenschap gaf hun eenvoudig gelegenheid een betoog te houden, wat ze dan ook deden, alsof ze zoveel meer over Michelangelo en Botticelli wisten dan Sylvia.

Na Florence reisden ze naar Rome waar de grootste bezienswaardigheid, afgezien van het Vaticaan en het Forum, de markt van de Porta Portese was. Ze kochten alle drie een stringbikini en hier zag Sylvia een heleboel van haar zigeuners en kreeg zelfs de kans om een beroving te verijdelen. 'Ik heb hem! Ik heb hem!' schreeuwde ze terwijl ze de arm van een vuil jongetje vasthield, dat haar portefeuille had proberen te stelen. Hij worstelde met een woeste kracht om zich uit haar greep te bevrijden. Niemand, helemaal niemand scheen zich erom te bekommeren.

Maar het was in Florence, voor de *David*, in de hitte met honderden andere zwetende lichamen die tegen de meisjes aanduwden, dat Bea voor het eerst over Cesare begon. 'Cesare heeft net zo'n lichaam,' zei ze. 'Wie?' vroeg Sylvia. 'Wie?' echode Beth. Beth kende de details van Bea's liefdesleven tot in de puntjes, wist dat ze al twee jaar een verhouding met een getrouwde man had. Bea schreef Beth altijd lange brieven over hem die Beth op school las en beantwoordde, tijdens Engels of geschiedenis, terwijl ze deed of ze aantekeningen maakte, geboeid door de escapades van haar vriendin omdat ze zoveel gewaagder en volwassener waren dan alles waar zij of haar Amerikaanse vrienden zelfs maar van droomden. Bea vond het prettig met een getrouwde man omdat je altijd wist wat je kon verwachten, wist dat hij haar op een dag zou verlaten en wist van te voren dat het om zijn vrouw zou zijn en niet omdat er iets mis was met haar. (Italianen laten zelden hun vrouw in de steek voor een andere.) Ze wilde nooit dat iemand, zeker geen man, vaststelde wat voor gebreken ze had. Wat dat betrof was ze overdreven trots, wilde haar gebreken voor zichzelf houden. Bea vond het vooral heerlijk haar zielenroerselen uit te storten aan Beth in een brief, iets wat ze nooit had kunnen doen in een gesprek of met welke vriendin dan ook.

'Cesare,' zei Bea. Juist door de manier waarop Bea zijn naam uitsprak, met een onkarakteristieke warmte en tederheid, wist Beth het. 'Heeft hij zo'n lichaam?' zei Sylvia. 'Hij is zo groot,' zei Beth, die een gevoel van jaloezie naar boven voelde kruipen, dat ze in bedwang probeerde te houden zoals je met een hysterische hond doet. De details interesseerden haar het meest.

En toen ze op de bruisende wolk van hun jeugd naar Griekenland dreven zouden de details van Cesare bovenkomen, een beetje als een traktatie om de meisjes te belonen. Cesare was edelmoedig, warm, knap, speels, studeerde economie aan de Bocconi universiteit in Milaan en kwam uit een oude familie die een reputatie had in de stad. 'Oude familie' was een begrip dat Beth en Sylvia niets zei, maar voor Bea betekende het heel veel; het was beter je bij een goede oude familie met een reputatie aan te sluiten, net zoals het beter is om naar Harvard te gaan dan naar, bijvoorbeeld, een rijksuniversiteit. Haar familie, hoewel goed, was niet oud en niet bekend. De familie Nuova was naar Città verhuisd uit Verona en Genua – steden die niet ver van Città af lagen, maar toch ver genoeg om hen een 'nieuwe' familie te maken (hoewel ze zelfs al meer dan honderd jaar in Città woonden). En ook nog maar kort vermogend. Bea's grootvader, een fabrikant van verf voor garens voor kousen en vezels voor sokken, was een fabrieksarbeider die zich toevallig ontwikkeld had en die geluk had gehad. Hij klom op in het bedrijf tot hij op een dag eigenaar was (een buitengewoon knap stuk werk), en kon zo aan zijn zoon, Bea's vader, een fortuin en een baan geven. In Città werd onderscheid gemaakt tussen de nieuwe en de oude families en de nieuwe families droegen een zeker onuitgesproken stigma. Cesare zou bijvoorbeeld een goede partij voor Bea zijn. Hij zou haar verheffen van haar onuitgesproken lage status (binnen de bovenste echelons, natuurlijk) naar een die gelijkwaardig aan de zijne was. Bea's ouders waren bij verrukt over deze flirt niet alleen omdat ze, overbodig te zeggen, niets van de getrouwde man moesten hebben (hoewel Bea hun niets verteld had wisten ze het), maar ook omdat Cesare een goede reputatie had en bekendstond als een aardige jongen – zo niet een al te serieuze jongen. Voor Cesares familie zou een huwelijk met Bea een slechte verbintenis zijn. De maatschappelijke positie van de familie was solide en een huwelijk met Bea zou die niet aantasten, maar deze zaken waren belangrijk en alles welbeschouwd was een huwelijk tussen Cesare en Bea voor Cesares familie niet wenselijk. Het zou een smet op het aanzien van de familienaam zijn. (De hemel verhoede een Amerikaanse!) Natuurlijk had Cesares familie nog geen gedachte gewijd aan Bea als partij, en die van Cesare ook niet, om eerlijk te zijn. Zijn familie wist niet eens van haar bestaan. Maar Bea wist hoe subtiel de klassenverschillen waren, nieuwe en oude en hoe taai ze waren, zelfs welig tierden in het Italië van het eind van de twintigste eeuw, als een last uit het verleden. Dus had Bea altijd het gevoel dat haar achternaam een merkteken was, een brandmerk. En hoewel ze in Amerika voornamelijk een toeschouwer was geweest, hield ze van de vrijheid die je had als je daar was, anoniem, vrij van de lasten en verwachtingen die haar familienaam haar oplegden. Maar Bea hield vooral waanzinnig van Beth, eenvoudigweg omdat die ingewikkelde structuur van naam en stigma en klasse, die onder de oppervlakte van Città lag als een ingewikkeld elektriciteitsnet ter ondersteuning van de infrastructuur, haar volstrekt koud liet en koud zou laten zelfs als Bea de moeite nam het uit te leggen.

'Maar hoe lang is dit al aan de gang?' vroeg Beth. 'Het is me nooit meegedeeld.'

'Nooit meegedeeld?' zei Sylvia lachend om Beths vormelijke zinsconstructie, die een gevolg leek van een te lang verblijf in het buitenland.

'Korter dan kort,' zei Bea. 'Spiksplinternieuw.'

'Hebben jullie gezoend?'

'Bijna,' zei ze, en ze vertelde hun hoe ze in de stad op een avond aan hem was voorgesteld. Ze gingen niet met dezelfde vrienden om en ze kende hem alleen maar vaag van gezicht maar die avond bracht hij haar thuis op zijn motor en hij zou haar gekust hebben als de getrouwde man (hij heette Giorgio) niet buiten het hek op haar had zitten wachten in de auto. 'Giorgio was de laatste die ik toen had willen zien.' Beth had de getrouwde man nooit ontmoet, maar ze had zo'n beeld van hem als lang en donker en gehuld in een zwarte cape zodat hij nooit uit de schaduw kwam, een soort Darth Vader met capuchon. (Bea had een beschrijving gegeven van zijn zwarte haar, diepliggende ogen, sterke kaak met oppervlakkige pokkenlittekens en zijn handen – handen die heel wat konden vasthouden, alles wat hij van haar te pakken kon krijgen.)

Op dit moment waren de meisjes op hun hotelkamer in Florence, Bea op bed in haar ondergoed met een pincet, gebogen over haar linkerbeen waaruit ze de net opkomende haartjes trok. Ze kon hier uren mee bezig zijn en wilde dat Beth en Sylvia het ook deden, maar die hadden er geen van beiden geduld voor. Sterker nog, ze hadden het ontharen met was opgegeven en gebruikten weer het scheerapparaat. Hun schoonheidsbehandelingen betroffen onschuldige werkjes zoals het opbrengen van een gezichtsmasker en een intensieve crèmespoeling voor hun haren.

'Ben je verliefd op Miki?' vroeg Bea aan Beth, haar ogen nog strak gericht op het project van haar linkerbeen. Ze praatte niet graag veel over Cesare en noemde zijn naam niet te vaak omdat ze zich daardoor te kwetsbaar voelde. Tegen de tijd dat ze op Paros aankwamen, toen Beth hem voor het eerst zag op die trap, was Bea's romance, die in haar eigen gedachten sterk leefde, voor Beth en Sylvia in feite slechts een vage herinnering.

'Hij is te lang,' zei Sylvia. 'En die voeten.'

'Hij is lang,' gaf Beth toe en ze herinnerde zich hoe hij zich bukte, een heel eind, om haar te kussen. 'Plus dat ik niet denk dat hij weet waar hij mee bezig is. Hij legde zijn handen om mijn borst en bleef hem gewoon een beetje vasthouden alsof het een deurknop was. Ik was bang dat hij eraan zou draaien om te kijken of hij iets kon openmaken.' Daarna vertelde ze hun over zijn penis en hoe groot die was en hoe hij hem in haar hand gelegd had, maar dat ze, toen ze hem eenmaal aangeraakt had, besefte dat ze dit niet wilde. Ze liet achterwege dat ze niet had geweten wat ze ermee moest doen. 'Gatver,' zei Sylvia, maar ze hadden het graag over seks. Ze wilden over de echte pikante details praten en van hen drieën had Bea de meeste ervaring vanwege de getrouwde man. Beth kreeg Bea zover dat ze haar escapades voor Sylvia beschreef, hoe zij en de getrouwde man (ze vonden het leuk Giorgio zo te noemen omdat het zo smerig en volwassen klonk) er 's avonds laat vandoor gingen, de liefde bedreven in donkere parken en op de achterbank van zijn Mercedes. 'Zijn vrouw is er altijd bij,' zei Bea. 'En dat bevalt me wel.' Zijn vrouw die als een soort afrodisiacum boven hun hoofd hing, maakte de ontmoetingen voor honderd procent bevredigend.

'En Cesare?' vroeg Beth nu.

'Ik houd van mijn getrouwde man,' zei Bea, en daarmee leidde ze de aandacht van Cesare af. Ze wilde niet dat zij wisten hoeveel ze aan hem dacht. Beth en Sylvia hadden er nog geen idee van dat hij ook een van de vrienden was die naar Griekenland kwamen.

Hun koffers waren zwaar maar Bea vond altijd wel een vriendelijke vreemdeling die ze wilde dragen, en als dat niet lukte sleepten ze hen achter zich aan met alle gevolgen voor het kostbare groene leder. Ze namen de veerboot van Brindisi naar Patras en sliepen op het dek onder een regen van roet uit de schoorsteen van het schip, en voelden zich echte reizigers. Ze dansten Griekse volksdansen in de discotheek en speelden met de fruitautomaten en verdienden een fortuin aan waardeloze drachmen. Ze waren keurig gekleed in Bea's aanbiddelijke kleren, een minirok, afgeknipte broek, afgeknipt topje, tere gouden espadrilles. De kleren waren mandarijnkleurig, de modekleur van het afgelopen jaar. 'Oranje,' zei Sylvia die nooit een blad voor de mond nam. Maar arm als ze waren sliepen ze in Athene in het Zappeiopark om nog wat meer van die gemakkelijk verdiende drachmen uit te sparen en omdat Sylvia in de gids had gelezen dat het veilig was zolang je je bagage aan je lichaam vastmaakte zodat dieven die 's nachts niet konden pikken. Bea en Beth hadden hun twijfels en deze onderneming was voor Bea echt beneden haar stand. Haar geldproblemen waren tenslotte niet te vergelijken met die van Sylvia en Beth. Bea's ouders betaalden haar hele reis. De gedachte dat een Italiaans kind ging bedienen om voor wat dan ook zakgeld te verdienen was in hun wereld een gruwel. Obers waren obers in Italië en waren altijd obers geweest en zouden altijd obers blijven. Maar Bea vond het een leuk avontuur om zuinig te moeten reizen en wist dat ze met Italiaanse vriendinnen nooit in een park geslapen zou hebben. Met Beth was de wereld altijd net een beetje groter voor Bea, en daarom hield ze des te meer van Beth. 'Kun je je voorstellen dat je in Central Park slaapt?' vroeg Beth. 'Of het Cascine?' zei Bea over het grote park in Florence, vol travestieten en transseksuelen die in Casablanca geopereerd waren – een detail dat de meisjes ongelofelijk merkwaardig vonden, dus hadden ze (per taxi) een nachtelijke trip door het Cascinepark gemaakt om deze 'dames' te bekijken, die op hun hoge hakken in hun armoedige rokjes als pauwen rondstapten, terwijl ze hen de hele tijd in de binnenlanden van Afrika op een operatietafel zagen liggen met artsen die hen op magische wijze van een man in een vrouw veranderden, hier een stukje eraf, daar een stukje erbij. 'Walgelijk,' zei een van de meisjes.

Het Zappeiopark lag in het centrum van Athene en hoorde bij de Nationale Tuin, die ooit deel had uitgemaakt van de paleistuinen van de koninklijke familie. Op de borden bij de ingang stond (in het Engels, geen misverstand) dat het open was van zonsopgang tot zonsondergang. 'Maar dit is niet Central Park, of het Cascinepark, en de gids zegt dat het goed is,' zei Sylvia met haar vinger op de passage. Ze gaven haar haar zin, en lieten haar een lang koord (ze hadden geen idee waar het vandaan kwam maar Sylvia had het ergens opgedoken) door alle hengsels van alle koffers trekken en daarna door al hun kleren zodat ze netjes samengebonden waren als een lijvig, maar waardevol pakket. 'Als iemand een koffer probeert te jatten krijgen ze ons erbij en dat is te zwaar om mee te nemen. We liggen hier verankerd,' zei Sylvia. Beth en Bea rolden met hun ogen, maar Beth was blij dat ze voor een nacht het bedrag voor een kamer konden besparen. Ze zagen ook andere reizigers, met rugzakken, die langzaam uit de schaduwen oprezen om onder de sinaasappel- en citroenbomen een plek voor de nacht te zoeken. Sylvia kreeg door het nieuwe gezelschap meer zelfvertrouwen en keek naar Beth en Bea met een blik van 'zie je nou wel' – zijdelings, met samengetrokken lippen. Het was donker en de stad was heet en droog en er was smog (smog was het detail dat de meisjes bij aankomst het allereerst was opgevallen), maar het park was groen en rook heerlijk. Er stond een klein briesje.

Als Beth naar de rugzaktoeristen keek kreeg ze schuldgevoelens over haar koffer, alsof ze daarmee op een of andere manier een minder serieuze reiziger was, en ze wilde dat ze haar rugzak had meegenomen. Die was bovendien veel gemakkelijker te dragen. Een van de lange afstandsreizigers die vlakbij kampeerde kwam naar hen toe (lang haar, blote voeten, tie-and-dye geverfd hemd, leuk als een hippieachtige jezusfiguur, absoluut Amerikaans) om te vragen of ze een stuk touw over hadden, en door dit verzoek kon Sylvia's middag niet meer stuk. 'Ik kan de aantrekkingskracht van Amerikaanse mannen maar niet begrijpen,' zei Bea toen de jongen wegliep. Maar heimelijk begreep ze het wel: ze leken thuis te zijn in een wereld zonder zorgen. En toen het gezang van de vogels wegstierf en de late zon ten slotte verdween en ze zich niet meer afvroegen of Miki en Dario misschien andere vrienden zouden meenemen naar Paros (een onderwerp dat een groot deel van hun gesprekken in beslag nam) vielen de meisjes moeiteloos in slaap.

Midden in de nacht probeerde een dief hun bagage te stelen, tot Sylvia's opperste verrukking. In plaats van de koffer kreeg de dief het hele pak, en afgeschrikt door de drie gillende meisjes maakte hij dat hij wegkwam. (Dit verhaal zou Sylvia haar hele leven met veel plezier blijven vertellen.) En de volgende ochtend, toen om vijf uur het oranje licht van de zon door de citroenbomen begon te kruipen, werden de meisjes weer gewekt, nu door een stortbad van water, omdat alle sproeiers van het park aangezet werden.

Die ochtend, enthousiast, zelfverzekerd, hoewel niet echt uitgerust, waren ze van plan de Akropolis, de Agora en de Plaka te gaan bekijken. Ze lieten de zware koffers op de stoep staan bij een druk terras, omdat ze het erover eens waren dat niemand ze zou stelen omdat elke dief zou denken dat de eigenaars vlakbij aan hun koffie zaten te nippen. 'Welke idioot zou zijn koffers in Athene op straat laten staan?' vroeg Bea. 'Niemand.' 'Precies,' zei Sylvia. En nadat ze een hete ochtend door de tempel van Athena Nike en het Parthenon hadden gezworven en zich voorstelden hoe die er tweeduizend jaar geleden uitgezien moesten hebben, beschilderd in heldere kleuren en bruisend van leven, (iedereen in een witte toga, net als in de film), gingen de meisjes winkelen in de Plaka en toen ze terugkwamen ontdekten ze dat hun koffers bijna op dezelfde plaats stonden waar ze die achtergelaten hadden (hoewel een serveerster ze wat dichter naar de rand van de stoep geschoven had omdat ze haar in de weg stonden).

Het merkwaardige van die leeftijd is dat je onoverwinnelijk bent. De dood is ver weg, iets dat anderen overkomt. Risico is minder riskant. Een jongen die Beth en Sylvia van de middelbare school in Pennsylvanië kenden ging die zomer dood. Hij stierf waarschijnlijk op het moment dat ze hun koffers in die drukke Atheense straat lieten staan; hij haalde waarschijnlijk de nacht daarvoor toen zij in het park sliepen de stommiteit uit die hem later zou doden. Hij had te hard gereden in zijn auto met te veel drugs en te veel alcohol in zijn lijf, omdat ook hij, zoals iedereen van zijn leeftijd, geloofde dat hij onoverwinnelijk was. (Herinner je je hoe je al die avonden toen je op school zat te hard reed in je Camaro, je Mustang, je leuke vw-kever, toen je thuiskwam zonder zelfs maar te weten hoe je er later om zou lachen, erover zou opscheppen tegen je vrienden?)

Paul was de vriend van Beth en Sylvia. Hij was gitarist geweest in de Random Joe band, de band waarin de drummer zat die Beth en Sylvia allebei gekust hadden. Toen Beth later hoorde dat Paul zijn aftandse oude Le Sabre om een plataan geslingerd had, zag ze het ongeluk in werkelijkheid voor zich – de auto die zich als een slang om de boom kronkelde, met Paul erin, het metaal dat hem als een mes in plakken sneed. Paul was in werkelijkheid in een bosje braamstruiken geslingerd, en daar werd hij gevonden door een brandweerman, die kiekjes van de plaats van het ongeluk nam om zijn kinderen te waarschuwen voor de gevaren van te hard rijden en rijden met een slok op. Dit was een van de ergste ongelukken die de brandweerman ooit gezien had. Reddingswerkers moesten stukken van Pauls lichaam uit de braamstruiken plukken. Desondanks leefde hij hoe dan ook nog een paar uur.

Paul en Beth hadden ooit op een feestje gezoend. Hij had de kauwgom die hij in zijn mond had op zijn pols geplakt en ze hadden gezoend, een natte slobberkus waardoor haar lippen en haar kin geïrriteerd en geschuurd werden. Een maand na de eindexamens had hij te hard gereden terwijl de muziek van de Grateful Dead dreunend uit de cassettespeler kwam. Die speelde nog, 'Sugar Magnolia', volgens de geruchten, toen de brandweerman hem vond. De meisjes sliepen in een park in Athene, en dachten dat zij net zo onoverwinnelijk waren. Beth dacht steeds aan hun bagage vlak naast het café terwijl zij drieën vastberaden de hete berg op liepen naar de restanten van het oude Griekenland.

'Denk je dat je met Miki naar bed gaat?' vroeg Bea toen ze naar het Parthenon klommen, met de geschiedenis en haar ruïnes overal om hen heen. Paul had Beth gevraagd of ze zijn vaste vriendin wilde zijn, die avond dat hij de kauwgom op zijn pols plakte. Ze had ja gezegd, en ze hadden hand in hand op het feest rondgelopen, om de liefde uit te proberen, om de volwassen wereld met al zijn formuleringen en regels uit te proberen – een lieve jongen met lang zwart haar dat hij over een oog liet vallen omdat hij dacht dat hij er zo gevaarlijk uitzag. Hij wilde geen aardige jongen, fatsoenlijke jongen zijn, maar hij was het wel. En Beth zou deze jongens van haar middelbare school in Pennsylvanië, in New York (weliswaar veel wereldwijzer met cocaïne op de toiletten van een club) jarenlang zien, ze zou Bea en Sylvia en zichzelf zien, allemaal onoverwinnelijk, allemaal ongeduldig zien wachten tot het échte (beslist met nadruk hier) begon. Wat was het? Waar was het? Kan iemand ons niet de weg wijzen? Ons er nu heen brengen? Wijs ons de weg. Begeleid ons. Geen wonder dat Beth en Sylvia zich zo gemakkelijk aan Bea overgaven.

Een vast vriendje maakte dat je je opgelaten en ongemakkelijk voelde, een hemd dat niet goed paste. Aan het slot van het feest maakte Beth het uit, en ze legde het nieuws uit aan haar vrienden die nog maar net begonnen waren het te vieren. Hun overdreven reactie maakte dat ze voorlopig genoeg kreeg van het volwassen worden. De verhouding had vier uur geduurd. Paul raakte de plataan met honderdveertig kilometer per uur. Hoewel zijn lichaam door de mangel gehaald was deed hij er ruim twaalf uur over om dood te gaan. 'Hoe gaan ze hem oplappen?' bleef zijn moeder jammeren, de woorden herhalend tegen de enorme borst van haar treurig kijkende man, en ze vroeg zich af hoe de artsen haar zoon weer heel zouden maken. Toen Beth over het ongeluk hoorde, dacht ze aan de Maserati die over de Italiaanse wegen voortraasde. Ze dacht aan haar eigen moeder, zo door en door dood dat ze net als George Washington een onderdeel van de geschiedenis was. Beth dacht aan Pauls kauwgom die vastzat aan zijn pols, aan zijn natte slobberlippen die de hare kusten, zijn zwarte haar dat hun mond in de weg zat. Tegen de tijd dat ze hoorde dat hij dood was zou ze goed ingewijd zijn in de pijn van volwassenen en diep genesteld in de prille dagen van de belangrijkste mythe van haar leven.

Het glipte eruit, op het piepkleine eiland Antiparos, dat Bea's Cesare een goede vriend van Miki was en dat hij een uitstekende windsurfer was en dat hij misschien ook naar Paros zou komen. Het detail was precies een van de vele kleine details die de meisjes bezighielden tijdens de hete dagen onder de felle Griekse zon op hun eigen kleine naaktstrand. Ze kampeerden drie dagen op dit strand, maar het leek eerder een eeuwigheid, ze droomden over wanneer ze naar Paros zouden gaan en vroegen zich af of ze nog enthousiast over hun mannen zouden zijn, bedachten ter vervanging wat nieuwe mannen die ze zouden ontmoeten – Frans, Hans en Reinhold, rijke Duitsers (de hemel mag weten waarom het Duitsers waren) die in een Mercedes reden. En ze vertelden elkaar belachelijke verhalen over wat ze allemaal met de mannen zouden doen terwijl ze op hun strand honger leden en wachtten tot de dagen voorbijgingen. Als proviand hadden de meisjes alleen maar wat meloenen meegenomen (die ronde komkommers bleken te zijn) en de hoofdstad van Antiparos was ruim vijftien kilometer per muilezel verwijderd van hun strand. Ze hadden drie dagen meloen willen eten om af te vallen. Op de derde dag van hun hongerkuur verscheen een vrachtwagen met ijs als een visioen op het rotsachtige pad boven het strand, een pad waarvan ze gedacht hadden dat het alleen voor muilezels bedoeld was. Maar het was geen visioen, het was echt en alle kilo's die de meisjes kwijtgeraakt waren door het eten van komkommer kwamen er nu weer aan door al het ijs dat ze aten. De vrachtwagen gaf hun (en hun groenlederen koffers) een lift naar de veerboot en van daar voeren ze door een smalle golf naar Paros, aanbiddelijk in Bea's kleren, met gemanicuurde handen en diep gebruind (zelfs hun tieten en kont).

Miki en Dario en Miki's auto, deze keer een Landrover, stonden op hen te wachten bij het dok van Paros in Parikia. De jongens kusten hun meisjes onhandig maar bezitterig en voerden hen en Bea en hun bagage snel af naar het kleine vissersdorpje Naoussa, over een weg die kronkelde door griezelige, schitterende rotsformaties en zachte hellingen met terrassen, sommige versierd met wijngaarden. Voorin praatten Miki en Dario gejaagd en snel met Bea, en achterin voelden Beth en Sylvia zich plotseling uitgeput. Beth kon het Italiaans niet bijhouden en deed er ook geen moeite voor. Het was alsof de tien dagen sinds Forte dei Marmi zo snel voorbijgegaan waren als een windvlaag, die elk van hen naar dit ogenblik geblazen had. Hoewel het al laat was stond de zon nog hoog, rood en stralend tegen de zeegroene lucht.

En daar was Cesare dan, hij stond halverwege de trap van een van die traditionele huizen in de Cycladen, witgekalkt met een rand zo diepblauw als de zee. Boven de trap hing een blauwe regen over een balkon met traliewerk en hier en daar stonden potten met schitterend rode geraniums. Cesare spande zich in om met de verhuurster te communiceren en onderhandelde over de prijs van een kamer voor de meisjes – de vriendinnen van zijn vrienden, in zijn beste Oudgrieks zoals hij dat enige jaren geleden op het Liceo Classico had geleerd. De verhuurster, haar machtige lijf gehuld in een zwarte jasschort dat alleen haar dikke enkels en blote voeten liet zien, verstond er geen woord van maar leek te begrijpen dat het over geld ging en was dus gebrand op het gesprek. Het licht van de namiddagzon scheen op zijn haar, en zette hem in het volle licht, terwijl zijn figuur een schaduw wierp over de verhuurster. Hij gebaarde met zijn handen en lachte, was duidelijk aan het flirten. Op de smalle weg waarop de auto geparkeerd stond kloste een muilezel voorbij, geleid door een oude gebochelde man. Beth stond bij het portier van de auto, met de groenlederen koffer aan haar voeten. Ze had een mandarijnkleurige zonnejurk aan en haar jezusslippers, en ze keek omhoog naar Cesare, dacht dat hij niet zo aantrekkelijk was als Bea had gesuggereerd. Zijn trekken waren te scherp – hoekige kaak, Romeinse neus, zelfs vlijmscherpe slapen – zodat de lijnen van zijn gezicht nors leken. En er was iets raars aan zijn blik, iets vreemds, misschien alleen maar omdat hij door zijn gesprek geanimeerd werd. Precies op dat moment keek hij naar haar, alsof hij haar gedachten gehoord had en wilde bewijzen dat ze het mis had. Ze wendde haar hoofd af, maar voelde de schok, de steek, een sensatie die ze niet eerder had gevoeld en die haar even snel trof als iets wat lukraak uit de lucht valt. Het was uiterst bedwelmend en

94

scheen niets te maken te hebben met wat voor zinnigs dan ook en ze wilde weer naar hem kijken. Sterker nog, ze voelde dat ze bloosde, vurig en schitterend rood. Zo aantrekkelijk is hij nu ook niet, dacht ze weer, alsof ze ergens iets onaangenaams uit moest halen – een doorn uit een teen.

Ik zal nooit teruggaan naar Paros. Witte huizen met blauw afgezet, kleine stadjes aan de rand van het water met terrassen waar je gebakken inktvis en andere zeevruchten kan eten – alleen al de geur, gegrilde vis en zoute lucht en maïs – de maïskolf was ook gegrild, nog in zijn zijden zaadpluis. Op dat eiland worden Beth en Cesare onophoudelijk verliefd – steeds maar en steeds maar en steeds maar en steeds maar weer. Het is een hemelsfeer in Dantes Paradiso, daarbuiten in de blauwe zee, waar dit gezegende jonge paar onophoudelijk hun eerste liefdesmoment kan beleven, waar alles onvoorwaardelijk mogelijk is en je zaligerwijs niet op de hoogte bent van de afbraak die je te wachten staat, van de wreedheden en de pijn die je elkaar in naam van de liefde ooit zal toebrengen op een onvoorzien en ver verwijderd tijdstip. Je hebt vertrouwen. Je vertrouwt je lichaam, je toekomst, de mysterieuze wetten die zeggen dat iedereen liefde zal ontvangen. Je hebt vertrouwen, je hebt nog geen ervaring die je iets anders leert. Ik zal nooit naar Paros teruggaan.

Een fragment uit het leven van Valeria's moeder. Gedateerd 1992, geschreven door haar moeder in haar moeders dagboek, in haar moeders nette, zorgvuldige, wervelende handschrift, haar moeder die een verhaal probeert te vertellen, haar moeder die misschien probeert onuitwisbaar te worden, zelfs dichterlijk, de stem van haar moeder. Het was alles wat ze ooit over Paros in haar dagboeken vertelde want ze begon er pas aan lang nadat de tochtjes naar Paros voorbij waren. (Cesare en zij gingen verscheidene malen naar Paros omdat ze dol op windsurfen waren en omdat het karakter van hun vakanties eerder uitgesproken Italiaans was dan Amerikaans.) En dat was ook de laatste passage die Beth over Cesare schreef. Valeria wist uit de brieven dat ze net naar Italië was geweest om hem voor de laatste keer te zien. Ze begonnen in 1987 uit elkaar te gaan, maar het drama duurde tot 1992, vijf jaar – telefoongesprekken, brieven, snelle en geheime reisjes ergens heen. Jaren later, na Beths dood – vijftien, zestien jaar later, zou Valeria, een twintigjarige vrouw die in New York woonde, wensen dat haar moeder meer geschreven had. Beth had overvloedig in Valeria's babyboek geschreven, niet alleen over haar eerste lachje en hapje maar ook over de politiek van die dagen – een of ander seksschandaal, een aanklacht wegens een politiek misdrijf, een op slinkse wijze behaalde verkiezing. Hoe haar moeder over haar babyjaren dacht kon Valeria niet zoveel schelen (lief, oké), maar haar moeders leven interesseerde haar des te meer. Valeria zou namelijk, in tegenstelling tot Beth, herinneringen aan haar moeder hebben. Niets bijzonders, haar moeder die met haar in de keuken stond, haar moeder die haar hielp haar tanden te poetsen, haar moeder die zich als bij toverslag verkleedde voor een avond uit met Valeria's vader, het heerlijke krabbelen. Voor Valeria zou haar moeder dus niet altijd dood zijn (zoals George Washington). Maar door de manier waarop Beth stierf zou de herinnering aan haar niet die aan haar leven zijn maar eerder die aan haar dood. Voor Valeria zou ze iemand worden die altijd doodging. Ze ging onafgebroken dood. Valeria zou tot in de eeuwigheid haar moeders dood kunnen zien. Ze zou het ontelbare jaren en nog langer op de televisie kunnen zien. Dus vond ze het heerlijk in haar moeders leven te graven, het te achterhalen, in deze passage, geschreven in haar moeders hand, een moment te vinden waarop ze iets ongelofelijks en gevaarlijks doet, even eeuwigdurend, even permanent, even onvergankelijk. In deze passage ademde ze, leefde ze, was ze een mens met gevoelens, onsterfelijk. *Op dat eiland worden Beth en Cesare onophoudelijk verliefd – steeds maar en steeds maar en steeds maar en steeds maar weer.*

Cesare kwam lachend de trap af. 'Ik ken alleen maar Oudgrieks,' zei hij, in het Engels, verontschuldigend, tegen zijn
vrienden en tegen de Amerikaanse meisjes. Hij lachte breeduit,
helemaal niet nors. Hij had een duidelijk Italiaans accent maar
er zat een vleugje Engels in (omdat hij in Londen gestudeerd
had, zou Beth later horen). De komst van hen drieën leek hem
niet te verrassen en Beth vroeg zich af wat Miki hem verteld
had, hoopte dat het niet veel was. 'Ze begrijpt het toch niet,'
zei hij, en hij haalde zijn schouders op. Hij kuste Bea op beide
wangen en vroeg haar in het Italiaans naar de avonturen die ze
op weg naar Griekenland beleefd had. Het viel Beth op dat ze
er niet als minnaars uitzagen. Miki verscheen achter Beth en
stelde haar aan Cesare voor met een zekere trots wat maakte
dat Beth zich zowel een stuk bezit voelde als ook geïrriteerd
was. Beth lachte en Cesare ook en ze vroeg zich af of hij de
schok had gevoeld die zij voelde en hoopte vervolgens dat niemand kon horen hoe haar hart bonsde. Alsof hij iets door kon
hebben sleurde Miki Beth mee naar boven, om het appartement en zijn kamer te laten zien. Ze kon Bea nog horen, die
met haar luide stem met Cesare bleef flirten. De kamer had een
balkon overdekt met wijnranken dat uitzicht bood op zee. Miki's kleren waren netjes uitgepakt en opgeborgen in zijn kast
en Beth vroeg zich af of hij pakte zoals Bea, of alle Italianen geleerd hadden zo netjes te pakken. Op een of andere manier
vond ze deze gewoonte in een man niet even aantrekkelijk. Bovendien wilde ze niet alleen met hem in de kamer zijn. Ze wilde
buiten zijn bij de anderen. Ze wilde weten of ze die schok weer
zou voelen. Ze wilde het weer voelen. Net op dat moment probeerde Miki haar te kussen. Ze zei tegen hem dat ze moest
plassen. Alleen, op het toilet, bekeek ze zichzelf in de spiegel.
De schok was overduidelijk. Ze kon het zien. Ze voelde het
weer, ze trilde van de naschokken, wat haar op een of andere
manier het gevoel gaf dat ze mooi was, hoewel ze wist dat ze
geen mooi meisje was. Ze ging naar Miki's kamer terug. Ze
hoorde niets van wat Miki zei toen ze op zijn keurige bed ging
zitten. Ze zag niets. Ze proefde niets. Ze was zalig en volledig

en absoluut en wonderbaarlijk leeg. Miki kuste haar. Cesare kwam de kamer binnen. Ze duwde Miki van zich af, bijna gemeen. Cesare was middelgroot en donker en slank en had een lichaam als de *David*, maar hij had een Amerikaanse zwembroek aan, een T-shirt met de tekst NEIL PRYDE onder een plaatje van een windsurfer in actie en teenslippers. Een Italiaan loopt nooit blootsvoets. '*Scusatemi,*' verontschuldigde hij zich en trok zich uit de kamer terug. Zijn ogen waren groot en sprankelend donkerbruin. 'Nee nee,' zei Beth snel alsof haar woorden hem terug konden trekken. En dat deden ze.

'*Cosa vuoi?*' vroeg Miki. Wat wil je?

'Ga je met ons mee uit eten?' vroeg Cesare, die zijn hoofd om de deur stak. Zulk heerlijk Engels. Hij was een en al charme en bescheidenheid en elegantie. En Beth zei ja voor Miki iets kon zeggen en ze gingen met zijn allen naar een café aan de rand van het water in Naoussa om rode mul te eten en gegrilde inktvis en tzatziki en nog iets en nog iets anders... maar Beth merkte het nauwelijks. Ondanks de verdoving en de schok en het verlangen deze jongen te zien praten en lachen, had ze geen idee van wat ze onderging, en die avond, met allemaal een beetje te veel wijn op, zouden ze volgens Bea's plan gekoppeld worden, en die avond zou niet in het teken staan van die heerlijke nieuwe ervaring van Beth, die haar begerig maakte en bezorgd en aantrekkelijk en draaierig, en de hele avond geurde naar jasmijn en rozemarijn en citrusfruit en was vol van het ritme van de kleine vissersbootjes die in de haven op en neer deinden en de Griekse wijn was vreselijk lekker en ze hield van Griekenland en wilde nooit meer weg.

Valeria zou dit fragment van een brief vinden, gedateerd 1987, geschreven in het Engels:

Mijn lieve kleine Americanina. Mijn America. Mijn toekomst. Mijn droom. Mijn onmogelijke droom. Je lichaam zo zacht, zo fluwelig je benen. Ik verfoei de gedachte aan jou met een andere man en houd van de gedachte dat anderen jou zouden erva-

ren. Ik wil elk detail met naam en toenaam horen. Het is goed
en in orde voor jou om met anderen te zijn. Misschien doe ik
boete voor mijn zonden. Maar laat het me weten. Besteed elke
dag een uur, op zijn minst, om het me te laten weten. Als je
mijn vrouw moet worden, als we deze liefde gaan verwezenlij-
ken – moet je dat. Maar wees niet wreed. Kwel me niet. Niet
met een jong iemand, niet met iemand van wie je zou kunnen
houden. Ik houd meer dan ooit van je, meer dan van het leven.
Ik zal van je houden als ik dood ben.

Mam, zou Valeria gezegd hebben als ze rechtstreeks met haar
moeder had kunnen praten. *Ma-amm.* Op die uitgerekte onge-
lovige manier waarop haar vriendinnen hun moeder riepen,
die ze zo argeloos als vanzelfsprekend beschouwden. (*Mam*, ze
was dol op dat woord.) Je wat? Zie je, mam, wat deze brief in-
houdt? Heb je het echt gedaan? Maar waarom? Als jullie van
elkaar hielden? Dat is ziekelijk, pervers. Maar kijk eens hoe
deze figuur van je hield. Hoe kun je ophouden van iemand te
houden als je zoveel van haar hield? Wat is dit voor een verwrongen liefde, verwrongen in knopen? *Ik zal van je houden*
als ik dood ben. Hield hij nog van haar?
     Beths leven. Valeria leefde van Beths leven. Het voedde haar
eigen leven. Wat zou Valeria niet willen geven om haar moeders brieven aan Cesare te lezen. Beth zou altijd bij Valeria
zijn, naast haar staan. Stel je voor: juist nu staan ze samen in de
keuken pasta te maken met tomaten en basilicum en mozzarella omdat het een hete julidag is in New York met die brandweerauto's die naar Broadway stuiven en autoalarm en poli-
tiewagens en de stank van vuil op straat, precies hetzelfde als
altijd. De Hudson stroomt zorgeloos voorbij; Valeria kan het
vanuit haar raam zien. Hij stroomt beide kanten uit, de rivier
is hier een wijde riviermonding, stroomt achteruit, en tart de
theorie van Heraclitus dat de tijd alleen maar een richting uit-
gaat. Hier kan een jonge vrouw inderdaad twee keer in dezelfde rivier stappen.
     Stel je voor: het is het jaar 2017. Er gebeuren rampen, voor-

malige presidenten gaan dood, popsterren gaan dood – zelfs een beroemde zangeres uit Beths jeugd, bekend omdat zij haar leven gebruikte als voer voor songs die de hitparade uit het lood sloegen. Toekomstige koningen en koninginnen worden geboren. Mensen zijn nog aan de macht en doen machtige dingen, niet om de juiste redenen maar alleen maar omdat ze ertoe in staat zijn. Wij huppelen allemaal mee, samen met de wereld van de geschiedenis die parallel loopt. Valeria is twintig. In New York heeft ze een vader die haar aanbidt, een aardige stiefmoeder, een jongere halfbroer op wie ze belachelijk dol is. Ze heeft een geschifte oude grootvader op zijn commune in Pennsylvanië, die nogal vecht om boven water te blijven. Hij doet haar denken aan Miss Havisham die de ravage intact houdt – en waarom niet? De man die Valeria's moeder doodde is misschien al lang dood. Het kwaad ligt nog altijd op de loer, mensen grijpen de macht omdat ze ertoe in staat zijn. God zegene haar grootvader voor zijn utopie, voor zijn poging van alles dat fout gegaan is iets goeds te maken. Haar moeder was vreselijk verliefd geweest. Valeria wil de maat en de vorm van de liefde kennen, wil de macht van de liefde precies omschrijven, begrijpen hoe duurzaam het vermogen van de liefde is. Wat heeft Cesare van de ravage gemaakt? Zou hij van Beth houden als hij dood was? Houdt zij, dood, nog van hem?

Bea en Cesare kusten elkaar die eerste avond op een strand in Naoussa bij een kampvuur dat ze gemaakt hadden van wrakhout, zonder te denken aan de andere stellen en waar ze uithingen. Zij bleven de hele nacht buiten en toen de zon opkwam zweefde Bea naar haar kamer en haar vriendinnen terug en plofte dromerig op het bed en ze wisselden verhalen uit over middernachtelijke escapades (met blote voeten in zee wandelen, zilte kussen en wat dies meer zij), giechelden, poseerden voor elkaar, strekten hun benen uit in de lucht, duizelig van romantiek en de gedachte dat ze sexy waren. Het was zomer en ze waren in Griekenland en de maan was, zij het veranderlijk, altijd helder. Van hen drieën straalde Beatrice's vrolijkheid het meest en de andere twee probeerden haar te drillen, probeerden goudklompjes van haar avontuur af te halen alsof elk detail een juweel was. Ten slotte stokten de gesprekken en de meisjes vielen in slaap, tot ze om twaalf uur 's middags gewekt werden door de komst van Miki die met hen wilde gaan surfen op het strand van Santa Maria.

De volgende avond in een van die kleine doolhofachtige straatjes, niet ver van een van de vele kerken van de stad, niet ver van Cesares appartement dat hij deelde met zijn vrienden, niet ver van Bea's kamer die ze deelde met haar vriendinnen; die volgende avond toen de zon echt onder was en Bea en Sylvia en Dario en vooral Miki de straten afzochten naar het vermiste paar, bang dat Cesare en Beth verdwaald waren, hun namen riepen met misschien wat te veel wijn in hun toon; die volgende avond, toen ze hun namen hoorden en dieper in een nis van een muur glipten, een geheime schuilplaats, uiterst gracieus verlicht door de maan en al die sterren; die volgende avond toen ze de uitgelatenheid voelden van het nieuwe en het geheime en het clandestiene en het geheim van de keuze; die volgende avond met in de verte het geluid van een discotheek en etende mensen, het gekletter van tafelzilver en glas; die volgende avond, koel door de wind en door te veel zon, zonder een zier te geven om Bea's gevoelens, om waar Sylvia uithing, om Miki's vermoedelijke pijn, kusten Beth en Cesare elkaar.

Een eerste kus, weet je nog? Eerst voorzichtig, zijn lippen onderzoeken elke tere ronding van haar hals en gezicht, de holte van haar keel, haar ogen, de rug van haar neus, de spiraal van haar oren, alsof hij haar gezicht leest, er een of andere complete, absolute waarheid ontcijfert. Zijn lippen in haar haren, zijn handen zo voorzichtig op haar rug, zijn vingers op haar armen, dan de kus. Zoals begeerde lippen voelen. Stemmen die hun namen roepen, een nachtelijke hemel vol sterren, maanlicht dat op de Egeïsche Zee danst. Dieven die kussen stelen. Wat kan stelen plezierig zijn. De geur van gebakken een of ander. Dan hongerig, dan gulzig, dan wanhopig naar die lippen. Hun namen zo duidelijk, de stemmen zo dichtbij. Ze klampen zich aan elkaar vast, verstoppen zich. '*Tu sei perfetta*,' fluisterde Cesare in haar oor, en ze voelde zijn woorden in haar hele lichaam. Dit was duizeligmakend, dit deed pijn, dit wilde ze niemand vertellen, dit wilde ze niet laten verdwijnen. Geen wijn, geen ouzo, maar toch dronken. '*Io sono perfetta*,' herhaalde ze in zijn oor, de woorden uitrekkend om ze te geloven, dol op de vertrouwelijkheid en hij trok haar tegen zich aan en tegen hem op en ze waren allebei zo licht, etherisch alsof ze schaduwen waren, nauwelijks aanwezig. Hun namen klonken weer, nu wat dringender: Bea die haar vriendin riep – niet eens Cesare maar haar vriendin – een en al bezorgdheid in dat aangeschoten geluid. Maar Beth gaf er niet om. Sterker nog, het ergerde haar dat ze zo aanhielden. Ze gaf alleen maar om zijn kus. De stemmen verdwenen, ten slotte en godzijdank, alsof de vrienden het hadden opgegeven. Ze waren alleen, midden in de kus. Beth dacht aan alle voorafgaande kussen, kauwgum-op-pols kussen, Carlos onder de lantaarns van het bordeel. Beth had of was nooit eerder gekust.

Zij hadden die dag paarsgewijs als koppels doorgebracht op het strand van Santa Maria, een strand dat een lichte bocht maakte met een voorspelbare wind, aanlandig, goed voor het surfen. Er waren ook andere vrienden: rijke jongens met bekende namen en geld uit sokken en schoenen, allemaal met hun surfuitrusting zoals planken en zeilen en wetsuits. Deze lui leverden een bijdrage, zo niet aan het verhaal, dan wel aan de spullen. Dit waren jongens uit families die ongelofelijke dingen maakten zoals de draad waarmee dunne zijden kousen geweven worden of meer alledaagse zaken zoals schoenveters en de kleine metalen ringetjes die in de oogjes passen waardoor schoenveters gehaald worden. Zoveel werk waar Beth nog nooit aan gedacht had. De jongens deden een poging te surfen, probeerden het de meisjes te leren, maar gaven het op bij gebrek aan wind en brachten de dag al pratend en Griekse sla etend door en speelden eindeloze spelletjes triktrak in een kleine taverna aan de rand van het strand. Bea en Sylvia hadden de groep eerst vermaakt met verhalen over hun avonturen op weg naar Griekenland en daarna met verhalen over Beths commune en over Beths vader, waarbij ze iedereen aan het lachen maakten en iedereen nog meer vragen stelde over de logistiek van de plek en de realiteit van de plek. Het was echt het meest vreemde gezinsleven waarvan elk van die Italianen ooit gehoord had – het idee dat een dode moeder gememoreerd wordt in een farm, Moeder Aarde, Beth grootgebracht op de rug van haar moeder. 'Ik moet toegeven,' zei Bea, in het Italiaans, 'mijn eerste zomer in Amerika was ik doodsbenauwd voor de farm. Overal al die kinderen, al die mensen, en die grote man die hen tegelijkertijd wel en niet leiding gaf – allemaal bij elkaar in een chaotische orde. De tweede zomer realiseerde ik me dat je, als je wilde, niet hoefde op te vallen, dat niemand op je lette. Zolang je maar hielp, dat was het enige waar iedereen zich om bekommerde. En Jackson, de belangstelling die hij voor je had was inspirerend, maakte dat je dingen wilde uitproberen waaraan je nooit had gedacht. Ik heb zelfs een geit gemolken, kun je je dat voorstellen?' Voor buitenstaanders was dit leven een curiositeit alsof Beth en haar vreemde familiekring een soort object waren dat je kon oppakken en onderzoeken en bewonderen en inspecteren. Soms kreeg ze genoeg van die heisa, maar ze was voornamelijk trots. Ze keek over het vlakke water naar het eiland Naxos. Het rees op, fantastisch, naar de hemel. Daarachter wist ze, lag Turkije.

'Je bent daar opgegroeid?' vroeg Cesare die naast Beth ging zitten. Het leek alsof hij niet wist wat hij tegen haar moest zeggen; zijn stem stokte: de vraag had niet gesteld hoeven worden. Ze lachte. Ze kreeg weer helemaal datzelfde gevoel. Ze vond het leuk dat hij een Amerikaanse zwembroek droeg in plaats van de Italiaanse die Miki aanhad. Miki schoof een stukje dichterbij zodat ze een driehoek vormden en hij leunde naar voren als Cesare vroeg wat iemand als hij bijvoorbeeld op deze commune zou kunnen doen.

'Wat zou iemand als jij willen doen?' vroeg Beth. Het was een tamelijk eenvoudige vraag, een tamelijk eenvoudige gedachte voor een Amerikaans meisje. Het antwoord lag voor de hand. 'Wat wil je worden als je groot bent?' was de grote vraag voor kinderen in Amerika.

Sinds Beths kindertijd, toen onderwijzeres, verpleegster en moeder de reeks vormden waaruit vrouwen konden kiezen, waren er voor meisjes steeds meer mogelijkheden gekomen. Maar het was een vraag die hoe dan ook en gelijkelijk en desondanks gesteld werd en die elk kind liet dromen over zijn mogelijkheden. Beth stelde deze eenvoudige vraag, onschuldig en lief en zonder enig begrip van de Italiaanse traditie, een kloof die haar altijd van Cesare zou scheiden.

Hij herhaalde de vraag luid, overwoog het schijnbaar nog eens in gedachten als hij de woorden uitsprak: '*Wat zou iemand als jij willen doen?*' Hij hield haar niet voor de gek. Dat begreep ze. Hij genoot eerder van de vraag, de mogelijkheden die erin zaten. Ze bestudeerde zijn gezicht, zijn ogen die naar de helderblauwe lucht keken. Ze wilde hem wel duizend vragen stellen. 'Ik geloof dat ik schrijver zou willen worden,' zei hij. 'Is er ooit een schrijver op Claire geweest?'

'We hebben er nooit een gehad, maar ik ben er zeker van dat mijn vader wel weet wat hij aan een schrijver zou hebben. Een schrijver zou hem kunnen helpen zijn lange leerstellingen en brieven naar Washington te schrijven.' Ze trok haar wenkbrauwen op met een warme glimlach bij de gedachte aan haar vader hard aan het werk achter zijn bureau. Ze stelde zich voor dat Cesare naast hem zat, en hem hielp met zijn brieven. Niemand was ooit naar Claire gekomen op haar aanbeveling. De gedachte dat ze iemand zou tegenkomen die uiteindelijk op Claire zou komen te wonen was nooit bij haar opgekomen. Ze vond het een aantrekkelijke gedachte. Het maakte dat ze zich even trots op Claire voelde, dichter bij haar vader.

'Schrijf jij?' vroeg ze.

'Ik studeer economie en ik vind er niets aan,' zei hij eerlijk.

'Waarom doe je het dan?' Dat begreep ze niet.

'Ik ben in opleiding om de bankiersfirma van mijn familie over te nemen,' antwoordde hij, en hij wees naar zijn vrienden die op het strand rondhingen. 'Zodat ik hun dromen over betere schoenveters en oogjes en verven en ontwerpen kan financieren. Zodat ik hen kan helpen rijker te worden.' Ze waren zich allebei maar gedeeltelijk bewust van Miki. Zijn Engels was prima maar niet goed genoeg om de vaart van het gesprek bij te houden. Hij gleed over het zand met zijn handen, alsof hij het netjes aan het glad strijken was. Beth en Cesare wierpen hem af en toe vriendelijk blikken toe alsof ze de indruk wilden wekken dat hij aan het gesprek deelnam, maar als hij iets gevraagd zou hebben hadden ze het niet beseft.

'Maar je zou liever schrijven.'

'Ik zou heel graag willen lezen.' Op dat moment zag hij dat zij *Middlemarch* aan het lezen was. Hij raapte het op en vertelde haar dat hij het in het Engels gelezen had tijdens een van de zomers dat hij in Engeland studeerde. Miki pakte het en vroeg Cesare in het Italiaans of hij echt het hele boek in het Engels gelezen had, bestempelde het als dik. Beth wenste dat Miki weg zou gaan. Ze was onder de indruk dat Cesare het boek gelezen had. Het was in het Engels moeilijk genoeg voor haar. Sylvia had *Anna Karenina* uit en ze was dit ook samen met haar aan het lezen. Beth was nog niet erg ver maar Dorothea was getrouwd met Casaubon en was op (een soort) huwelijksreis naar Rome, een stad, die op haar een claustrofobisch effect had als gevolg van de druk van zoveel geschiedenis en zoveel tijd. Beth vond het geweldig dat Dorothea het gewicht van al die geschiedenis haatte omdat de traditie je leerde dat je het hoe dan ook geweldig moest vinden.

'Het gewicht van de geschiedenis,' zei ze, en ze begreep plotseling waarom hij haar vraag amusant had gevonden, waarom hij de woorden herhaald had.

'Vooral daarom genoot ik van die zomers in Engeland, als ik las. Nu lees ik alleen maar Amerikaanse boeken.' Hij was bezig met *On the Road*, een boek dat Beth nog niet gelezen had. Ze mocht Cesare al wat meer alleen maar omdat hij las. Hun enthousiasme voor literatuur is te banaal om te beschrijven afgezien van het heerlijke gevoel dat zo'n band veroorzaakt, een gevoel iets groots, belangrijks maar nog niet gedefinieerd, te delen – een woordenschat zo niet een taal van henzelf.

Miki zei iets over wat hij aan het lezen was en daarna over wat hij op Claire zou worden, maar noch Beth noch Cesare hoorde hem.

Ze praatten en praatten en er kwam helemaal geen wind en ze voelde die zenuwschok niet meer, alleen maar het intense verlangen om hem haar vragen te horen stellen en hem aan het lachen te maken en door hem aan het lachen gemaakt te worden. Zijn zusje, Laura, was net nu in Amerika, zei hij, in Alabama nota bene – een staat waar Beth nooit geweest was – in het kader van een uitwisseling met een gezin daar. Maar het was eigenlijk alleen maar een eenrichtingsuitwisseling omdat niemand uit Alabama met haar naar Italië zou komen. Ze schreef lange levendige brieven naar huis (op zijn Amerikaans) waarin ze de caravan beschreef waarin ze woonde, de kamer die ze deelde met de vier dochters, de stapelbedden waarin ze allemaal sliepen. 's Avonds laat vroegen de meisjes Laura hen te helpen om Amerikaanse woorden te spellen, te helpen Engelse boeken te lezen, en ze leerde deze Amerikaanse meisjes zorgvuldig en geduldig Engels. Beth stelde zich een vrouwelijke versie van Cesare voor, die probeerde te begrijpen wat het inhield om als Italiaanse Engels te leren aan Engels sprekende meisjes. 'Ze heeft ons gewaarschuwd dat ze dik is geworden door de hamburgers,' zei Cesare. 'Dat is alles wat ze eten en ze is er dol op.' Beth vond het heerlijk dat hij zijn woorden niet verbond; ze hield van het ritme dat zijn zinnen daardoor kregen. Toen Laura's vriendje op bezoek kwam huurden ze een grote Amerikaanse wagen en reisden het hele land door achter Bruce Springsteen aan die op tournee was. Ze legden bijna vijfduizend kilometer af en kregen voor meer dan tweeduizend dollar aan bekeuringen voor te snel rijden.

Ze praatten over alles wat je maar kunt bedenken, gaven zich helemaal bloot, gretig en op hun gemak en hoe dieper ze gingen des te meer raakten ze in elkaar geïnteresseerd. Met uitsluiting van alle anderen. De anderen bestonden niet: alleen deze knappe man en dit aanbiddelijke meisje (niet echt een schoonheid maar toch aanbiddelijk, vooral als ze lachte. Later, in Città, zou geen van Cesares vriendinnen begrijpen wat hij in de Amerikaanse zag: '*Non è neanche bella*,' zeiden ze tegen elkaar: ze is niet eens mooi.) Dario, klein en taai, kwam naar hen toe en deed een poging Beth te vragen of ze geloofde dat hij echt kans maakte bij Sylvia. Maar ze kon zich niet met hem bezighouden. Ze werd zelfzuchtig, zoals ze nog nooit eerder was geweest. Ze plaagde hem vriendelijk zodat ze niet al te afschuwelijk zou lijken maar hij kende nauwelijks Engels en Sylvia sprak geen Italiaans en het kon Beth gewoonweg niets schelen. Zo ging de middag voorbij op het strand van Santa Maria en er was geen wind en Naxos rees op uit het water waarachter Turkije lag en de zon bakte hen verrukkelijk bruin. De anderen begonnen een voor een op te stappen. Eerst Miki, daarna Dario; daarna de andere sokken- en schoenenjongens; daarna Sylvia en Bea, nog niet in staat het slechtste te geloven van hun vriendin, Bea nog opgewonden over de wandeling en de kus van de vorige avond. Ze boog zich naar Cesare met haar dansende donkere haren, kuste hem op zijn wang en zei tegen hem, in het Engels, dat hij op haar vriendin moest passen en haar over niet al te veel tijd thuis moest brengen zodat ze tijd had om zich te verkleden voor het eten. Bea spoorde hem plagend aan zich goed te gedragen. En toen waren de twee alleen en ze bleven daar tot de zon naar de andere kant van Paros gleed, en ze praatten maar, en ze wilden elkaar door en door onderzoeken zoals een land waar je komt en waaruit je nooit meer weg wilt.

Bea en Beth waren in tranen de eerste keer dat ze van elkaar afscheid namen. Maar eigenlijk was Beth blij dat ze wegging en Bea zag haar tevreden gaan. Ze waren erg gesteld op elkaar en wilden elkaar weer zien, maar ze waren niet verliefd. Bea had in de winter eens voorgesteld om de volgende zomer weer een uitwisseling te houden. Ze besloten elkaar zes weken op te zoeken in plaats van drie. Toen ze de tweede keer afscheid namen, op de internationale luchthaven JFK, Bea's tante aan

Bea's zijde (ze was de laatste twee weken van Bea's vakantie gekomen omdat ze net haar man, overleden aan een hersentumor, verloren had en ze een knobbeltje in haar linkerborst had ontdekt en hoopte dat een vakantie haar goed zou doen), was het alsof een van de meisjes de oorlog in ging om gemarteld en daarna vermoord te worden en de ander de rest van haar leven de pijn zou moeten verdragen. Ze hadden de hele vorige dag gehuild, ze huilden de hele weg naar het vliegveld, en ze huilden de drie uur dat ze op het vliegtuig wachtten. Bij de douane, waar de definitieve scheiding plaatsvond, moest Bea's tante, een iel petieterig vrouwtje dat gezien de ellende die ze te dragen had weinig geduld had voor al die tranen, de twee meisjes lijfelijk van elkaar loswrikken en hun vragen op te houden zo'n scène te veroorzaken. Maar te kijken naar de twee meisjes, die zich als klitten aan elkaar vastklampten, was hartverscheurend. Zelfs Bea's tante kon dit inzien.

Toen ze thuis waren gekomen begonnen hun liefdesbrieven pas goed. (Beth had die ook bewaard; ze kregen hun plaats tussen de papieren waarover we praten als we de papieren van een overledene doornemen. Valeria las ze natuurlijk, maar Bea interesseerde haar minder. Bea was Valeria's peetmoeder en had zich al vele jaren voor Valeria geboren was in New York gevestigd omdat ze ver weg wilde zijn van alles wat ze in Città verstikkend vond. In de maanden na Beths dood zag Bea Valeria dagelijks.) In de eerste brief nodigde Bea Beth uit om een jaar bij haar in Italië te komen wonen, ze kon de scheiding niet verdragen en als je uitkeek naar een jaar samen zou dit jaar des te sneller voorbijgaan. Beth stemde toe, en ze kwam. En ze werd onmiddellijk verliefd, waanzinnig, onbedwingbaar, uitgerekend op de man van wie Bea bezeten was.

En Bea, die ook niet gek was, begreep het verraad op de dag na de verdwijntruc en de kus, en ze haatte haar vriendin. Maar omdat ze trots was bleef ze een dag afstandelijk en koel. Ze hield Beth in de gaten die deed of Cesare haar niet interesseerde, luisterde naar Beth die suggestieve vragen stelde over Bea's plannen met Cesare, hoorde Beth liegen over waar ze de afgelopen nacht geweest was, en zag hoe Beth probeerde aardig tegen Miki te doen terwijl het duidelijk was dat Miki haar weerzin inboezemde zoals een versmade minnaar de deserteur altijd weerzin inboezemt. Voor het eerst sinds ze Beth kende, werd Bea's wereld een beetje kleiner.

De volgende dag, toen duidelijk werd dat Beth en Cesare zelfs geen moeite deden om hun gevoelens te verbergen, toen het onmogelijk was te doen alsof ze dat wilden, wendde Bea zich tot Sylvia. Sterke, stralende Bea stortte in en huilde. Sylvia en zij zaten samen in hun huurkamer met hun koffers die overstroomden met verschillende seizoenen van Bea's mooie kleren, terwijl hun huid jeukte door het zand en de zon. Bea was diepbedroefd, niet omdat ze Cesare kwijt was, maar omdat ze Beth ook kwijt was door haar verraad.

'Ik zou meer waard moeten zijn,' huilde Bea.

'Ik weet het, ik weet het,' zei Sylvia steeds maar weer, terwijl ze Bea in haar armen wiegde, blij dat Bea zich vertrouwd genoeg voelde om bij haar te kunnen huilen. Sylvia voelde zich erg volwassen en rijp als ze Bea troostte. Tegelijkertijd voelde ze zich ook verraden als ze aan Chas dacht. Misschien besefte Sylvia dat mensen veranderen, iets anders worden dan dat wat we van hen weten. Terwijl Beth opbloeide tot de grote liefde van Cesares leven (en hij van het hare) was ze voor haar vrienden aan het verwelken. Wat Sylvia nog niet begreep, omdat ze dat nog niet ervaren had, was dat mensen net zo gemakkelijk weer terugkeren tot hun oude zelf, dat al die veranderingen niets bijzonders, in feite heel gewoon zijn, en dat de scheurtjes niets te betekenen hebben in het grotere geheel.

'Hield je van Chas?' vroeg Bea. Ze had ook nog geen idee hoe veerkrachtig een vriendschap kan zijn. Sylvia bleef Bea's dikke donkere haar strelen. Hoe waren Sylvia's gevoelens over Chas geweest? Ze dacht aan de ruzie in de kleine hotelkamer in San Sebastián. Ze waren bang geweest toen ze daar op dat bed lagen, voor iets dat ze niet onder woorden konden brengen. Als ze van Chas gehouden had, zou ze er dan vandoor zijn gegaan en Beth in de steek gelaten hebben? Was er een reden waarom ze zo snel gevlucht was naar Irún, een reden die niets met Beth te maken had, die zou verklaren waarom ze ervoor koos Chas niet weer te zien? Zou die reden een verklaring zijn voor hun angst? 'Ik weet het niet. Ik denk het niet. Ik heb mezelf niet de kans gegeven om erachter te komen,'

'Ik haat haar,' zei Bea. De middagzon straalde op haar gezicht dat glinsterde van de tranen.

'Nee, dat doe je niet,' zei Sylvia en ze wiegden elkaar, en probeerden alles wat ze voelden te bespreken. Maar hoewel de meisjes toch een grote troost voor elkaar waren, was het eigenlijk Beth die ze wilden vasthouden, en door wie ze vastgehouden wilden worden. En ze vroegen zich af, nog eenvoudiger, omdat ze opnieuw niet in staat geweest zouden zijn om het zo duidelijk onder woorden te brengen, of hun vriendin de kloof naar dat nieuwe gebied, dat dreigend voor hen opdoemde overschreden had. Elk van hen was verbijsterd, misschien zelfs jaloers, dat Beth de kloof het eerst was overgestoken, zonder haar. Er gebeurde lange tijd niets, en toen begonnen ze plannen te maken.

Bea zweeg niet meer toen Beth naar de kamer terugkeerde. Ze was niet gemeen; ze schreeuwde niet. Ze was eerder direct en duidelijk. Sylvia liet Bea eerst aan het woord, maar Beth begreep dat ze een verbond tegen haar gesloten hadden, en ze had een vreselijk wee gevoel omdat het erop leek dat ze nu de rekening gepresenteerd kreeg voor al het mooie van de afgelopen dagen, en ze kon alleen maar aan het onrechtvaardige daarvan denken, en niet aan haar vriendinnen.

'Je kunt kiezen,' zei Bea. 'We gaan morgen weg. Je kunt mee of je kunt blijven.'

Het was twee uur 's nachts. Beth zag hun koffers staan, gepakt, als soldaten in het gelid of gewoon als haar twee vriendinnen, nu verenigd in hun teleurstelling in haar. Het kon haar nog niets schelen.

'De veerboot gaat om zes uur 's ochtends,' zei Sylvia.

Geen enkel woord over Cesare of verraad of Chas. Dat alles

was overduidelijk, impliciet erkend. Beth kon Cesare op geen enkele manier iets vertellen. De meisjes zouden allang weg zijn voor hij wakker werd. Ze kon nu niet naar zijn kamer gaan, niet terwijl Miki daar was en alle anderen sliepen. Beth keek naar haar vriendinnen. O, meisjes, ze kunnen zo'n afstraffing geven, zo wreed en zo gemeen zijn. Bea en Sylvia genoten van deze test, hoewel ze het misschien niet helemaal doorhadden of toegaven. Of Beth koos hen of ze koos Cesare. Ze kende Cesare een paar dagen; hoe zou hij tegenover haar staan als ze bleef? Hoe zou zij tegenover hem staan als ze bleef? Wat als alles wat tussen hen gebeurd was – die schok, die messteek, de duizelig makende begeerte, die kus – niets te betekenen had? Bea en Sylvia stonden als twee schimmen in die maanovergoten nacht. Beth begreep hun bedoeling. Schaakmat. Ze haatte hen nu maar ze wist dat ze niet in de positie was om te schreeuwen en te vechten en tekeer te gaan. In plaats daarvan was er alleen maar een diepe stilte in de kamer. Sylvia en Bea maakten zich klaar om naar bed te gaan alsof er niets aan de hand was, zeiden wat onbenullige dingen over tandpasta en schaartjes tegen elkaar en kletsten alsof ze altijd de beste vriendinnen waren geweest.

'Er is natuurlijk geen beslissing,' zei Beth. Ze ging zitten en begon te pakken en liet hun niet merken dat ze huilde.

Cesare en Beth liepen de nacht van de kus door heel Naoussa. Het was vreselijk gaan waaien op het eiland, een wind waar ze de hele dag op gewacht hadden; elke boom en elk luik kreeg ervan langs, en het vuilnis vloog wervelend de lucht in. Deze winden worden de Maltemi's genoemd. Het leek wel alsof het stel mijlenver werd weggeblazen, de heuvels in, naar beneden naar het water, opzwepend, in die toestand waarin het eigenbelang regeert. Het mooie is voor een deel dat je alles opoffert – je vrienden, je familie, je land – voor deze liefde, en je bent jong genoeg om niet echt te begrijpen dat je anderen kwetst, een begrip dat je niet echt doorhebt omdat je nooit gekwetst bent. Nadat ze zich gerealiseerd hadden dat Cesare en Beth waarschijnlijk samen waren, troostte Sylvia Bea, troostte Dario Miki, en daarna troostten ze allemaal elkaar. Allemaal haatten ze Beth en Cesare. Toen de zon begon op te komen besloten Cesare en Beth, die zich realiseerden dat dat wel eens het geval zou kunnen zijn, gewoon door te lopen, en dat deden ze – lopen en lachen in die Maltemiwind. De wind veroorzaakte zijn eigen vernielingen. Takken braken af en vlogen in het rond. De stad begon wakker te worden, Griekse vrouwtjes in het zwart die voorovergebogen met enorme boodschappentassen sjouwden. Kerkklokken die luiden. '*Tu sei perfetta*,' fluisterde hij. '*Io sono perfetta*,' fluisterde zij terug, en niets scheen meer echt belangrijk te zijn zelfs als dat wel zo was. In de haven kwamen de vissers net binnen met hun vangst.

'Staan we quitte?' vroeg Beth lachend aan Sylvia, toen ze onder een regen van roet op de veerboot terug naar Italië lagen. Ze waren nu op weg naar Favignana, een eiland ten westen van Sicilië waar Bea's ouders met vakantie waren. Het was onvermijdelijk dat de meisjes weer van elkaar waren gaan houden. Maar na het vertrek uit Paros kostte het Beth zeker vier dagen, vier dagen waarin ze op een brommer heel Korfoe doorkruisten om Chas te zoeken, voor ze deze vraag kon stellen.
'Ja,' zei Sylvia, en ze lachte even innemend.

Beth zag de trein. Ze zou altijd die lange trein zien die midden in een Spaanse nacht gesplitst werd met aan boord twee meisjes die in de wijde ruime schoot van een paar nonnen gewiegd werden. Die meisjes zijn nooit verliefd geweest, hebben nooit iemand van hun eigen leeftijd gekend die gestorven is; hun toekomst is vol beloften en de trein wordt gesplitst om hen erheen te brengen, midden in de nacht gesplitst met het geratel van al dat metaal over al dat metaal. En hoewel het lijkt alsof er een keuze is, is er slechts een enkele onvermijdelijke richting.

4

Je moet je leven veranderen

Een snelle auto op een brede Amerikaanse snelweg. Een vrije ziel uit een exotisch woestijnlandschap met bloedrode ravijnen en tafelbergen en plateaus die de hemel raken; een land van steden met een lintbebouwing van drive-ins waar je zo ongeveer alles kon krijgen, verwaarloosde hotels en eenzame telefooncellen langs lange eenzame wegen. Een drive-inbioscoop, jazz en krokodillen in de moerassige rivierarmen, het hijgen en zuchten van opleggers die in een rij achter elkaar glinsteren in de nacht. New York, Los Angeles, Las Vegas. Een supermarkt met brede gangpaden waar je overspoeld wordt door de keuzemogelijkheden. McDonald's, gebakken kip, appeltaart – eenvoudige zaken die Cesare nooit geprobeerd had. Maïsvelden en tarwevelden en sojabonen, wandelende lössheuvels die overgingen in nog meer velden, dan weiden bezaaid met koeien en schapen, en boerenerven met schuren en silo's en graanpakhuizen, en uitgestrekte vergezichten zo groot als Texas. Dit betekende Beth allemaal voor hem. Eenentwintig met een spleetje tussen haar tanden en blonde haren, blauwe ogen en de langste donkerste wimpers die hij ooit had gezien, ze was overvloed en risico, experimenteren en ontdekken, en ze was lief, tot over haar oren, blijvend voor hem gevallen. Haar naam, een gewone Amerikaanse naam, sprak hij uit als *Bet* met zijn Italiaanse accent dat die vreemde *h* niet kende – *Bet* zoals in 'betweter', en zijn tong veranderde de naam (en haar erbij) in iets heel anders, zelfs iets buitengewoons. Ze was het Vrijheidsbeeld, het Empire State Building dat als teken van hoop de lucht in schoot. Ze was Amerika.

'Als ik Amerika ben,' zei ze tegen Cesare, 'ben jij het Romeinse Rijk.' Ze lag naast hem in het zachte zomerse gras van Fiori, het landhuis van zijn ouders in de heuvels boven het Lago Maggiore. Ze zou binnenkort uit Italië weggaan en had geprobeerd hem over te halen naar Amerika te komen en hij probeerde haar over te halen om te blijven, nog een jaar te wachten voor ze weer naar de universiteit ging. Ze waren al drie jaar samen en hij was nog niet in Amerika geweest. Er waren natuurlijk excuses, maar ze werd toch ongeduldig. Het eerste jaar had ze in Città gewoond. Het tweede jaar, toen ze aan de universiteit van New York ging studeren, was hij voor twee jaar in militaire dienst gegaan en die bracht hij door in de Servizio Civile omdat hij niet in vuurwapens geloofde, en tijdens die periode mocht hij het land niet uit. Dus verliet ze in het derde jaar de universiteit van New York om tijdens haar tweede studiejaar colleges economie te volgen aan de Bocconi-universiteit in Milaan, zodat ze weer in Città kon wonen, altijd bij de familie van Bea, die haar verwelkomde alsof ze een dochter was. De Bocconi maakte de wereld van de economie van het zakendoen voor haar toegankelijk, leverde de brandstof voor wat haar roeping zou worden. De Bocconi werd een deel van haar toekomstplannen.

Maar nu zat haar jaar er bijna op en ging ze naar huis. Zijn dienst zat erop, hij was vrij en ze wilde dat hij zou komen. Dat wist hij. Ze wilde niet dat hij een paar weken kwam of een maand of twee, maar ze wilde dat hij een heel jaar zou komen. Ze wilde dat hij Amerika zou uitproberen. Ze wilde hem laten bewijzen dat zijn verlangen om zijn eigen leven vorm te geven, onafhankelijk van het leven dat hem door zijn familie werd aangereikt, echt was. Het was een soort proef, en dat wist hij ook.

'Waarom ben ik niet gewoon alleen maar Italië?' vroeg hij, benieuwd hoe haar geest werkte. Hij wilde graag iedere centimeter van haar onderzoeken alsof hij in haar het antwoord kon vinden. Zelfs na drie jaar was er nog heel veel bloot te leggen; die familie van haar was de vreemdste waarover hij ooit gehoord had. Hij had de grootmoeder ontmoet, Grammy, zoals ze genoemd wilde worden. Hij had haar heel Città en Milaan laten zien, en naar Como meegenomen om zijde te kopen. Ze was een knappe vrouw die stevige schoenen droeg. 'Met de hand genaaid,' vertelde ze hem, omdat ze wist dat hij belangstelling voor schoenen had. 'De familie van mijn man was zo beroemd als Buster Brown,' voegde ze eraan toe, 'mooie schoenen met de hand genaaid. Geruïneerd werden ze, door Bata die binnenkwam uit Tsjecho-Slowakije – of zo'n soort land – en die goedkoper was omdat de zolen gelijmd werden!' Grammy was iemand die graag van alles een beetje wilde weten en die het heerlijk vond haar gezelschap te laten merken hoe uitgebreid die kennis was. (Het is de vraag of de familie van haar man wel of niet een connectie had met Buster Brown, maar daar gaat het niet om en dat zou Cesare een zorg zijn omdat hij hoe dan ook nooit van Buster Brown gehoord had.)

Ze maakte zich druk omdat ze een 'operafanaat' was en had gewild dat het seizoen aan de gang was want het liefst ter wereld had ze naar de Scala willen gaan. 'Ik ben Vriendin van de Met,' zei ze tegen hem met haar scherpe doordringende ogen die verrukt leken te zijn over echt alles waar hij haar mee naar toe nam. Om vier uur 's middags wilde ze haar thee, 'kokend heet', zei ze altijd. Hij leerde de uitdrukking en de omschrijving goed kennen. Hij genoot van de buitenissigheden van deze dame. Ze sprak over Cesare als over een prins en Fiori werd zijn kasteel. Ze was onder de indruk van de azalea's en de rododendrons en kwam in Beths derde jaar speciaal naar Europa voor het jaarlijkse feest ter ere van de bloei. Over het fresco van Benvenuto waarop Valeria afgebeeld werd zei ze: 'Ik heb er oog voor. Ik heb een kritische blik. Ik heb verstand van kunstgeschiedenis en deze schildering is heel veel waard.' Het kwam volstrekt niet bij haar op dat de waarde voor de familie erkenning en geld te boven ging, dat het laatste wat ze wilden was dat een stel kunsthistorici het voor de geschiedenis zou opeisen, hoeveel het ook op zou brengen. ('Zo Amerikaans,' had Cesare tegen Beth gezegd, niet als verwijt, meer met een zekere weemoed omdat het voor Amerikanen zo gemakkelijk was om afstand te doen.)

'Je bent een man uit de Renaissance,' zei Grammy tegen hem terwijl ze hem van hoofd tot voeten opnam. Hij had een boek in zijn hand (dat had hij altijd), *Revolutionary Road*. Ze had er nooit van gehoord, maar ze was toch onder de indruk omdat het in het Engels was.

'Italiaans fabrikaat,' zei hij en hij lachte aanstekelijk. En ze lachte die vrolijke alwetende lach van haar.

Grammy gaf in Città in de beste winkels stapels geld uit aan kleren voor haar kleindochter, maar ze gebruikte creditcards in plaats van contant geld. (Creditcards werden in Italië die jaren niet zo wijdverbreid gebruikt en waren nog een beetje een bezienswaardigheid.) Ze lette vaak op de kwaliteit van de overhemden die Cesare droeg, betastte ze en verklaarde dat de stof echt Italiaans was. 'Het beste vakmanschap ter wereld komt uit Italië.' Zijn ouders boden haar onderdak. Zijn vader sprak geen Engels en zij sprak geen Italiaans, dus liet ze Cesare en zijn moeder eindeloze verhalen vertalen over haar jeugdige avonturen toen ze met haar koffers door Italië reisde, verhalen over kleine drama's op de Brug der Zuchten en escapades in het Vaticaan (niet romantisch) met een priester. Zelfs de grimmige kleine Giovanni Paolo moest om haar verhalen lachen. Als ze in Città aankwam had ze altijd drie koffers bij zich hoewel ze nooit langer dan tien dagen bleef. 'Als je naar Amerika komt...' zei ze altijd tegen Cesare. 'Als je met Beth trouwt...' zei ze altijd. En ze beschreef dan de grote feesten die ze in New York voor hem zou geven om hem te introduceren. Ze omschreef nooit bij wie ze hem zou introduceren. Dat sprak vanzelf: het neusje van de zalm. Ze zei weinig over Beths vader en hoewel Cesare benieuwd was hoe ze over hem dacht en hoe ze hem zou beschrijven, lag het niet in zijn aard om nieuwsgierige vragen te stellen. Alles wat ze over dit onderwerp zei was dat het haar levenswerk was geweest om Beth uit Pennsylvanië weg te halen, en dat ze, nu Beth veilig in Italië was, op het 'continent', ze het gevoel had dat ze naar de hemel kon gaan. Ze praatte vaak over haar dochter, alleen maar om te zeggen dat ze een mooie, slimme vrouw was en dat, als ze was blijven leven, Pennsylvanië te klein voor haar geweest zou zijn.

Cesare was op deze vrouw gesteld, op haar energie en enthousiasme. Ze was boven de zeventig en had de kracht van wel honderd muilezels, muilezels omdat ze zichzelf graag beschreef als 'een oude afgeleefde muilezel die maar om de sabelsprinkhaan heen blijft lopen'. Het was een uitdrukking waarvan hij alleen de muilezels verstond. Maar haar maniertjes had hij heel goed door. (En daarom hield hij des te meer van Beth, omdat zij die helemaal niet had.) In een Italiaanse zou hij deze eigenschappen pretentieus en irritant gevonden hebben. Maar bij Grammy vond hij dat niet omdat hij haar kon plagen en de draak met haar steken en dan lachte ze samen met hem om zichzelf, omdat ze zich natuurlijk ook heel goed bewust was van haar maniertjes. 'Maniertjes,' zei ze altijd, 'zijn zo luchtig. Wat een heerlijke dag.' Ze wist wie ze was en waar ze vandaan kwam: een koeienmeisje uit Montana dat slim genoeg was om te zorgen dat ze oostwaarts naar Vassar kon gaan, om een goed huwelijk te sluiten zodat ze haar hele leven verzorgd zou zijn. Maar haar wortels waren haar wortels; haar ouders hadden geen opvoeding genoten. Alles wat ze wist had ze zichzelf geleerd, tot aan haar maniertjes toe.

Grammy kwam drie keer naar Città, ging met Elena naar de kerk, nam kieskeurige hapjes, winkelde op grote schaal, deed alsof ze een belangrijk personage uit New York was zonder de minste geldzorgen in de wereld. Cesare nam haar 's avonds altijd mee naar het centrum van Città om een *prosecco* te drinken en met haar op te scheppen bij zijn vrienden die om haar heen kwamen zitten en lachten en elk hun uiteenlopende vaardigheden in haar taal uitprobeerden en op een of andere manier maakte ze hen allen aan het lachen als ze een slokje nam van de belletjeswijn die haar vervolgens naar het hoofd steeg en ze nodigde iedereen uit haar in Amerika te komen opzoeken.

'Je slaapkamer in New York staat voor je klaar,' zei ze tegen Cesare die ze nu als haar maatje beschouwde. 'Natuurlijk slaap je niet op de kamer van Beth. Dat wil ik niet hebben in mijn huis. Niet tot je met haar getrouwd bent. Je zult naar Pennsylvanië moeten gaan als je die apekool wilt uithalen.' En ze trok haar linkerwenkbrauw op en keek hen doordringend aan met die scherpe groene ogen en daarna trok ze haar lippen op in een vriendelijke, verstandige glimlach die zei, ik mag je wel, jongen. (Ze noemde hem jongen.) En toen was ze weg.

Wat de rest van de mensen in Beths familie betrof, die op Claire, dat was een allegaartje. Cesare leerde hen in de loop van de jaren kennen van foto's en door de verhalen die Beth vertelde: hij hoorde over de mensen die kwamen, degenen die weggingen, degenen die eeuwig leken te blijven. De vader nam iedereen op die een woonplaats nodig had en ze konden blijven zolang ze een bijdrage leverden. Er was een Russische timmerman genaamd Mash, die in de bossen joerten en tipi's optrok. Er was een werkloze investment banker genaamd Hunter, die hen hielp met de financiën en hen rijkelijk van champagne voorzag en een uitstekend oog voor antiek had. Soms was Cesare jaloers door de aandacht die Beth aan Hunter besteedde, en hij vroeg zich af of Beth Hunter misschien een beetje meer dan aardig vond. 'Wat is Hunter voor een naam?' vroeg hij, hoewel hij van Hunter Thompson gehoord had. 'Jaloezie siert je niet,' antwoordde Beth en ze kuste hem. 'Trouwens, ik ken hem nauwelijks. Hij is nog maar net op Claire. Ik weet alleen maar dat hij rijk is.' Dat Beth dat detail opmerkte trof Cesare als bijzonder indiscreet: dat Hunters vermogen het belangrijkste aan hem was, het enige wat ze onthield en vertelde, liet zien dat zij die Amerikaanse fascinatie had voor alles wat met geld te maken had.

Beths huidige stiefmoeder heette Sissy Three (ja, haar achternaam was als het getal; Cesare had het een paar keer bij Beth nagevraagd om er zeker van te zijn dat hij het goed gehoord had). Ze noemde zichzelf Beths stiefmoeder, maar ze was niet wettig met Jackson getrouwd. 'Hij trouwt nooit meer,' legde Beth uit. 'Dat zou hij als verraad aan mijn moeder zien.' Cesare wist niet wat hij van de man moest denken, en daarom werd hij nieuwsgierig, vooral omdat degenen die over hem praatten (Bea in het bijzonder) hem en zijn Claire bewonderden, commentaar gaven op deze idealist met ruim achthonderd hectare precies in het midden van Snyder County, land van de amish, met paarden en rijtuigjes die bedrijvig over de golvende heuvels vol boomgaarden reden. Cesare had natuurlijk over de amish gehoord. Later, toen hij eindelijk op Claire kwam, zou hun aanwezigheid hem het gevoel geven dat hij terug in de tijd was gegaan, alsof hij door een roman van Thomas Hardy liep. Als hij hen en Claire naast elkaar zag, moest hij zijn ideeën over het behoud van het verleden wel opnieuw overwegen. Wie probeert niet in een of andere vorm het verleden te behouden?

Grammy beweerde dat ze de veilige haven van Beths vader haatte, maar ze kon niet wegblijven. Ze reed er vaak heen in haar lange zwarte Lincoln Continental om te proberen hen tot gewone zielen te 'bekeren'. *Hen* – de leden van Claire – kwamen overal vandaan en ze brachten hun talenten en hun kennis mee. Soms liet Cesare Beth een diagram van de mensen en de plek tekenen zodat hij kon begrijpen hoe het allemaal in elkaar stak. Claire was vooral net te ongewoon en hij wilde Beth van dit alles verlossen. Hoewel een ander deel van hem zich in werkelijkheid afvroeg of hij, als hij er ooit heen zou gaan, hij ooit zou vertrekken – een gedachte die hem zowel opwond als angst aanjoeg vanaf het moment dat hij voor het eerst over Claire hoorde toen hij naast Beth op het strand van Santa Maria lag, en zich voorstelde dat hij schrijver was. Schrijven als beroep was de enige droom die hij vurig koesterde maar hij stond zichzelf zelden toe dat te erkennen. Toch schreef hij altijd: dagboeken, brieven, brieven naar uitgevers. Hij was de Italiaanse uitzondering die elke centimeter op zijn ansichtkaarten naar huis volschreef en zijn avonturen in uitvoerige details beschreef. Zijn geheime wens was non-fictie te schrijven in de traditie van al die Amerikanen die een waar verhaal als roman schreven. Zijn held was Tom Wolfe – *De trip*; *Pure klasse*. Misschien, dacht hij, kon hij een boek over Claire schrijven.

'Waarom ben ik het Romeinse rijk en niet gewoon Italië?' vroeg hij nog eens toen ze samen in het zomerse gras lagen.

'Italië zou te veel voor de hand liggen en ik geef de voorkeur aan het idee van Rome omdat je Caesar bent, keizer van mijn land.' Ze bleef naar de wolken kijken en liet haar rechterhand over haar hele lengte gaan om de grenzen van haar land aan te geven. Zonlicht dat door de bomen scheen bedekte haar gezicht met gouden spikkels terwijl de bladeren ritselden in de wind. *Niet Precies Caesar*, dacht hij, en hij stelde zich de drie woorden voor als een naam. Hij was een gewone Italiaan van zevenentwintig, woonde bij zijn ouders die wanhopig wachtten tot hij zijn studie afmaakte zodat hij op een dag zijn vaders plaats bij de bank kon innemen, het stokje overnemen en de familie verder voorgaan op een reis die vijfhonderd jaar geleden begonnen was. Maar toen kwam Beth als een openbaring. Cesare vond het heerlijk dat ze hem zo buiten zijn grenzen kon laten treden, alsof er door haar meer van hem was dan in werkelijkheid. Hij was verliefd. Zij was verliefd. De mogelijkheden leken oneindig. 'Als keizer beveel ik je te blijven,' zei hij en hij begon haar hele lengte te kussen.

Cesare sprak uitstekend Engels, beter dan Beth Italiaans sprak. Hij had toen hij op de middelbare school zat 's zomers in Londen cursussen gevolgd, had op een gegeven moment een Engelse gouvernante gehad, had veel Engelse romans gelezen. In zijn woorden was een heel licht Italiaans accent te horen, hij had een harde 't' en sprak sommige woorden vreemd uit. Hij werd geïnspireerd door geheime dromen en een grenzeloos enthousiasme voor alles en nog wat. Hij vond het heerlijk met Beth te koken, leerde haar waarom bepaalde vormen pasta bij bepaalde sausen horen, welke pasta welke saus het beste vasthield. Bijvoorbeeld, *farfalle* kon je goed met gerookte zalm combineren omdat de kleine vissnippers gevangen werden in de vlindervleugels. Kaas ging nooit samen met vis. (Dit speelde zich af in de tijd dat veel Amerikanen nog weinig over pasta wisten, toen er meestal nog over gepraat werd als over noedels.) De namen van de verschillende vormen pasta alleen al waren genoeg om haar verbeelding aan het werk te zetten: oortjes, vlinders, linten, spiralen, strikjes. Ze wilde dat hij haar met elke soort een gerecht leerde maken. Hij leerde haar de seizoenen te respecteren en dus te eten wat het seizoen schaft: uien in het voorjaar, asperges in de vroege zomer, daarna paddestoelen (gevonden in de bossen bij Fiori). Zij leerde hem alles over chocola en chocoladedesserts; ze leerde hem wat ze wist over Indiaas eten. Samen kookten ze uitgebreide maaltijden voor zijn familie en hun vrienden die zich samen in de tuinen van Fiori te goed deden. Als Beth kookte en gasten ontving was ze in haar element – zelfverzekerd, gul en gezellig. Ze bracht mensen met het eten bij elkaar, zette er zoveel als ze kon om de tafel, lokte over elk onderwerp gesprekken uit, zorgde ervoor dat iedereen zich op zijn gemak voelde. Zelfs zijn ouders legden zich neer bij haar autoriteit (hoewel ze alleen maar deden alsof ze van haar Indiase maaltijd genoten). Cesare en Beth speelden samen. Hij leerde haar surfen en mee te doen met skiwedstrijden en als een Italiaanse vakantie te houden – op het strand van Santa Maria lange maanden wachten tot er wind kwam. Hij liet haar kennismaken met hedendaagse nonfictie, in het bijzonder met Wolfe en Capote, om wie ze, om de waarheid te zeggen, niet zoveel gaf, ze las liever fictie. Dat vertelde ze hem niet maar hij zag dat ze de boeken die hij aanraadde liet liggen, voor de helft gelezen. Schoenen en de Bocconi en examens interesseerden hem volstrekt niet, hoewel Beth soms probeerde zijn interesse te wekken, hem aanmoedigde te studeren, met hem meeging naar Milaan als hij examen moest doen zodat zijn ouders hem met rust zouden laten en zodat zij bij hen in een goed blaadje zou komen te staan. Ze probeerde zich aan te passen. Ze probeerde zich te schikken naar de tradities van zijn leven in Città – het patroon van de dagen en weken en jaren. Ze leerde het dagelijkse brood om twaalf uur 's middags te kopen, leerde om de hoofdmaaltijd midden op de dag te eten, leerde haar aperitief in het centrum van de stad tegen de schemering te drinken, en voerde gesprekken met zijn vrienden zelfs als ze (in het begin) wantrouwig tegenover haar stonden. Soms vroeg hij zich af hoe lang ze dit zou kunnen volhouden.

Città, met al zijn Bianchi's, Macchi's, Ghiringhelli's en Cellini's was zijn wereld, een wereld die weinig mensen ooit voorgoed de rug toekeerden. *Cittadini* en *Citadotti* staken regelmatig de dichtbij gelegen Zwitserse grens over om geld te storten (al het geld dat ze verdiend hadden aan sokken en schoenen) op een rekening van de Crédit Suisse, om sigaretten te kopen en chocola en hun tanks met benzine te vullen, maar ze gingen er altijd mee terug naar de schoonheid (en zekerheid) van hun welwarende stadje. Vanaf de bovenste verdieping van de villa van Cesares familie, die boven de stad opdoemde, kon je de met sneeuw bedekte pieken van de Alpen zien. Wat hij in het diepst van zijn hart wilde, was van hier weg te kunnen trekken, vrij om schrijver, kok, boer (de hemel verhoede het) te worden, en tegelijkertijd wilde hij nooit weggaan – zijn plaats in Città innemen als eigenaar van Fiori, met Beth kinderen grootbrengen. Hij was zelfs nooit in Rome geweest.

Al vijfhonderd jaar lang waren de bankiers in deze stad leden van zijn familie. En al vijfhonderd jaar lang had zijn familie, de familie Cellini minstens een zoon voortgebracht en een paar dochters. De eerstgeboren zoons werden altijd naar de grootvaders genoemd, zodat ze afwisselend Cesare en Giovanni Paolo (de ene naam Romeins, de andere katholiek) heetten, waardoor ze regelrecht verankerd waren in het wereldsegodsdienstig dualisme van hun land. De dochters mochten ze zo noemen als ze wilden: Valeria, Federica, Livia, Claudia, Isabella, Caterina, Laura. Beth beschouwde de vrouwen als de kostbare juwelen van het geslacht Cellini, het geschenk van de Cellini's aan de wereld. De Cellinivrouwen hadden meer mogelijkheden dan de mannen. Cesares zusje, Laura, kon bijna alles met haar leven doen wat ze wilde, behalve clown worden (wat ze nu net het liefst wilde).

Toen ze achttien was liep ze met hulp van Cesare weg van school, naar een clownsschool in Bern, Zwitserland. Hij was eenentwintig. Hij regelde de toelatingsformulieren voor de school en de treinkaartjes en de huur van een appartement. 'Ik heb een grappig gezicht,' zei ze tegen hem terwijl ze hem recht in de ogen keek. 'Ik heb een absurd gezicht. Ik kan mensen met een glimlach aan het lachen maken. Ik hou van het gevoel dat dat me geeft.' Hij zei tegen haar dat ze niet zo belachelijk moest doen, maar zelfs terwijl hij dat zei moest hij er wel mee instemmen. Haar brede, bolle wangen, haar heldere ronde ogen die door haar geanimeerde lach naar voren leken te springen, haar stugge blonde krullen, haar knopneus, dat alles had ze gebruikt om hem heel vaak aan het lachen te maken. Dus omdat hij van haar hield zorgde hij dat ze kon ontsnappen alsof het hemzelf betrof, onder de indruk van haar vastbeslotenheid en haar vurig verlangen, benieuwd hoe ver ze zou komen en wie ze zou worden. Hij had visioenen van hoe ze over de wereld zwierf en overal geluk achterliet. Een klein deel van hem wenste dat hij als vrouw geboren was, omdat hij geloofde dat hij daardoor de vrijheid gekregen zou hebben om zijn eigen weg te kiezen.

Maar helaas, haar ouders kwamen erachter en signor Cellini schoof al zijn bankzaken terzijde en scheurde naar Bern om zijn dochter te redden van de clowns en van alles wat clowns met zich meebrachten. (Hij negeerde Cesare omdat hij wist dat die Laura's plan mogelijk gemaakt had. Elena vroeg alleen: 'Maar waarom?') Giovanni Paolo trof zijn dochter aan in een clownspak – rood met witte stippen en een grote rode neus – in een klas die de kunst van lachen onderwees. De groteske levendigheid van haar lachende gezicht vernietigde haar schoonheid. Haar weelderige blonde krullen, kortgeknipt boven haar oren, waren groen geverfd. Hij hield haar alleen maar vast, stevig en met alles wat hij had, en in zijn ogen sprongen bittere tranen. En dat was dat.

Bea had Beth al lang geleden vergeven dat ze op Paros verliefd geworden was. 'Toen ik besefte hoe serieus het was,' zei ze, was er niets dat ze kon voelen behalve geluk en de hoop dat deze verhouding eens zou betekenen dat Beth voorgoed in Città zou wonen. Jaren later, nadat Bea Italië voor New York verlaten had, gaf ze toe dat het dom was geweest om te hopen dat Beth in Città zou komen wonen. 'Het zou niet goed voor je geweest zijn en het zou je kapotgemaakt hebben. Een dromer als Cesare zou nooit iets anders kunnen zijn dan een verwende jongen uit die stad.' Uiteindelijk, na een langere kennismaking, mocht Bea hem niet. Ze zag dat hij bevoorrecht was zoals de rijke jongens uit Città dat waren: arrogant en zich niet bewust van hun privileges. Zeker, ze hadden geheime ideeën, maar ondanks al hun zelfvertrouwen en al hun geldmiddelen konden ze zich niet losmaken. Maar dat was later. Voorlopig, het tweede jaar dat Beth in Italië bij Bea's ouders woonde, had Bea goede hoop. Ze koesterde die hoop samen met Beths grootmoeder die dit jaar had helpen financieren omdat ze vastbesloten was dat Beth een 'normaal' leven moest leiden, ver van haar vaders ideeën over 'vreugdevol' samenwonen waarbij talent bevrijd werd van de irritante details van het dagelijks leven.

'Lariekoek,' zei Grammy altijd tegen Beth. 'Iemand moet de afwas doen.' Maar Claire werkte echt voor zover Beth kon zeggen. Als je van koken hield kookte je, als je van op het land werken hield werkte je op het land, als je van naaien hield naaide je, als je van kinderen hield gaf je ze lessen enzovoort. Het was een bloeiende farm die in zijn eigen onderhoud voorzag, zijn eigen school had, zichzelf bedroop – ook een soort denktank, waaruit enkele echt slimme ideeën kwamen over het gebruik van alternatieve brandstoffen. Sterker nog, tegen het jaar 2017 zouden er inderdaad veel auto's op waterstof rijden en zou Jacksons rol bij deze verandering erkend worden. En hoewel Beth al zestien jaar dood zou zijn, zou haar dochter Valeria getuige zijn van de resultaten van deze droom, toen ze met haar grootvader in Washington was uitgenodigd om de mijlpaal te vieren en zijn bijdragen hieraan, zijn radicale doorzettingsvermogen en vastberadenheid om de boodschap te verspreiden, om het idee herkenbaar te maken. Maar nu was Beth nog springlevend. Ze was eenentwintig en ze lag in het gras in Fiori met de zomer tegen haar huid en een toekomst die schitterend voor haar oprees. Cesare lag naast haar, hij dacht over dat jaar in Amerika, wat hij graag wilde, maar alleen met reserve omdat hij wist dat zijn ouders het niet zouden goedkeuren, dat ze zouden willen dat hij eerst afstudeerde en dan nog zouden ze het jaar verspilling vinden en weggegooid geld. 'Zeg me wat ik zou doen,' zei Cesare. Hij wilde de overvloed van haar ideeën horen voor hem, die net zo gemakkelijk uit haar mond kwamen als al die zeepbellen die een kind blaast.

'We zouden in New York wonen,' zei ze. 'Daar zou je van alles kunnen doen.' De mogelijkheid, een zich eeuwig uitbreidend heelal. 'Je zou kunnen studeren aan de economische hogeschool van Columbia, een baan op Wall Street zoeken. Je vader heeft vast wel relaties.' Ze pauzeerde, dacht diep na. Hij kon zien dat het antwoord haar te binnen schoot. 'Of nog beter, je zou de Amerikaanse literatuur kunnen bestuderen, voor een krant schrijven. Je bent een briljant schrijver.' Hij dacht aan alle brieven die hij haar geschreven had, de stapels die ze thuis had, keurig opgeborgen in een doos, aan hoe ze hem dit zou vertellen, dat ze het heerlijk vond bij hem weg te zijn, gedeeltelijk alleen maar om die brieven te kunnen ontvangen met hun gedetailleerde verslagen over Città, de mensen, hoe gecompliceerd zijn liefde voor haar was. 'Schrijf meer,' schreef ze hem vaak en de wetenschap dat ze zijn brieven waardeerde maakte dat hij nog meer zijn best deed op de volgende.

Cesare stelde zich vooral het leven op Claire voor. Welk talent had hij echt te bieden? Beslist niet bankieren. Tijdens de Servizio Civile had hij moeten werken met tieners die niet konden lopen en spastisch waren en andere ernstig gehandicapten. Ze dweepten met hem, alleen maar omdat hij niet bang was om hen voor de gek te houden, niet bang om hen mee te nemen met heel hun ingewikkelde apparatuur, rolstoelen en ademhalingsbuizen, en hen te vermaken met zijn vrienden. Hij had dat werk graag gedaan; het had hem het gevoel gegeven dat zijn leven een doel had.

'Je zou naar Claire kunnen gaan als je dat zou willen,' zei

Beth. 'Je zou kunnen bijspringen als verpleger, zoals je met de invaliden geholpen hebt.'

'Doe niet zo idioot, Bet,' zei hij en hij lachte om de gedachte aan zichzelf als verpleger. Hij legde uit dat een loopbaan als verpleegkundige een vernedering voor zijn familie zou zijn, dat er heel weinig was dat hij kon doen zonder dat het een vernedering voor zijn familie was en terwijl hij naar haar heldere ogen keek besefte hij hoe weinig ze zichzelf toestond te begrijpen ook al probeerde ze het. 'De beslissing is al voor me genomen,' zei hij.

'Maar dat kun je veranderen,' zei ze. En met haar wil, pure Amerikaanse wil, de wil van een jong land dat onweerlegbaar geloofde dat het beste nog moest komen, hield ze aan. Hij hield van elke vorm van sport. Hij kon boer worden. Een bestaan als boer was nog weer zo'n vernedering voor Cesares familie, maar dat vertelde hij haar niet. Hij vertelde haar ook niet dat hij lui was geworden doordat zijn toekomst hem op een presenteerblaadje was aangeboden.

Nadat ze elkaar na Griekenland weer gevonden hadden, werd Beth, in de eerste weken van hun verhouding in Città, elke keer als ze Cesare zag, licht en ongeduldig alsof elke zenuw vleugels had, haar verliefdheid was zo zichtbaar dat het leek alsof ze doorzichtig was. Nu in Fiori in het gras vroeg hij zich af ze ooit voor hem definitief uit Amerika zou weggaan, of hij voor haar uit Italië. Hij vroeg zich af of ze op een of andere manier in hun kinderen konden samensmelten, een magische combinatie van stabiliteit en vrijheid creëren. Dat was zijn romantische aard. Cesare was een paar keer verliefd geweest, maar toen hij Beth tegenkwam leek het hem alsof hij zich de vorige keren vergist had en dat hij nooit echt verliefd geweest was. Ze was zijn prisma dat altijd een nieuw licht uitstraalde. Zijn andere vriendinnen kenden het spoor dat ze moesten volgen en deden dat elegant en met stijl in hun mooie Italiaanse kleren, vol vertrouwen in de goede alliantie tussen de Cellini-bank en de Macchisokken. Beth droeg een spijkerbroek en schoenen van Jack Purcells en zondigde tegen de mode in Bea's afleggertjes.

'Kom zelf kijken of het grote experiment van Amerika werkt,' zei ze altijd drammerig tegen hem.

'O Bet, dat zou ik graag doen,' zei hij.

'Zou?' vroeg zij. Hij was, zoals alle Italianen, goed in het gebruik van de voorwaardelijke wijs. De lijst dingen de ze wílden doen was altijd veel langer dan de lijst dingen die ze werkelijk deden. '*Vorrei, vorrei, vorrei*,' zei ze, uitdagend, schaamteloos, niet bang de aandacht op zichzelf te vestigen. Het was ver na middernacht en ze aten met vrienden watermeloen bij een boerenkraampje aan de kant van de weg – lange picknicktafels onder heldere lampen en veel andere mensen, zowel oud als jong, die het vruchtvlees opslorpten, de pitten uitspuugden. Ze hield van de onschuld van al die mensen die zo laat op de avond bijeenkwamen bij de feestelijke stukken watermeloen. Cesare deed het al van kinds af aan, het was een deel van dat patroon van zijn dagen en jaren. School, siësta, werken, studeren, een ommetje voor het eten, de zuilengalerij van de *Corsa Roma* af in het centrum van de stad om zijn vrienden te groeten – vrienden die hij kende sinds zijn kindertijd. Zijn ouders en hun ouders hadden ook als kind gespeeld. Cesare en zijn vrienden speelden in het weekend, grote picknicks en voetballen, surfen op het meer. Een week in de winter namen ze een *Settimana Bianca*, skiën in de Dolomieten, 's zomers waren ze een maand aan het strand. De Cellini's brachten de maand september door in een bescheiden strandkeet in Marmi op het eiland Elba. (Ze zwommen in het geld, maar smeten het niet over de balk.) Wat genoot Beth van deze patronen: ze was gefascineerd door het idee dat je wist – dag in, dag uit; jaar in, jaar uit – wat je kon verwachten van een dag, een leven, vijfhonderd jaar lang, zoals je draden in de tijd trekt en al deze levens dichtnaait. Beth zag het duidelijk, dit leven dat eindeloos doorging, en ze had een groot respect voor zo'n continuïteit.

Cesares vrienden keken naar hen bij de watermeloenenkraam; ze keken altijd naar het stel en vroegen zich af hoe lang deze verhouding zou duren, sloten geheime weddenschappen af over wie wie van wat vandaan zou halen. En dat was natuurlijk waar het hier om ging: niet gewoon maar een jaar in het buitenland of een vakantie naar de familie van zijn vriendin. In de stad spoot iemand op een avond met verf GO HOME AMERICAN op de muren onder de zuilengalerij van de *Corsa Roma*. Amerika was lelijk en nieuw en legde de wereld zijn macht op onder het mom de vrijheid te verspreiden. Maar eigenlijk hield het merendeel van Cesares vrienden van Beth en ze hielden van wat er uit Amerika kwam: Nikes, Levi's, Bruce Springsteen, Simon and Garfunkel. Een van zijn vrienden liet haar alle woorden van een heel album van Simon and Garfunkelsongs opschrijven zodat hij ze uit zijn hoofd kon leren en kon zingen bij zijn gitaar. Hij sprak geen Engels. Altijd als ze uit Amerika kwam vroegen ze haar om schoenen met Vibramzolen mee te nemen – Timberlands, L.L. Beanlaarzen – en haar koffers raakten vol met de bestellingen. Cesare leerde hun allemaal rugby en honkbal, had de leiding over zijn vrienden met het zelfvertrouwen van een politicus, een en al charisma en zelfvertrouwen. Wedijver. Zonder dat Cesare in Amerika was geweest, bracht hij Amerika naar Città. Hierdoor ontstond een trend: ze wilden er Amerikaans uitzien, Amerikaans zijn, en nooit uit Città weggaan.

Cesare maakte de muur schoon zodat Beth het nooit te weten zou komen. Maar ze wist het al. Ze had het gezien toen ze met Bea aan het winkelen was op de *Corso*, onmogelijk te missen, een helder blauw onder de zuilengalerij.

'Je bent populair,' had Bea gezegd, met haar arm in die van Beth toen ze voor de graffiti stonden.

'O absoluut,' had Beth geantwoord. Plotseling haatte ze Italië. Ze wilde een winkel binnengaan en heel veel passen, alles onopgevouwen laten liggen en helemaal niets kopen, en de onuitgesproken wet ontzenuwen dat je alleen maar paste wat je wilde kopen (wat niettemin een druk voor het winkelpersoneel was). 'Het is volstrekt belachelijk,' had Beth tegen Bea gezegd.

'Hoe kun je in godsnaam weten of een trui goed staat als je hem niet eerst past?'

Na dit soort gelegenheden schreef Beth altijd lange brieven vol tranen aan Sylvia, in Bea's donkere kamer met de luiken dicht, terwijl alle anderen huns weegs gingen. Ze gaf een gedetailleerde beschrijving van het opschrift, klaagde over hoe ver weg en alleen ze zich voelde. Cesare had een heel andere groep vrienden dan Bea, dus ze gingen niet vaak samen uit. Bea raakte hoe dan ook altijd betrokken bij een of andere nieuwe minnaar – een gevaarlijke en ongeoorloofde situatie die Cesare niet echt kon waarderen. Cesare mocht Bea niet, schreef ze; Cesares familie leek niet veel om die van Bea te geven; hoewel Beth niet kon begrijpen waarom, wist ze dat er een diepere sociale gelaagdheid was die ze volstrekt niet wilde begrijpen. De Cellini's stelden nooit ofte nimmer vragen over de familie Nuova, spraken over hen als 'de familie uit Genua' (het deed er niet toe dat er zeker honderd jaren voorbij waren gegaan sinds ze daar woonden) als Beth het over hen had. Tegen de tijd dat de post Sylvia's antwoord bracht (troostende brieven, voornamelijk vol details over het universiteitsleven, escapades met vriendjes die bij Beth het verlangen opriepen om zelf naar de universiteit te gaan) was Beth altijd weer geanimeerd, de belediging vergeten. Dan zou er iets anders gebeuren en zou ze weer schrijven.

Over het voorval van de graffiti zei Cesare teder: '*Non essere triste, Bet.*' Ze dacht aan alle vrienden, alle maaltijden en gesprekken, de schoenen met Vibramzolen, het gemak waarmee ze haar leken te accepteren, zag het nu allemaal als een schertsvertoning. 'Het heeft niets te betekenen, het is alleen maar jaloezie.' Dat zei haar vader altijd als iemand grappen maakte over Claire, als iemand erop wees (haar grootmoeder het meest) dat er in de Verenigde Staten van Amerika meer dan vijftienhonderd experimenten met wonen in een commune waren en dat de meeste mislukten. 'Als gevolg van seks en drugs en ego,' zei de grootmoeder altijd en ze doorboorde haar toehoorder met haar doordringende groene ogen, en haar witte haar was opgerold als een kroon. 'Ik zeg twee woorden: *Jim Jones.*'

'Ik kan al zien dat het grote experiment Amerika perfect functioneert,' zei Cesare onder het heldere licht van de watermeloenenkraam. Beths ogen begonnen te stralen alsof ze de loterij gewonnen had. Hij wilde er rechtstreeks met haar heen vliegen, van tafel opstaan voor al zijn vrienden om hun te laten zien: *zij wint.*

Toen Beth voor het eerst kennismaakte met Cesares vader, Giovanni Paolo, dacht ze dat hij de tuinman was. Kort nadat ze elkaar weer waren tegengekomen had Cesare haar naar Fiori gereden. De herfst was net begonnen. De bossen waren dik bezaaid met afgevallen bladeren en de lucht was grijs en een beetje treurig. Giovanni Paolo verscheen uit wat een prieel van bomen leek, nog heel groen omdat het door klimop overwoekerd was. In zijn rechterhand had hij een klein geweer en aan zijn linkerhand droeg hij een dikke zwartlederen handschoen. Beth begreep de handschoen niet helemaal, om de een of andere manier lastig, maar ook echt iets voor een arbeider en veel gedragen, echt iets voor een tuinman. Ze stelde zich voor dat er een tweede was die hij al had uitgetrokken. Hij was een kleine, oude man met een rand dun wit haar op zijn verder kale schedel, en een ernstige manier van doen. Hij had wat moeite het geweer onder zijn rechterarm te steken en strekte zijn linkerhand zonder handschoen naar haar uit en zei: '*Piacere.*' Hij keek haar niet aan, er kon zelfs geen glimlach af, en zij veronderstelde dat dat kwam omdat de tuinman ofwel moe en verlegen was ofwel ongemanierd. De uitwisseling duurde minder dan een minuut en daarna verdween hij weer in het prieel, zo snel dat Cesare geen kans had iets te zeggen. Ze zag dat het hemd van de oude man bij de schouder gescheurd was en dat er zweet onder zijn ogen parelde. En weg was hij. 'Waarom draagt de tuinman een geweer?' had ze Cesare gevraagd.

'Je bedoelt mijn vader.' Ze bloosde gekwetst en voelde zich snel daarop beledigd. Ze zag hem met dat geweertje naar Bern flitsen om zijn dochter uit handen van de clowns te redden.

'Mag hij me niet?' had ze gevraagd.

'Hij is bang voor je,' zei Cesare.

'Voor mij?' Beth lachte bijna. Ze bekeek zichzelf van boven naar beneden, voelde zich heel klein en jong, maar ook wel machtig als een leger, een land, Cleopatra. Niet lang na deze eerste ontmoeting begon de vader Cesare steeds weer te vragen, waar Beth bij was: 'Wat is er toch gebeurd met Francesca?' Cesare was altijd formeel en beleefd tegen zijn vader en zou hem nooit corrigeren wat Francesca betreft, hoewel Beth dat graag gewild had. Zelfs als Cesare zijn vader plaagde, over kleinigheden of grappige coïncidenties (de paus had bijvoorbeeld hetzelfde merk ski's als signor Cellini en skiede graag op dezelfde hellingen in Cortina als signor Cellini, de overeenkomst was aanleiding voor grappen, te meer daar Giovanni Paolo volstrekt niet godsdienstig was) deed hij dat met angst en beven, alsof hij echt niet wist hoe zijn vader zou reageren, alsof hij wist dat hij altijd op zijn hoede moest zijn. Beth zou te weten komen dat signor Cellini toen hij jong was (voor korte tijd) Mussolini gesteund had en dat hij nu hartstochtelijke redevoeringen afstak over de afscheiding van het noorden van het zuiden.

Het geweer was om *uccellini* mee te schieten, de kleine vogeltjes in het vogelprieel, die ze elke zondag als *pranzo* aten boven op de polenta die Cesares moeder wel een uur roerde. Het was vooral kenmerkend voor de rustige Elena om te dienen als tegenwicht voor de hardheid van haar echtgenoot. Toen Beth na Griekenland voor het eerst in Città met Cesare begon om te gaan, had ze voortdurend maagpijn. Elena hield haar behandeling in de gaten, nam het meisje (omdat Cesare van haar hield) mee naar de beste artsen en specialisten, betaalde de rekeningen zonder het haar te vertellen. Elena was ook verfijnd; ze schilde al haar fruit voor ze het opat (de druiven natuurlijk ook) met een speciaal daarvoor ontworpen mesje en vorkje. Het velletje gleed eraf en onthulde het glinsterende, vochtige vruchtvlees. Beth verbaasde zich over de vaardigheid bij het werk dat even gecompliceerd was als het kerven van filigraan. Zij kon zich niet voorstellen dat ze haar fruit zou schillen: haar vader had haar geleerd dat daar juist de voedingsstoffen zaten en op hun farm verbouwden ze alle producten zorgvuldig organisch-biologisch, juist om de schil te kunnen eten. Chefkoks kwamen helemaal uit New York, Philadelphia en Washington voor Claires producten juist vanwege de zorg waarmee ze geteeld waren. Ze herinnerde zich de chef-koks, vooral hun handen, hoe belangrijk ze geleken hadden als ze het fruit betastten, zorgvuldig omdraaiden, hun grote handen die elk stuk op waarde schatten, kenners die wisten wat voortreffelijk was.

Signora Cellini, die altijd in de weer was met haar sociale verplichtingen en een of ander soort vrijwilligerswerk, had verschillende dienstmeisjes, een uit Sri Lanka, een uit Noord-Afrika en een uit Rusland. De Russische was behoorlijk oud, maar ze was al bij de familie sinds de kinderen klein waren. Het meisje uit Sri Lanka droeg altijd een sari en probeerde Beth en Cesares zusje, Laura, te leren hoe je ze moest wikkelen en hulde hen in meters en meters – acht om precies te zijn, zoals in 'Sta op wacht' – zijde. Beth wist hoe je een sari moest wikkelen; Preveena had het haar op Claire geleerd. Maar Beth liet dat niet aan het dienstmeisje uit Sri Lanka merken omdat de les en de kennis iets schenen te zijn wat ze graag met hen deelde. 'Jullie zijn de gelukkigste meisjes ter wereld,' zei ze tegen hen, haar leven met dat van hen vergelijkend, 'bevrijd door je lotsbestemming.'

Het komische was dat Beth zich in sommige opzichten net als het dienstmeisje uit Sri Lanka voelde: dat wil zeggen, Beth voelde dat Laura het gelukkigste meisje ter wereld was. Beth had niet zo'n bevoorrechte positie als Laura, was niet zo'n grappige schoonheid als Laura of zo wereldwijs als Laura of zelfs niet zo intelligent als Laura. Bij hun eerste ontmoeting werd Beth verliefd op haar. Laura was net terug uit Amerika, veel te dik, zoals ze haar broer verzekerd had, door alle hamburgers. 'Veel te veel hamburgers,' had ze gezegd, waarmee ze Beth tot een vertrouweling maakte. Het kwam ook door de manier waarop ze straalde, lachend om haar pas ontstane molligheid. Ze was mollig maar Beth had haar nooit eerder gezien. Beth vond het bewonderenswaardig dat het extra gewicht haar geen angst aanjoeg maar eerder aan het lachen maakte: te veel hamburgers, zo simpel als wat. Haar blonde haren waren bij haar oren kortgeknipt en ze lachte en ze straalde en haar goede humeur was aanstekelijk. Haar komische verhalen over Amerika – die meisjes die ze in de caravan Engels leerde; de agenten die haar lieten stoppen, hun spiegelende zonnebrillen; de fans die zich bij het concert van Springsteen aan de voeten van de zanger wierpen – vrolijkten Cesare zo op als Beth nog nooit gezien had. 'Ik heb al mijn avonturen aan Cesare te danken,' zei Laura en ze gaf haar broer een dikke zoen op zijn wang. 'Het was zijn idee dat ik naar Amerika zou gaan.' Ze stonden in de keuken van de villa in Città, die door etensgeuren verwarmd werd, terwijl de kokkin de keuken in en uit zoefde en met een teder, vertrouwd gebaar in Laura's wangen kneep. Beth verbaasde zich over deze wereld van diensmeisjes en bediening waar Laura en Cesare goed mee om konden gaan, en ze wisten precies waar de grenzen van de intimiteit lagen. Beth sloeg de Cellini's gade, elk detail. Ze voelde jaloezie en hevig verlangen. Ze wilde meer dan ooit bij de familie horen, Laura's zusje zijn. En omdat Cesare van die grappige kleine Amerikaanse hield, adopteerde Laura Beth, gaf Beth haar mooie kleren (veel klassieker van stijl dan Bea's trendy mode) en ski's te leen, nodigde haar uit om bij haar in Milaan te komen logeren, nam haar mee om in Florence samen met haar vriendinnen te gaan winkelen. Laura studeerde ook economie aan de Bocconi. Ze was niet zo ver als Cesare maar was hem aan het inhalen terwijl ze ook, tegelijkertijd, mode studeerde. Ze wilde graag kousen en panty's voor vrouwen ontwerpen. Ze had in haar appartement tientallen benen van modepoppen die weelderige zijden monsters droegen. Ze had een vriendje dat haar aanbad en met wie haar ouders dweepten, en ze stuurden hen terug naar Milaan met etenswaren genoeg voor een week, zodat ze niets te kort kwamen en zich geen zorgen hoefden te maken dat ze hun studie moesten onderbreken. Jackson zou Beth nooit uit de handen van clowns gered hebben – dat was misschien wel goed, maar Beth kon een gevoel van jaloezie niet onderdrukken als ze zag dat Giovanni Paolo voor Laura alles zou laten vallen. Beth zag hun verhouding, zag hoe dit goedgehumeurde meisje vol zelfvertrouwen de harde man kon ontdooien zoals Cesare dat nooit zou kunnen. Signor Cellini zou nooit zijn stem tegen haar verheffen; zou nooit twijfelen of ze wel geschikt was voor de studies die ze gekozen had. Beth wenste soms dat Laura het stokje van Cesare over kon nemen en de mars van de familie door de tijd zou voortzetten.

Het dienstmeisje uit Sri Lanka was verliefd op een Italiaan van middelbare leeftijd die nog bij zijn moeder woonde. De moeder verbood het huwelijk vanwege haar bruine Sri Lankaanse huidskleur. Ze trouwden toch in een kleine kerk in de stad Porta dei Miracoli (Poort van Wonderen) bij het spoorwegstation. Cesare was getuige en betaalde vervolgens voor het feestmaal dat hij in het trattoria van het station had laten aanrichten. Flessen wijn werden geopend terwijl treinen voorbij denderden; het bruiloftsfeest werd gevierd te midden van een zenuwachtige drukte van passagiers, en iedereen rookte. Ze dineerden met *risotto con funghi porcini.* Er was een man die op een gitaar wat romantische muziek speelde. Cesare nam de honneurs waar, charmant en als een broer omdat het dienstmeisje uit Sri Lanka niemand anders had. Hij hief een glas champagne naar de bruid en bruidegom. 'Om het lot te slim af te zijn,' zei hij. De bruid had het station uitgekozen; ze wilde ervandoor kunnen gaan als de moeder van haar man zou proberen tussenbeide te komen.

Elena sprak voortdurend met haar vriendinnen – vooral met Cat, altijd zongebruind en behangen met juwelen – over de Amerikaanse en deed voorspellingen over de loop die de verhouding zou hebben. Elena was lief tegen Beth omdat ze de vriendin van Cesare was, maar de mogelijkheid dat ze Beth als schoondochter zou krijgen joeg haar ook angst aan. Ze was niet zozeer bang dat Beth in Cesares leven zou blijven, als wel dat Beth op een of andere manier in staat zou zijn hem weg te halen. Welke moeder wil haar kind verliezen? 'Het is een aardig meisje,' zei signora Cellini. 'Maar ze heeft afschuwelijke manieren.' Elena voelde zich tegelijk slecht en opgelucht als ze dat zei. Het meisje begon altijd te eten voor alle anderen, betrapte zichzelf en hield weer op; ze sopte altijd haar saus met een stuk brood; ze brak haar brood altijd in stukken zodat er een kruimelbende op haar couvert achterbleef. 'Misschien begrijpt ze niet hoe wij hier gewend zijn alles te doen.'

'Deze verhouding gaat voorbij,' zei Cat die Elena's bezorgdheid waarnam met dezelfde precisie en hetzelfde gezag als waarmee ze de hartstocht in de ogen van Valeria in het Cellini fresco waarnam. 'En als ze niet voorbijgaat, verzeker ik je dat die zoon van jou nooit uit Città weg zal gaan. Dat kan hij niet. Hij heeft hier alles. Hij is hier iemand. Denk je dat hij een immigrant wil worden die vanuit niets met niets begint? Wie wil zoiets behalve ongelukkige stakkers die niets te verliezen hebben?'

'Si, si, è vero,' gaf Elena dan toe, bemoedigd door haar vriendin. Maar Cat en alle vriendinnen vroegen zich af wat de aantrekkingskracht van het Amerikaanse meisje voor Cesare was, ze was misschien schattig, hoewel een beetje onbeholpen, met trekken die net een beetje te groot waren voor haar gezicht.

Van het kunstig gedraaide en gekleurde glas van de Venetiaanse kandelaar die boven de eettafel van de Cellini's hing bungelde een lelijke plastic zoemer waar signora Cellini op drukte als ze personeel nodig had. Personeel, zou Beth gaan begrijpen, had een hogere status dan esthetiek. Er was ook een knop, verborgen onder de tafel, waarop ze discreet met haar voet kon drukken. 'Prego?' vroegen de dienstmeisjes als ze opgeroepen waren. Ze werden per ongeluk geroepen toen signora Cellini ontdekte dat Beth niet gedoopt was. Een nerveus gebaar, een druk op de knop, en de dienstmeisjes kwamen beneden en signora Cellini sloeg een kruis en beloofde Beth dat ze haar zou helpen de zaak in orde te maken. 'Cara mia, cara mia,' zei ze steeds maar. Beth, die niet echt begrepen had (of niet echt kon geloven) dat de doop zo essentieel was, schrok van al die opschudding. 'Maar wat is er aan de hand?' vroeg ze en ze duwde haar stoel weg van de tafel, echt ontzet alsof Cesares moeder de duivel uit haar had zien verschijnen. 'Mama, alsjeblieft,' zei Cesare die opstond om zijn moeder met een grote omhelzing te kalmeren.

Net als alle meisjes wilde Beth haar mogelijke schoonmoeder graag tevredenstellen. Eenvoudig gezegd, Beth wilde dat Elena van haar hield, van haar hield als van een dochter zoals Bea's ouders deden. Maar ondanks al haar ruimhartigheid en onschuld was Elena erg gereserveerd. Ze liet mensen niet gemakkelijk toe. Beth wilde toegelaten worden. Ze vroeg zich af toen ze, eenmaal alleen, tijd had na te denken, of Elena meer van haar zou houden als ze gedoopt was.

'Ik zou misschien wel gedoopt willen worden,' zei Beth tegen Cesare. Maar toen ze er goed over nadacht, besefte ze dat ze niet eens het verschil wist tussen kerstenen en dopen (misschien had het iets te maken met volledige onderdompeling?), en of er wel een verschil was. Haar godsdienstige opvoeding vertoonde jammerlijke gaten. En er wordt gezegd dat Amerika het meest godsdienstige land ter wereld is! Ze wist dat baby's gedoopt werden, in ieder geval in de katholieke kerk, om hen te verlossen van de erfzonde en bij dat begrip kon ze zich niet neerleggen of doen alsof het niet bestond. 'Een kleine baby, zondig?' En dat zei ze tegen Cesare.

'Het is alleen maar een metafoor,' zei hij, en hij streelde haar haren en wenste dat ze het niet allemaal zo serieus zou nemen. Hij deed dat niet. Hij ging nooit naar de kerk en dacht er nauwelijks aan dat hij katholiek was.

'Een metafoor waarvoor?'

'*Non importa*,' zei hij. 'Het is niet belangrijk. Denk even na, ze heet Elena. Elena was de moeder van Constantijn die omwille van haar het christendom legaal maakte.' Wat Beth hem niet vertelde was dat ze iets wilde vinden waardoor Elena van haar zou houden. Toen dacht ze aan haar vader, aan zijn liefde voor haar, hoe heerlijk hij het vond om haar de vrijheid toe te staan om zichzelf te vormen, te zien wat op eigen houtje ontstond. Ze miste haar vader. Soms miste ze hem zo volkomen dat ze overwoog naar huis te vliegen naar Claire en nooit meer weg te gaan. Soms haatte ze Jackson om zijn koppige onvermogen om Claire te verlaten en haar op te zoeken. Ze vroeg zich af of hij, als ze dood zou gaan, dan naar haar toe zou komen?

Soms keek Cesare naar Beth en probeerde hij zich haar voor te stellen op de farm met haar vader. Wie zou ze daar zijn? Wat zou haar vader voor man zijn? Wie zou Cesare daar worden? Hij wist dat Jackson een forse man was met een forse persoonlijkheid, dat hij van plezier en van drama hield en dat hij zijn land in bruikleen gaf aan groepen mensen die veldslagen uit de Amerikaanse vrijheidsoorlog naspeelden. Troepen in rode jassen en blauwe jassen vuurden op de velden van Claire kanonnen en artillerie af, terwijl alle mensen die daar woonden op het plankier zaten en de ene of de andere partij toejuichten. Haar grootmoeder juichte Engeland toe. Jackson wilde altijd ruilhandel drijven met het land zoals hij met de amish, die zijn vee slachtten, ruilhandel dreef. Er was altijd handenvol werk op de farm. Beth wilde in plaats daarvan de spelers laten betalen. Vanaf haar jeugd was het haar taak geweest om ervoor te zorgen dat haar vader niet te veel weggaf.

Jackson schreef zijn dochter zonder mankeren twee keer per week, stuurde haar kleinigheden van de farm: een gedroogde sojaboon, een kippenveer, een rood esdoornblad in de herfst. Ze wist dat ze alleen een diepe en zinvolle relatie met hem kon hebben als ze haar leven aan Claire wijdde, en ze wist ook dat ze dat nooit zou kunnen doen, dat die keus voor haar geen vrijheid betekende, en ze wist ook dat haar vader dit volkomen begreep. Net als bij de anderen die kwamen en gingen op Claire, was de beslissing aan haar en hij wilde niet oordelen of tussenbeide komen. Beth realiseerde zich dat het niet teruggaan naar Claire voor haar een even duidelijke weg was als het niet weggaan uit Città voor Cesare was – hoewel geen van beiden dat al volledig kon toegeven.

Signora Cellini roerde 's zondags altijd zelf de polenta, een hete zachte massa van heldergele maïsmeelpap, die met overdreven aandacht eindeloos geroerd moest worden. Het werd opgediend als eerste gang met of melk of kaas en daarna als tweede gang met de *uccellini* (met botjes en al). De eerste keer dat Beth op zondag bij hen at leerde ze dat het omgaan met polenta heel nauw luistert. Omdat ze probeerde beleefd en correct te zijn en alles te doen zoals het hoorde omdat ze vreselijk graag indruk wilde maken en niet zomaar een gekke (bedreigende) Amerikaanse wilde zijn die hen vermaakte met verhalen over haar excentrieke familie, nam ze zowel melk als kaas. Cesare lachte, daarna lachte Laura, daarna de ouders – een vertederende beminnelijke lach die dat gekke Amerikaanse meisje leek te willen omarmen. Toch bloosde Beth, de verlegenheid leek uit haar tenen op te wellen. (Nooit tegelijk melk en Parmezaanse kaas op polenta.) Wat Beth ook deed in Italië, het leek wel of ze niets goed kon doen. Bij de tweede gang lagen de kleine vogeltjes gaaf en in boter gebakken haar op haar bord aan te kijken, de oogjes nu net dof zilver. Het was de eerste keer dat ze ooit *ucellini* at en ze wist niet wat ze moest doen en wilde niet naar de anderen kijken of vragen. De *uccellini* waren verrukkelijk. De botjes gaven substantie. Niemand zei iets dus nam ze aan dat het de bedoeling was dat je de botjes opat. Maar niet de koppen.

En de zwarte handschoen: het was niet echt een handschoen. Het was eerder een hand. Zijn vader had als jongeman zijn hand verloren toen er voetzoekers in ontploften. Hij studeerde toen medicijnen, de eerste van de Giovanni Paolo's en Cesares die iets anders dan economie studeerde. Nadat hij zijn hand was kwijtgeraakt stapte hij over op de financiën. Beth begreep dat hij een harde man was, hard voor zijn zoon die geen belangstelling had en daarom niet opschoot met zijn studie, hard zelfs voor zijn geliefde dochter vanwege haar buitensporige, dwaze dromen. Maar zijn verlangen dokter te worden en het verlies van zijn hand stemden Beth altijd mild tegenover hem, domweg omdat hij ook ooit het verlangen had gehad het gebaande pad te verlaten. Ze vroeg haar vader pompoen- en maïszaden uit Amerika op te sturen zodat ze die aan Giovanni Paolo, die uren in zijn tuin doorbracht, kon geven. Die groenten kwamen hier niet voor en vormden dus een uitdaging. De zaden brachten hem een lap grond met fel oranje pompoenen en een rij zoete Silver Queen zo bizar en zo verrukkelijk dat hij wel verliefd moest worden op *l'Americanina*.

De ochtend dat ze elkaar kusten in het zomerse gras, had Beth in een stoel gezeten om Giovanni Paolo, die in de tuin bezig was, gezelschap te houden. Signora Cellini hing wat wasgoed aan de lijn en bespiedde Beth en haar man, die Beth vertelde dat Cesare weer voor twee examens gezakt was. 'Dat is helemaal niet goed, helemaal niet goed,' zei hij terwijl hij naar het afval keek. Het lukte hem niet Beth aan te kijken. Maar toch voelde ze, elke keer dat hij iets tegen haar zei, dat hij haar meer accepteerde, dat ze echt voor hem werd. Ze begreep dat hij haar vertelde dat het niet goed ging met Cesares studie omdat hij aannam dat het aan haar lag dat Cesare voortdurend afgeleid was. En als er een goede reden was voor afleiding (bijvoorbeeld een huwelijk) dan zou hij zich erbij neerleggen zolang zij Cesare hielp weer op het goede spoor te raken. Hij trok aan het onkruid en brak onhandig takken met zijn linkerhand af terwijl hij met zijn kunsthand steun zocht. Ze vroeg zich af hoe de stomp eruitzag. Ze had hem graag willen vragen naar zijn verbrijzelde droom. Ze dacht aan de kleine amish-kinderen die appels stalen uit de gala-appelbomen thuis. Hoe ze de appels in hun hand hielden, ze om- en omdraaiden alsof het een ontdekking was, voor ze een hap namen en wegrenden.

'Cesare moet niets van de Bocconi hebben,' zei ze dapper. 'Hij houdt niet van financiën en zaken en sokken en schoenen. Hij houdt van boeken, literatuur, schrijven.' Brutale Amerikaanse grootspraak, maar ze wilde niet bang zijn voor deze man en ze wist dat dit de enige manier was om te zorgen dat hij van haar hield, wist dat Laura niet bang voor hem was en Cesare wel.

'Wat?' vroeg hij, en hij keek op van zijn bezigheden met het afval om haar in de ogen te kijken.

'Hij moet ertussenuit,' zei ze zachtjes.

Ze dacht opeens aan een professor van de universiteit die Kierkegaards *Herhaling* uitlegde en de noodzaak om ervaringen te veranderen door afwisseling: lees het stuk van het midden naar het einde; lees een boek uit alvorens het begin te lezen. Ze herinnerde zich dat Kierkegaard 'kerkhof' betekende en dat de professor gezegd had dat 'Je moet je leven veranderen' de beroemdste woorden van de filosoof waren. En wat deed ze eigenlijk in Italië? Ze wilde dit alles aan Giovanni Paolo uitleggen, maar deed dat natuurlijk niet, omdat ze net tweeëntwintig was en het allemaal zelf niet zo goed begreep.

Ze hielp hem even met wieden en hij leerde haar hoe je het onkruid het beste bij de wortels kon pakken. 'Kijk, zo,' zei hij, en hij stak zijn hand in de zachte aarde, rukte wat aan het onkruid alvorens zijn hand nog eens dieper in de aarde te steken en vervolgens trok hij de kluit los, met wortels en al. 'De natuur houdt niet van tuinen. Ze wil de baas zijn.' Balancerend op zijn rechterhand hield hij het perfect uitgetrokken onkruid omhoog zodat ze het kon bewonderen. Zijn tuin was bijna zonder onkruid: rechte, schone rijen als soldaten in het gelid. Daarna praatten ze even niet en toen weer wel. 'We hebben nog nooit iemand uit Amerika in de familie gehad, nooit wat voor buitenlander dan ook wat dat betreft.' En zo heette hij haar welkom. Ze werd warm en wilde hem graag een plezier doen, hoewel ze op een of andere manier begreep dat haar overwinning niets met haar wortels te maken had, en ze vroeg zich af of ze echt de wil had Amerika te verlaten. Juist omdat ze verwelkomd werd maakte het denkbeeld Amerika voorgoed achter zich te laten haar nerveus en daarna – eens te meer, maar altijd verbazingwekkend – treurig.

Vanuit de tuin keek je door bossen naar beneden naar het meer, dat daar lag als een kleine witgetopte zee waarop een heleboel fraaie zeilen deinden. De familie Cellini had vijfhonderd jaar de weekeinden doorgebracht in dit huis in de bossen vol esdoorns en essen en wat pijnbomen. Het huis in Fiori was een gepleisterd bouwwerk met een enorme open haard in de eetkamer waar ooit alle maaltijden (polenta en *uccellini*) werden klaargemaakt. In deze kamer was het fresco van Valeria gemaakt. In deze kamer had Benvenuto met Valeria geflirt, had haar het hof gemaakt; in deze bossen hadden zij steels gekust, in het gras gelegen, misschien naar paddestoelen gezocht, ongetwijfeld het onmogelijke gedroomd.

Elke kamer van het huis in Fiori had openslaande deuren die uitkwamen op een kleine patio. Van de keuken liep een veranda naar een pad met een pergola waar in het voorjaar de blauwe regen vanaf droop. De azalea's en rododendrons tierden welig op de heuvel die oprees in de richting van het winterhuisje (waar het vogelprieel was en waar ze 's winters waren als het koud was geworden omdat het huisje klein genoeg was om warm te stoken) en in mei als ze bloeiden was het een orgie van kleuren op de heuvel. En elk jaar gaven de Cellini's hun grote feest om de bloei van de *azalee* te vieren, vrouwen in witte lange japonnen met handschoenen die tot boven hun elleboog kwamen, mannen in mooie donkere linnen pakken.

Van de Renaissance tot nu, dacht Beth. Een epische reis, een enorme hoeveelheid tijd, glibberig als een ijsberg, die ze probeerde te beklimmen, te peilen en te begrijpen. Grote rijken waren opgekomen en ineengestort; Amerika was ontdekt, Bernini was geboren, en liet een erfenis van beeldhouwwerken na die de mensheid tot tranen toe bewogen. Als honderd jaar vier generaties bevat dan bevatten vijfhonderd jaar er twintig. Twintig generaties Cellini's met mooie Federica's aan hun arm – in en uit grootse tuinen en zuilengalerijen en kerken en *palazzi,* in vrede en oorlog en de unificatie van Garibaldi, en nog meer oorlogen en weer vrede tot nu: eind twintigste eeuw met al zijn ingewikkelde ruimteschepen naar de maan en een jong Amerikaans meisje dat de mogelijkheid heeft dit alles te vernietigen.

Iedere generatie Cellini's had de wereld een levende ademende opwindende aanbiddelijke Cesare gegeven, die zijn eigen verwachtingen had. Ze zag hen allemaal oprukken door de tijd. Voor Beth was het nu, door de herhaling van dit leven, alsof deze familie er op de een of andere manier achter was gekomen hoe je onsterfelijk kunt worden. Haar moeder was overleden bij een auto-ongeluk in Turkije toen Beth drie was en haar vader had van het conventionele leven afgezien om de droom in praktijk te brengen die hij met zijn vrouw gedroomd had toen ze nadachten over de hoogtepunten van hun toekomst. Was deze vijfhonderd jaar oude familie Cellini het gedroomde hoogtepunt van de toekomst van een enkel mens? Ze voelde zich slecht omdat ze Giovanni Paolo verteld had dat Cesare een hekel had aan de Bocconi.

'Als ik het goed heb ben je zo ongeveer de tiende Cesare,' zei Beth en ze draaide zich om en keek hem aan. Het begon nu donker te worden, het werd fris in de nazomer. Er verschenen paarse strepen aan de lucht. In het huis kon je horen dat er aan de maaltijd gewerkt werd. Op een veraf gelegen weg toeterde een auto en kerkklokken luidden voor de avondmis. De lucht was vol van de muskusachtige geur van zomerpaddestoelen, vochtig en zacht in het afnemende licht. Hij bestudeerde haar, zag dat er iets in haar gedachten speelde dat veel te groot was. 'Wat ben je daar voor kleine ellende aan het brouwen?' vroeg hij.

'Mijn wortels gaan niet erg diep,' zei ze.

'Ze gaan alle kanten uit,' zei hij, 'heel, heel ver.'

'Dat maakt het niet gemakkelijker voor me om alles op te geven,' zei ze. Ze wist dat ze naar huis ging en ze geloofde niet meer dat hij ook zou komen. Er duwde iets groots tegen haar borst, iets onomkeerbaars, iets definitiefs dat haar in de kou liet staan.

'Ik weet het,' zei hij.

'Je vader denkt dat ik onkruid ben,' zei ze.

'Sterk onkruid,' zei hij in een poging haar op te vrolijken.

'Hij meent het,' zei ze. 'Doe niet zo sloom.' Ze had zin om te huilen. Hij lag stil, met zijn blik gericht op de vroege avondlucht. Tegen het indigoblauw scheen een dunne maan en aan de hemel begonnen sterren te fonkelen. Hij dacht aan zijn gehandicapten, gevangen in hun rolstoel, hoe heerlijk hij het vond om hen snel lichte hellingen af te laten rollen, hoe ze gilden van verrukking.

'Wat gebeurde er eerder dan vijfhonderd jaar geleden?' zei ze, en ze keek ook naar de hemel, alsof het antwoord daar geschreven stond.

'Ik neem aan dat een of andere jongen zijn eigen naam had,' zei Cesare. Voor Beth was het, als ze deel ging uitmaken van Cesares familie, met al zijn wetten en tijd en zijn pad met diepe groeven, alsof ze op een avond uitgeput tussen de koele lakens van een goed opgemaakt bed zou glijden. Ze deed haar ogen dicht, voelde zijn vingers op haar heupen, op haar rug, de boog van haar ruggengraat volgen. Het kan zo aangenaam zijn om je over te geven.

'Je komt niet,' zei ze.

'Doe niet zo dramatisch,' zei hij.

'Ik kan hier niet tegenop,' zei ze. Ze dacht aan het portret van Valeria, hoe alleen op haar gezicht het verhaal te lezen stond dat onafscheidelijk verbonden was met het verhaal van ervoor en erna, met de intense liefde die tot wanhoop leidde. En al die feestvierders die maar vrolijk doorgingen, die zich nergens van bewust waren, niets wisten van het echte, het universele, hun eigen lijden en de vage klauw die alles greep wat goed was.

'Ik wil met je trouwen,' zei hij, terwijl hij haar tegen zich aan trok. Hij stelde zich Amerika voor, de aantrekkingskracht die het had, en haar vreemde kleine wereld op Claire.

'Zorg dan dat je de rest van me te weten komt,' zei ze, bijna als uitdaging.

'Wil je vader nooit eens weg?' vroeg hij, alsof dat een sleutel was.

'Wil jouw vader nooit eens weg?' pareerde zij.

Cesare had Beth na Griekenland niet meer gezien tot ze allebei in de trein van Città naar Milaan bleken te zitten. Het was een gevaarlijk mistige dag in de herfst – die mist, typisch voor Lombardije, die zich over de hele Pianura Padana uitstrekte. Hij was op weg naar de universiteit om een examen te doen waarvan hij wist dat hij ervoor zou zakken en hij wist dat als hij zakte zijn moeder bezorgd zou zijn en zijn vader razend. Hij zou zakken omdat hij niets had uitgevoerd. Hij had niets uitgevoerd omdat het hem niet interesseerde. Voor hem was een ondoordringbare muur waarvan hij niet wist hoe hij er omheen moest. Hij bleef zakken voor zijn examens, de een na de ander, en het leek erop dat hij niet vooruitkwam, hoewel het overduidelijk was welke kant hij uit moest. Het enige wat hij in het leven moest doen was het pad volgen. In dat geval zou hij in één opzicht vrij zijn van de last van behoefte en begeerte en verlangen en ambitie het zelf te moeten maken. Hij zou al klaar zijn, een duwtje in de rug voor het leven krijgen, doordat hij een vooraanstaande positie en macht aangereikt kreeg in een rijk stadje genesteld in de uitlopers van de Alpen omgeven door smaragdgroene meren. Maar hij kon het niet opbrengen gewoonweg te studeren en dus werd hij een teleurstelling voor zijn ouders. Hij was bang dat ze dachten dat hij dom was. Hij wilde zijn vader liever op een ander manier een genoegen doen. Zichzelf bewijzen. Zijn vader laten zien dat hij succes kon hebben. Een boek schrijven, bijvoorbeeld, en dat aan hem overhandigen als het uitgegeven was, zodat hij het kon lezen en bewonderen en niet zou denken dat hij dom was.

Twee van zijn vrienden waren omgekomen op de snelweg, die als een voetbalstadion baadde in het licht van de schijnwerpers, alsof dat licht door de mist kon dringen. Zijn twee vrienden waren niet in staat geweest iets tot een goed eind te brengen. Hij keek door het raam om te zien of hij door de mist heen kon kijken. In plaats daarvan zag hij de weerspiegeling van een vrouw die naast hem zat. Ze had een spijkerbroek aan en een roze sweater die haar blonde haren nog blonder en haar blauwe ogen nog blauwer maakten. Ze droeg gympen. Hij keek aandachtig naar haar weerspiegeling en het duurde even voor hij haar herkende. Toen hij het eenmaal zag, was hij bang zich om te draaien, bang dat hij het mis zou hebben. Hier had hij op gehoopt, dat ze elkaar tegen het lijf zouden lopen. Sinds ze in Griekenland verdwenen was had hij voortdurend op dit moment gewacht. Hij draaide zich om. Ze lachte. Hij lachte. Ze wist al wie hij was toen ze ging zitten. Ook zij had op een toevallige ontmoeting gehoopt, durfde hem niet te bellen toen ze eenmaal in Città terug was omdat Griekenland een droom leek en ook uit angst dat hij kwaad op haar zou zijn omdat ze er zonder een woord te zeggen vandoor was gegaan. Nu was ze op weg naar Milaan om zich in te schrijven voor een cursus Italiaans. Ze wist niet wat ze moest zeggen. Ze zag dat hij 'Slouching towards Bethlehem' aan het lezen was dus liet ze haar schouders zakken en vertelde hem dat ze een kind van Bethlehem was, wat ze inderdaad was. Ze begon moeiteloos te flirten, keek omlaag met een nauwelijks merkbare beweging die zowel kwetsbaarheid als overgave suggereerde. Het leek wel of ze elkaar opnieuw voor het eerst ontmoetten. Als antwoord op iets dwaas dat hij over de nevelige *nebbia* zei, lachte ze enthousiast. Haar gezicht brak in talloze tinten licht uiteen. En hij vroeg zich af, als een dwaze woordspeling haar al zo volkomen ontspannen kan maken, wat zal de liefde dan doen?

Ze ging niet naar de universiteit, maar in plaats daarvan ging ze met hem naar het dak van de Dom waar ze picknickten met *panini* en een beetje te veel wijn dronken. Ze waren alleen daarboven. Wie zou de moeite nemen om al die trappen op te klimmen voor een uitzicht op de mist in plaats van op de Alpen? De mist was zo dicht dat ze hun eigen handen niet konden zien, zo dicht dat ze elkaar niet konden zien zelfs al waren ze nauwelijks een meter van elkaar gescheiden. Ze speelden verstoppertje, doken steeds weer op, zweefden door de mist, beslopen elkaar om elkaar aan het schrikken te maken, van te voren al opgewonden – die fantastische ogenblikken voor de zachte lippen van de eerste kus (weer helemaal opnieuw), een combinatie van nieuwsgierigheid en verwachting. Ze goot de plastic bekertjes boordevol wijn, nam hem mee op een ronde langs de woeste waterspuwers en liet hem haar favoriete koppen zien, tanden en slagtanden bedoeld om de duivel weg te houden. En ze verdween weer. Elke keer als ze verdween maakte hij zich zorgen dat de mist haar zou opslokken, haar weer op zou zuigen in de leegte die er was voor hij haar tegenkwam. Hij probeerde zichzelf te overtuigen dat het hem niet aanging. Hij was opgevoed om hard en stoïcijns te zijn. Hij probeerde zichzelf te overtuigen dat het geen verschil zou maken als ze even stil zou verdwijnen zoals ze weer was verschenen.

Die avond belde hij zijn ouders om hun te zegen dat het examen goed was gegaan en dat hij in Milaan bleef om het te vieren. Drie hele dagen achter elkaar verdween hij met Beth tot hij toen hij op de vierde dag wakker werd zeker wist dat zij de andere helft van zijn leven was. En hij begreep voor het eerst wat ambitie inhield.

Toen was ze weg en toen was hij hier, stond in een immigratierij op de internationale luchthaven John F. Kennedy te luisteren hoe een mechanische stem 'Welkom in de Verenigde Staten van Amerika' herhaalde met een trots die onmiskenbaar en innemend Amerikaans was. Op het vliegveld Malpensa in Milaan was er geen stem die *Benvenuto in Italia* zei. Hij dacht aan Beth die als klein meisje op school de vlag trouw gezworen had, met haar rechterhand op haar hart. Ze had uitgelegd dat alle kinderen in heel Amerika elke ochtend trouw zworen aan de vlag. Hij zag al die leerkrachten liefde voor het vaderland bijbrengen aan immigranten die overal vandaan kwamen. In Italië hoefde je niet getraind te worden in nationale en burgerlijke trots, dat vloeide eerder door je aderen omdat ze vroeger en nu altijd Italianen geweest waren – denk eraan, *campanilismo*, de aantrekkingskracht van de klokkentoren die even natuurlijk was als ademhalen.

Hij merkte kleine verschillen als waarheden op: het meest de mensen. Honderden andere toeristen en immigranten moesten hun visa laten controleren. Ze kwamen uit de hele wereld. Zelfs in de rij voor Amerikaanse burgers – die begerenswaardig snel opschoot – kwamen de gezichten uit de hele wereld. Je kon hen niet van ons onderscheiden, de smeltkroes duidelijk zichtbaar, allemaal exotisch, en hij voelde de schoonheid van de anonimiteit, het verleden van wie je bent wordt zachtjes uitgewist als je dat wilt. Al deze levens stonden op de drempel van de hoop op iets meer.

De douanebeambte die Cesares koffers controleerde was een grote blije man die met zijn dikke handen Cesares opgevouwen kleren doorzocht, die de dienstmeisjes de avond ervoor netjes ingepakt hadden, terwijl zijn moeder rondrende en zenuwachtig lijstjes nakeek met wat Cesare nodig zou kunnen hebben – aspirine, shampoo, sokken – alsof ze die simpele zaken daar niet hadden. 'Je komt toch wel terug?' herhaalde zijn moeder terwijl zijn vader rustig in een leunstoel de krant zat te lezen, de bladzijden omsloeg met de zwarte handschoen van zijn kunsthand. Giovanni Paolo keek precies een keer op, en zijn vriendelijke 'Cara mia,' schoof het idee helemaal ter zijde. Hij kende zijn zoon door en door. Hij kende het jeugdige verlangen op de vlucht te slaan voor een gebod, wist hoe de jaren de behoefte als een oplosmiddel lieten verdwijnen. Hij herinnerde zich hoe hij medicijnen gestudeerd had, de opstandigheid en de ambitie die hij gevoeld had in de wetenschap dat hij het zelf zou maken. En hij herinnerde zich, jaren later, nadat de jaren hun overwicht hadden verworven, nadat het verlies van zijn hand een herinnering aan zijn verloren zoektocht was geworden, zijn dankbaarheid voor zo vele voorouders die samengewerkt hadden om geschiedenis te maken, zij het een persoonlijke geschiedenis, maar desondanks geschiedenis. Giovanni Paolo kende zijn zoon, wist dat Cesare ook de betekenis van het Cellini-erfgoed zou gaan waarderen. Hij mocht dan wel een strenge vader geweest zijn, dat betekende niet dat hij zijn zoon niet met een vurige liefde kende en liefhad.

Terwijl hij stond te wachten tot de beambte klaar was met zijn koffers, probeerde Cesare verschillende gelaatsuitdrukkingen uit omdat hij begreep dat hij zich zo voor kon doen als hij wilde; hij was hier een vreemde. Hij was geen student; hij was niet de zoon van een vooraanstaande familie uit een rijke Italiaanse stad. Hij kon worden wie hij maar wilde. Hij had een schone lei. Dat hij een vreemde was vond hij het aantrekkelijke van deze cultuur met een veelvoud van mogelijkheden.

Hij voelde zich duizelig, rolde snel die licht glooiende helling af. De oude regels zouden hun greep verliezen. Hij keek naar zijn benen en werd een beetje somber, geneerde zich voor de vouwen in zijn spijkerbroek die een van zijn moeders dienstmeisjes erin geperst had; hij wilde stoer zijn; hij wilde, onzinnig, een cowboy zijn. Om deze mogelijkheid zelfs maar te voelen, al was het maar even, was als het vooruitlopen op die eerste kus.

De blije beambte trok cadeautjes die voor Beth waren ingepakt eruit. Cesare was bang dat hij ze open zou maken, maar hij vroeg alleen maar wat er in elk pakje zat. De inspecteur dronk een enorme bak koffie, twintig keer zo groot als een espresso. Meer, meer. Het land van overvloed, van meer, van de duizelingwekkende immense luchten. 'Jij gaat iemand verwennen,' zei de man met een grote grijns, en hij stopte de cadeautjes weer voorzichtig in de koffers. 'Ik ben het laatste obstakel tussen jullie tweeën,' voegde hij eraan toe, al te gemeenzaam, wat Cesare herkende als nog een kleine Amerikaanse waarheid. 'Je kunt gaan,' zei hij en hij wees naar de schuifdeuren van het hoofdgebouw. Ze gingen open en dicht als een muil, en onthulden daarbij een overvloed aan chaos, lawaai en een zee van wachtende mensen waarop Beth dreef als een vlot. *Je kunt gaan*: je kunt gaan en staan waar je maar wilt.

5

Claire

Claire stierf op dat Turkse weggetje in mei 1968. Zij stond aan
de ene kant van de weg, Jackson aan de andere. Achter haar
was een stenen muur waar ze net op was geklommen om te
zien of er iets bijzonders achter lag. Ze verloor haar evenwicht
en viel op de grond, niets bijzonders, alleen maar een schaaf-
wond, ze stond op, keek naar Jackson, lachte en veegde haar
handen af aan haar spijkerbroek. Het was een warme dag. Ze
hadden een trektocht gemaakt door de heuvels boven de zee
van Marmara, die zich wijd en blauw onder hen uitstrekte.
Hier en daar waren wat bloemen die hun best deden om uit de
droge aarde te voorschijn te komen. Claire had Jackson een
herder willen laten zien die met zijn kudde over een veld rond-
dwaalde in de richting van de zee. Precies op dat moment
kwam er een auto tussen hen in, de enige van die hele ochtend.
Hij kwam met gierende remmen tot stilstand en slipte, gleed
tegen Claire aan, schepte haar alsof ze een pop was, en smeet
haar tegen de stenen muur. Jackson strekte zijn armen naar
haar uit, begon naar haar te graaien alsof hij een eind wilde
maken aan dit idiote en absoluut onaanvaardbare voorval. De
tijd bevroor, en raakte op drift. Haar lichaam maakte een deuk
in het spatbord. Haar schedel sloeg tegen de muur en brak als
een ei. De bestuurder was een klein mannetje met donker haar,
een snor, zijn gezicht overmand door paniek (hij kon zien dat
de situatie ernstig was). Hij gebaarde met zijn handen, omdat
het duidelijk was dat Jackson geen Turks verstond, dat de zon
hem een ogenblik verblind had. Claire was vijfentwintig – een
verrukkelijke vrouw met dik donker haar en grote groene ogen

en kuiltjes in haar wangen en een moedervlek op haar lieve ronde gezicht, een gezicht dat het licht kon breken.

Ze was natuurlijk niet de enige; een heleboel mensen stierven dat jaar, zoals we allemaal goed weten: Martin Luther King Jr. werd neergeschoten; Robert Kennedy werd neergeschoten. Steinbeck stierf; Helen Keller stierf; Tallullah Bankhead stierf. Sergio Leone, koning van de spaghettiwestern, maakte *Once Upon a Time in the West*, met Henry Fonda, de typisch Amerikaanse held, in de rol van een genadeloze slechterik die in staat was een kind van vlakbij neer te schieten – waarmee hij onze ideeën over het goede en het heilzame wegblies. Luitenant Calley en zijn mannen in een klein Vietnamees gehucht genaamd My Lai waren met precies hetzelfde bezig. En alle normale zielen, alle mensen zoals jij en ik, stierven hun gewone dood – misschien had hun leven geen effect op de geschiedenis zoals dat van een King of een Kennedy, maar ze beïnvloedden de geschiedenis toch: persoonlijke geschiedenissen, die van jou en mij.

Claires gekwetste hoofd bloedde in de schoot van haar man, haar bloed verwarmde zijn benen, en terwijl de auto die haar gedood had haar naar het dichtstbijzijnde ziekenhuis reed praatte Jackson tegen haar over hun dromen, en over hun dochter (net drie, die bij haar grootmoeder in New York alle stoute dingen deed die driejarigen gewend zijn te doen, zalig onwetend in haar egocentrische cocon van 'nee' en 'van mij'). Claires zwarte haren (strengen van krullen die haar moeder altijd in bedwang probeerde te houden door ze 's nachts met stukjes stof stevig vast te binden – het deed pijn als je je hoofd bewoog tegen de kussens – zodat Claire 's ochtends keurige pijpenkrullen had die om haar hoofd dansten) werden blauw van al het bloed. Traag stroomde de kleur van haar wangen weg, en haar lichaam verloor zijn warmte. Maar Jackson bleef praten. Hij praatte de hele weg terug naar Amerika tegen haar. Hij hield niet op tegen haar te praten. Hij zwoer dat hij nooit zou ophouden. En dat heeft hij ook nooit gedaan.

Ze waren in april, een maand daarvoor, naar Pennsylvanië

gegaan om een universiteit te bekijken die Jackson in dienst wilde nemen om filosofiecolleges te geven. Hij was op Harvard gepromoveerd in de filosofie en zette dit voorjaar zijn eerste stappen op de banenmarkt. Hij wierp een blik op het gebouw, met zijn merkwaardige campus met al zijn eikenbomen en zijn keurige kapel en zijn massa homogene studenten die zich nergens tegen verzetten in een tijd waarin er zoveel was om je tegen te verzetten, en hij wist dat hij hier nog geen fractie van zijn leven met onderwijs geven zou kunnen verdoen. In plaats van te solliciteren maakte hij met Claire een ritje door de heuvels van Snyder County, en daarna vlogen ze naar Turkije en gingen naar een filosofieconferentie in Istanboel (iets over de invloed van het oosten op het westen in de moderne tijd, een conferentie waarvan ze vanaf het begin wisten dat ze er niet veel van zouden bijwonen). En zo schoof hij het zoeken naar werk op de lange baan, stelde het uit tot ze zouden begrijpen wat voor zinvols ze met hun leven konden doen. Ze waren dromers, gelovigen, optimisten, idealisten – typisch voor hun generatie. Ze geloofden in beter en meer, in niet opgeven, in niet wortelschieten. Claire studeerde ook filosofie, op Radcliffe, en was in haar laatste jaar toen ze elkaar tegenkwamen. Jackson was net aan zijn proefschrift begonnen en gaf colleges filosofie aan jongerejaars. Zij had geen les van hem, maar ze kwamen elkaar af en toe tegen. Hij was ouder en zag er gevaarlijk uit met zijn slobberige kleren en zijn dikke bakkebaarden. Hij was totaal anders dan alle andere mannen, keurig opgeprikt in hun katoenen overhemden. Claire bedacht routes waar ze hem tegen het lijf kon lopen en dat bleef ze doen tot hij het doorkreeg en toen nodigde ze hem uit om koffie te drinken, commandeerde hem bijna om met haar mee te gaan, waarbij haar lieve heldere lach het bevel verzachtte.

Terwijl Jackson zich bezighield met een weinig bekende priester uit de twintigste eeuw, Abel Jeannière, die er radicale ideeën op na had gehouden over seks en het celibaat en de kerk (Jackson had in zijn jonge jaren even overwogen katholiek te worden), bestudeerde Claire de verhouding van de zestiende eeuw tot de klassieke oudheid, met de nadruk op *Utopia* van Thomas More. Haar afstudeerscriptie ging over *Atlantis* van Plato, *Utopia* van More, en de rol van vrouwen in beide geschriften. Als ze was blijven leven had ze haar leven misschien gewijd aan het bestuderen van het feminisme en van More. Maar toen ze doodging was ze met iets bezig dat meer op de praktijk gericht was: met een groep medestudenten op Radcliffe schreef ze een boek over seksisme in kinderboeken. Het droeg de titel *Dick and Jane as Victims*, en alle delen van de Dick en Jane serie werden afzonderlijk bekeken om de stereotypen over de seksen en de invloed daarvan op kinderen aan de orde te stellen. Claire had een dochtertje en was vastbesloten dat Beth veel keuzemogelijkheden zou hebben. Naïef, zeker; idealistisch, zeker – Claire was eigenlijk zelf een meisje, de kinderschoenen nog maar net ontgroeid toen de oude wereldorde voor haar ogen ineenstortte, en een nieuwe opkwam. Claire: haar naam betekent 'helder,' 'beroemd,' 'duidelijk'.

Tijdens de rit door Snyder county, het land van de amish en de mennonieten, bevolkt door eenvoudige, in het zwart geklede mensen die voorbijreden in hun rijtuigjes, op hun paarden, op fietsen, en hun akkers ploegden met paarden, kwamen Claire en Jackson toevallig langs een appelfarm die binnenkort onder de hamer zou komen. Bij de geheimzinnige maar niet bijzondere toegang tot een lange, kronkelende oprijlaan die nergens heen leek te gaan, lag in een duidelijk zichtbare plastic bak die aan een houten paal was vastgemaakt, een stapel folders voor het grijpen. Ze stopten vanwege de plastic bak en vanwege de oprijlaan, die volgens Jackson naar een avontuur zou kunnen leiden. Toen ze bij een kraampje langs de weg stopten om honing te kopen van een oude vrouw met afbrokkelende tanden en zwarte lompen en een heel vriendelijk lach, met zulk dun krulhaar dat je haar hoofdhuid kon zien, hadden ze al een avontuur met een mennoniet achter de rug. De man kwam de weg op in een zwart rijtuigje met een paard ervoor. Hij stapte bij de honingkraam uit en knikte tegen de vrouw die haar gebroken tandengrijns lachte, richtte daarna zijn aandacht op Jackson en zei: 'We moeten praten', alsof hij Jackson al zijn hele leven kende. 'Het eind van de wereld is nabij,' zei hij. 'Vanavond is een bijeenkomst op mijn farm en we zouden graag willen dat je komt.' Hij krabbelde de naam van zijn farm op een papiertje en vertelde waar die te vinden was, gaf te kennen dat alleen het manvolk welkom was, stapte weer in zijn rijtuigje en reed weg, de dalen en heuvels in. Achter hem sleepte het geluid van klossende paardenhoeven zich voort.

'Ik verkleed me als man,' zei Claire.

'Alsjeblieft niet,' zei Jackson zonder een zweem van ironie. 'Ik bescherm mijn vrouw liever tegen nieuws over de Apocalyps.' En hij pakte haar op en droeg haar als een bruid naar de auto. En hoewel ze wist dat hij een spel speelde met verwachtingen en rolpatronen, vond ze het heerlijk gedragen te worden en beschermd in zijn armen te liggen. Ze liet haar hoofd tegen zijn borst vallen en wenste dat ze een heldin uit een roman van Trollope was.

'De last wordt altijd elegant gedragen,' zei ze. En de oude vrouw keek hen met een nieuwsgierige glimlach na, alsof ze twee vreemde exotische schepsels door de Serengeti zag dwalen.

Bij de mysterieuze ingang van de appelfarm keek Jackson naar Claire en ze krulde haar lippen en meteen was alles tussen hen gezegd: *Gaan we? Absoluut. Kom op dan.* Claire sprong uit de auto en greep een van de witte vellen uit de doos en las Jackson de details voor terwijl hij de Lincoln de steile weg met diepe door de regen uitgeslepen voren op manoeuvreerde. (Ze hadden de auto van Claires moeder geleend, altijd een Lincoln – een grote bak maar met een vermogen dat de risico's van deze weg gemakkelijk aankon.) 'Ruim achthonderd hectare en honderd daarvan zijn appelboomgaarden met ongeveer achtduizend bomen,' las Claire. 'Elke boom levert twintig kisten appels en elke kist weegt ongeveer honderdnegentig kilo.' Terwijl ze de heuvel op reden zagen ze inderdaad rijen appelbomen op terrassen voor zich uitgespreid. Door de warmte van april en de regenbuien hadden de bomen net een groen waas, en alleen als je goed keek kon je knoppen zien, zelfs bloesems die net begonnen open te gaan. Claire had vroeger nooit een gedachte aan appels gewijd. De hele farm zou binnen vijf weken geveild worden. Dat las ze voor aan Jackson en toen keek ze naar hem en hij keek naar haar en eens te meer werd alles tussen hen zonder woorden gezegd: *Laten we naar de veiling gaan. Goed idee. Misschien kunnen we zelfs een bod doen. Maar we hebben helemaal geen geld. Nou en?* Ze woonden in een donker eenkamerappartement op de Lower East Side in Manhattan. Jackson hield van Claire om haar neiging het leven te verslinden.

De weg bleef klimmen, cirkelde om een kegelvormige heuvel, sneed door de boomgaarden en daarna door de bossen, klom hoger en hoger en hoger, de wolken in naar het leek, wolken die die dag dik waren, gezwollen met de belofte van regen. Boven op de heuvel lagen uitgestrekte velden met lange grassen die in een zacht briesje heen en weer wuifden. De auto stuiterde, liep vast, raakte los, stuiterde weer tot ze hem tot stilstand brachten en uitstapten en door de velden gingen rennen. 'Denk aan appels,' zei Claire. 'Hou je echt ooit op aan appels te denken?' Er was geen appelboom meer te zien, maar ze was nog in de ban van appels. Hierboven leek het alsof je over de hele wereld kon uitkijken, in ieder geval tot ver over Pennsylvanië, heuvels die overgingen in andere heuvels en in de verte een heleboel boerderijen als miniaturen.

'John Chapman,' zei Jackson, 'die over heel Amerika appelzaad uitstrooide.'

'Jij zal de echte naam van Johnny Appleseed niet kennen.'

'Appels kunnen drijven omdat ze voor vijfentwintig procent uit lucht bestaan. Ze behoren tot dezelfde familie als de rozen. O ja, en iets over een appel en een stam.' Hij begon alle namen van alle appels die hij kende op te noemen – Jonagold, Red Delicious, Macintosh, Winesap, de droge rode Ben Davis, Braeburn. 'Zal ik doorgaan?' en hij keek haar aan met zijn blauwe ogen en zijn halve lachje en ze hield onvoorwaardelijk van hem en voelde zich uitzinnig van verlangen naar hen tweeën en naar alles wat ze samen zouden doen. Hij was een forse grote man met van die tochtlatten, de heersende mode, die zijn wangen elegant omlijstten. Hij kwam uit een goed christelijk gezin uit Virginia (als je je best deed kon je een zweem van een zuidelijk accent hij hem horen). Hoewel zijn familie het niet breed had, moedigden ze hem toch aan zich in te schrijven voor een beurs voor de beste scholen in het noordoosten; hij was een jongen die graag leerde en nadacht en wilde weten en hij was grootmoedig met zijn kennis – niet zo iemand die anderen graag het gevoel geeft dat ze stom zijn omdat ze niet zoveel weten. Wat hij van appels wist was natuurlijk een lachertje. Toen hij studeerde was hij ooit appels gaan plukken en hij had zich wat feiten herinnerd. En hij ging door: 'Ze zeggen dat drie appels niet ver van drie stammen vallen.' Claire gaf hem een speelse mep en hij pakte haar vast en kuste haar en zij maakte zich snel van hem los zodat hij haar door de velden achterna zou blijven zitten.

Zijn familie woonde nog in Virginia. Zijn vader was monteur en autoverkoper geweest en zijn mama, die regelmatig naar de kerk ging en een rots in de branding was in haar gemeenschap, was het prototype van een dikzak. Claires moeder keurde deze verbintenis niet goed, nu niet en nooit niet.

'Hij komt niet uit een goed nest,' had ze tegen haar dochter gezegd nadat ze met de ouders had kennisgemaakt.

(Tegen Jacksons moeder had ze gezegd: 'Ik ken een goed dieet.')

'En jouw nest?' had Claire scherp gevraagd. Ze was opgegroeid in New York in het gehuurde appartement, was naar de beste scholen geweest, zonder te weten hoe haar moeder met de financiën goochelde om de schijn te wekken dat ze zoveel meer hadden dan in feite het geval was. Sterker nog, pas op de universiteit begreep Claire dat haar familie in de verste verte niet zo veel geld had als de meisjes met wie ze op de middelbare school had gezeten. 'Sla nooit een uitnodiging af met de woorden dat we het ons niet kunnen permitteren,' had ze haar moeder ooit haar vader horen waarschuwen. 'Zeg gewoon dat we het druk hebben.'

Nest: haar moeder gniffelde een beetje zoals ze deed als men haar maniertjes, die maniertjes, doorhad. Maar voor haar moeder was het in ieder geval alsof zij, en haar dochter, niets te maken hadden met de realiteit dat ze geen Rockefellers of Carnegies of Kennedys waren.

'Ik ben tenminste niet dik. Iemand die zo dik is, al dat gewicht moet meeslepen, die zal het geen tien jaar uithouden. En die man, die Johnson,' ze vond het leuk te doen alsof ze zijn naam niet kon onthouden, 'die wordt nooit rijk. Je moet een advocaat hebben of een bankier of een dokter,' informeerde haar moeder haar. Haar brave man was ingenieur geweest. Toen hij twee jaar geleden stierf aan longkanker (omdat hij pijp rookte, volgens Claires moeder die altijd een verklaring moest hebben) liet hij haar een erfenis en een solide pensioen na waar ze voor haar hele leven genoeg aan zou hebben – ze kon er niet op grote voet van leven, maar wel comfortabel als ze verstandig was. Ze woonde tenslotte in het ruime appartement dat uitkeek over de Hudson.

'Alle waardeloze beroepen in de klassieke literatuur. Dokters werden geminacht – de poortwachters van het leven,' zei Claire. Jackson kende natuurlijk de gevoelens van zijn toekomstige schoonmoeder, maar hij had te veel zelfvertrouwen om zich er veel van aan te trekken en was te aardig om er aanstoot aan te nemen. Hij praatte haar liever naar de mond en flirtte met haar en maakte haar aan het lachen en schateren. Ze had bij Jackson het meeste moeite met het feit dat ze hem seksueel zo aantrekkelijk vond, iets wat hij volstrekt niet doorhad, omdat hij niet ijdel of verwaand was. Door zijn absolute kracht en omvang en zelfvertrouwen droop de seksualiteit van hem af. Hoewel ze haar best deed kon ze het niet laten zich haar dochter voor te stellen in allerlei compromitterende houdingen van vervoering.

'Met hem word je nooit rijk,' zei haar moeder met een scherpe doordringende blik, 'en als je je hele leven zwoegt word je niet op een goede manier oud, en dat staat vast.' Claire lachte hier alleen maar om en trouwde met Jackson en kreeg kort daarna een dochter en met Beth begonnen de dromen serieus te worden, en nu danste Claire door een veld terwijl Jackson achter haar aan rende, klaar om haar onderuit te halen. Ze had een oranje tweed pak aan dat haar moeder bij Best gekocht had zodat ze een goede indruk zou maken op de sollicitatiecommissie op de universiteit als 'vrouw van'. Nu werden ze verondersteld daar te lunchen met de faculteit, die Jackson (en Claire) inspecteerde om te kijken of ze 'pasten' in de gemeenschap. 'Denk eens hoe Beth het in deze velden zou vinden. Ze zouden haar oneindig toeschijnen. Zoveel om te onderzoeken,' zei Claire. En terwijl ze door het veld rende wenste ze dat haar dochter nu bij hen was, dat ze haar mollige lijfje in haar armen had. 'We moeten precies hier bouwen. Het huis moet precies hier staan om van het uitzicht te kunnen profiteren.' Claire liet hem de folder zien en de kaart van de farm die erin zat. Op de kaart stond een boerderij uit 1846, maar daar waren ze nog niet langsgekomen, omdat hij tussen een groep platanen aan de andere kant van de heuvel verborgen lag. Later, toen ze hem zagen, zouden ze zeggen dat hij veel te donker en deprimerend was hoewel ze zouden besluiten dat hij, mits goed gerestaureerd, bruikbaar zou zijn als winkel van waaruit ze de producten van de farm konden verkopen. De oude appelboer en zijn zoon hadden jarenlang in het oude huis gewoond, het verkeerde in een rampzalige toestand van verval en overal stonk het naar hondenuitwerpselen.

'We gaan het hier bouwen – groot en vol kamers zodat iedereen die zin heeft kan komen en tot in lengte van dagen kan blijven zolang als ze de farm helpen bloeien, zolang ze talenten en ideeën bijdragen. Jeetje, met zijn achthonderd hectare is het groot genoeg.' En zelfs als dit, wat hoogstwaarschijnlijk zo was, alleen maar een van de vele idealistische ideeën was die Claire in de tijdspanne van haar jonge jaren gekoesterd had, vatte Jackson het na haar dood toch letterlijk op – besprak het met haar toen ze naar het ziekenhuis reden, toen hij met haar lichaam naar huis vloog, toen hij rijzig en elegant en gepijnigd naast haar moeder stond bij de rouwdienst voor de crematie.

Waar iedereen die zin heeft kan komen en tot in lengte van dagen kan blijven. Jackson besprak het met Claire als hij hun piepkleine Beth in zijn grote armen hield, haar troostte als ze om mama huilde, terwijl hij niet begreep, misschien nooit zou begrijpen, hoe hij Beth moest vertellen waar haar mama was. 'Ze zit binnen in je,' zou hij later zeggen toen ze een beetje ouder was, maar nog niet oud genoeg om beeldspraak te begrijpen. Ze zou zichzelf binnenstebuiten willen keren, zoals je met een hemd doet.

Maar die dag, daarboven, was alles goed en zo begon de droom, met die paar woorden terwijl de regenwolken voorbijschoten en de zon op de heuvels in de verte scheen. Claire trok haar jas uit en ze trok haar bloes uit en ze trok haar bh uit. Ze maakte een klein verleidelijk dansje voor Jackson. En ze trok haar rok uit en ze trok haar onderrok uit en ze trok haar schoenen uit en ze trok haar kousen en haar ondergoed uit en ze keek hem aan met plagende ogen, getuite lippen en maakte nog een dansje met haar onderjurk als rekwisiet, gooide die en daarna zelfs haar oorbellen (parelknopjes) het veld in, en eens te meer werd alles tussen hen zonder woorden gezegd in de warmte van april en mist als kant op hun rug.

De hele terugrit naar New York bouwden ze hun huis op de top van de heuvel.

Vijf weken later, een urn met as in zijn armen, kocht Jackson op een veiling de appelfarm, waarbij hij een deel van de erfenis gebruikte die Claires moeder van haar man had gekregen. Claires moeder en Beth stonden naast hem, Beth in een belachelijk met de hand gemaakt jasje met fluweel en bont dat Claires moeder voor de gelegenheid gekocht had. Er waren maar een paar andere bieders, een man van de amish en een paar plaatselijke bewoners die niet genoeg geld hadden. Als borg sloot de moeder (die trouwens Eunice heette, maar niemand noemde haar ooit zo – ze was Moeder, de grootmoeder, Grammy, of voor haar vrienden Uni of Nice, uitgesproken als de stad in Frankrijk) een levensverzekering op Jackson af voor vijfhonderdduizend dollar, waarbij zij de enige begunstigde was. (Hij overleefde haar vele jaren, maar lang voor ze stierf had hij haar met rente, die ze weigerde, kunnen terugbetalen, uit de inkomsten van Claire en succesvolle investeringen.)

Jackson liep alleen de lange oprijlaan op, door de uitgestrekte velden, en door de bossen, en strooide de schilfers en de as uit, en zelfs een schroef of twee (de restanten van een operatie aan haar ruggengraat toen ze klein was), dat wat er van zijn vrouw over was. In het begin kon Jackson noodzakelijkerwijs niet op de farm blijven. Maar zodra het huis gebouwd was (hij nam een hypotheek op het bezit om de noodzakelijke gelden bijeen te brengen) en zodra zijn Beth daar was komen wonen ging hij niet meer weg tot 2017 toen Valeria hem mee zou nemen naar Washington om een onderscheiding van het Witte Huis in ontvangst te nemen voor zijn 'waardevolle bijdragen aan de bevordering van waterstof als brandstof'. In werkelijkheid moest Valeria hem dwingen te komen, ze hield voet bij stuk en zei iets tegen hem waarvoor zijn vrouw nooit de kans gekregen had en wat zijn dochter niet had kunnen vragen: kom te voorschijn. 'Alsjeblieft, voor mam. Voor Claire,' zou Valeria ten slotte zeggen, gewoon zo eenvoudig als wat.

Naar Washington rijden, weg van het boerenland door wat bebouwing hier en daar en nog meer bebouwing tot alles plaatsmaakte voor de stad, was niet zo moeilijk als Jackson steeds gevreesd had, net zoals de prik nooit zo'n pijn doet als het kind zich voorstelt, en koud water warm wordt als je na de schok eenmaal door bent. Dat de reis zo gemakkelijk verliep was voor Jackson het meest treurige, omdat daaruit bleek hoe gemakkelijk hij naar zijn dochter had kunnen gaan toen ze hem nodig had gehad. Hij herinnerde zich dat ze hem smeekte naar New York te komen, kapot als ze was na de breuk met Cesare; hij herinnerde zich dat Preveena hem smeekte Beth op te gaan zoeken in de dagen na de catastrofe. Wat was hij altijd star geweest, wat was hij bang geweest voor wat hij zou voelen als hij wegging. Zijn loyaliteit aan Claire liet hem geloven dat hij zijn verdriet in ere hield, dat hij Beth haar moeder gaf door zijn mooie vrouw trouw te zijn. Ten koste waarvan, vroeg hij zichzelf nu af. Vredig, onbewust dreef de wereld buiten het raam van zijn auto voorbij, net zoals het altijd geweest was en zoals het altijd zou zijn. Ten koste van Beth, natuurlijk, die door het toeval een moeder ontzegd was maar een vader willens en wetens, omdat hij geweigerd had het verdriet in de ogen te kijken.

In het begin waren het vrienden die naar Claire kwamen. Jackson had geen groots (of zelfs geen grandioos) plan. Mensen kwamen voor het weekeinde en bleven tot in lengte van dagen. Natuurlijk gingen er ook veel weg. De eerste die kwam was Albarbar, een vriend uit Harvard, waar hij theologie gestudeerd had. Hij bleef niet langer dan een week: hij was gepromoveerd en had een baan op Columbia en had het echt naar zijn zin in de stad. Albarbar veronderstelde dat het idee van een gemeenschap op Claire een fase in het rouwproces was waar Jackson doorheen moest, maar intussen kwam hij hem tegemoet. Bovendien zou Jackson iemand anders kunnen helpen die hij kende. Albabar was naar Rishikesh in India geweest en had daar een vrouw ontmoet die graag naar Amerika wilde om te zien waar het allemaal om ging en om te ontsnappen aan een huwelijk waarin ze niet gelukkig was. Ze heette Preveena en ze was achttien. Ze had grote donkere ogen en ongewoon kort haar (voor een Indiase vrouw) en haar diepste wens was om met een beurs Engelse literatuur te gaan studeren, wat ze ook in Delhi gedaan had. Ze wilde uiteindelijk les geven en doorwrochte romans schrijven, lang en wijdlopig zoals die waar de negentiende eeuw beroemd om is. Maar haar onderwerp zou natuurlijk India zijn, de Indiase familie in de godsdienst en het kastenstelsel en de bezetting en de tijd. (Deze droom om te schrijven vervloog met haar tienerjaren, maar ze bleef altijd graag de verhalen over haar grote en gekke familie vertellen.)

Preveena kwam uit een familie met geld, trouwde met een man met geld en arriveerde op Claire in een sari waarin haar buik door de vouwen en plooien gluurde. De pauwblauwe zijde uit Benares was afgezet met goud en een rode bindi blonk tussen haar wenkbrauwen. Ze kwam naar Claire met een hutkoffer vol stuk gelezen romans en nog een hutkoffer vol zijde en juwelen en ze ging nooit meer weg.

Preveena had een vriend in Madras met een vriend in Rome met een vriend in Milaan met een vriend in New York met een vriend in Dallas met een vriend in Londen met een vriend in Parijs en zo werkte het. Ze kwamen onopvallend, een voor een. Onopvallend in de zin dat het niet veel voorstelde; Jackson zou nooit getolereerd hebben dat er geworven of bekeerd werd. Je hielp, dat was alles. Sommigen bleven een dag; sommigen een week; sommigen, zoals Preveena, gingen nooit meer weg. Albarbar kwam hen uit New York opzoeken, was stomverbaasd de groeiende droom te aanschouwen, zijn kale hoofd glinsterend in de zon, zijn gezicht één groot vraagteken. De prijs die iedereen op Claire betaalde was werk en nog eens werk. Je kon komen met niets, alleen maar bijdragen wat je wilde, maar iedereen werd geacht te werken. In het begin bestond het werk uit het ontwikkelen en uitbreiden van de appelfarm, en te zorgen dat die zoveel mogelijk winst opbracht. Zij die er aanleg voor hadden leerden om takken aan wortelstokken te verbinden (uit appelpitten, net als het geval is bij citrusvruchten, komt niet altijd wat je zou verwachten: het is niet gezegd dat je een Braeburn krijgt als je een Braeburn plant) of middeltjes te brouwen die ongedierte op een afstand hielden zonder de bomen (of de mensen) te vergiftigen. Claire werd een gemeenschap zoals elke andere; voor uitbreiding was een verscheidenheid aan uitgesproken talent vereist. Of je kon bouwen of je leerde het, of je kon met geld omgaan of je leerde het. Niemand had persoonlijk enig profijt van zijn werk op Claire; als je er was droeg je bij overeenkomstig je talenten en vaardigheden en werd je onderhouden overeenkomstig je behoeften, maar niemand verliet Claire met meer dan hij ingebracht had. Alles kwam ten goede aan Claire. Als de belastingen betaald waren, werden de winsten van Claire deel van het vastgoed, en het vastgoed Claire was geen eigendom van

Jackson, kon niet aan Beth (of later aan Rada, zijn dochter bij Preveena) nagelaten worden bij zijn dood. Claire – het land en de investering van de gemeenschap – zou nagelaten worden aan de mensen op Claire, en bij ontbinding van de gemeenschap zou Claire in trust aan de staat Pennsylvanië gegeven worden, als park voor de inwoners van Pennsylvanië, alle achthonderd hectare werden in stand gehouden. (Je ziet dat ze ook behoefte hadden aan juristen.) De zeldzame keren dat mensen ongelukkig weggingen had hun vertrek altijd te maken met geld en met het gevoel dat ze niet genoeg kregen. De klachten kwamen altijd neer op een zekere achterdocht en ergerlijke hebzucht. Claire werd een keer gerechtelijk vervolgd. Je leert van ervaring, zo wordt er gezegd. Daarna moest iedereen die bleef een contract tekenen waarbij hij afstand deed van het recht tot gerechtelijke vervolging.

Sommige mensen droegen alleen maar gedachten bij: ze bedachten wat Claire nog meer tot stand zou kunnen brengen. Na de appels ging de farm over op vlees, en er werd ruilhandel gedreven met slagers van de amish die voor hen koeien en varkens en kippen en kalkoenen slachtten. Net als de appels werd de levende have op natuurlijke wijze gefokt. De dieren gedijden zonder antibiotica en hormonen, en leefden zo vrij en natuurlijk mogelijk. De gemeenschap op Claire had de mankracht en de tijd en de wens de dingen op natuurlijke wijze en goed te doen.

Er waren natuurlijk veel mensen die hun twijfels hadden: er kwamen schrijvers en journalisten uit New York en Philadelphia die deden alsof ze belangstellende nieuwkomers waren, en er dan weer vandoor gingen. In allerlei tijdschriften en kranten van *Vanity Fair* tot de *New Yorker*, van de *New York Times* tot de *Philadelphia Inquirer* verschenen cynische stukken die de draak staken met de onderneming. Het liet Jackson koud. Hij las alle artikelen vol trots. Sterker nog, hij was dol op de *Times* en liet die dagelijks bezorgen aan de voet van die mysterieuze oprijlaan, die altijd ongemarkeerd zou blijven. Het was zijn dagelijkse ritueel en genoegen om de lange afstand naar beneden te lopen, de heuvel af, om de krant te halen. Het nieuws was zijn schakel met de wereld. (Een ritueel dat met Beths dood zou eindigen.) En de plaatselijke bevolking was natuurlijk ook argwanend, tot men door kreeg dat Claire winst maakte (Claires geld ging per slot van rekening naar plaatselijke banken), merkte wat Claire bijdroeg, en tot het inzicht kwam, op grond van tijd en ervaring, dat het geen hippieenclave was van vrije liefde en LSD. (Het moet echter gezegd worden dat Jackson en zijn mensen van tijd tot tijd graag een goede joint rookten – Marokkaanse hasj, wiet uit Azië.) Vanuit heel Amerika kwamen er mensen naar Claire. Er kwam iemand uit China toen het nog echt moeilijk was over te lopen. Ze kwamen uit Afrika. Ze kwamen uit Noorwegen. Ze bleven maar komen. Er kwamen zelfs honden en katten; die kwamen van farms in de buurt. 'Ze geven de voorkeur aan het leven op Claire,' zei Jackson altijd. Na het vlees kwamen er bessen, na de bessen kwamen er groenten, na de groenten kwamen er ideeën: waterstof als brandstof, een passie die in Jackson ontstoken was door een Russische elektrochemicus, die op het hoogtepunt van de oliecrisis van 1973 korte tijd op Claire geweest was en aan het idee van een economie gebaseerd op waterstof werkte. Hij stelde zich een wereld voor waarin mensen voor hun auto's, huizen – hele steden, hele landen – water als brandstof gebruikten. Ondanks het feit dat dit streven misschien op het eerste gezicht onrealistisch leek, wakkerde het Jacksons verbeelding aan. Hij was nooit iemand die een idee verwierp omdat het onpraktisch of onrealistisch was, als het tot iets nieuws en wonderbaarlijks zou kunnen leiden.

Naarmate er meer mensen kwamen, arriveerden er ook kinderen of ze werden op Claire geboren, en er werd een begin gemaakt met de school. Die zocht ook aansluiting bij de plaatselijke gemeenschap, verwelkomde hen die niet op Claire woonden en bood een alternatief voor de openbare scholen, en een paar kinderen uit de buurt durfden het zelfs aan erheen te gaan. Onderwijzend personeel sloot zich bij de gemeenschap aan en de kinderen groeiden voorspoedig op.

Naarmate Claire groeide, werden ook de behoeften van de gemeenschap groter, en er werden nieuwe markten gevonden of gecreëerd voor Claires producten. Luxerestaurants en levensmiddelenwinkels voor fijnproevers in New York en Philadelphia werden aangeboord als markt voor Claires vlees en bessen en groenten en appels. Een Italiaan maakte op Claire verse ravioli en tagliatelle zoals niemand ooit eerder geproefd had. De mensen op Claire besloten die verslaggevers en kranten tot hun voordeel aan te wenden en maakten van de publiciteit gebruik om toeristen te lokken. Voor honderd dollar konden gasten een nacht op Claire blijven, alle maaltijden inbegrepen, en de mensen kwamen – hoewel er weinig toeristen bleven. Claire was niet vies van kapitalisme: als er geld nodig was, zorgde men dat er geld kwam, en als dat er eenmaal was, werd het extra geld gebruikt om meer geld te genereren. Niets om je over te schamen.

In deze beginjaren werd Preveena verliefd op Jackson, en hij bleef tijdens hun hele verhouding met Claire praten. Hij vertelde haar hoe goed het voelde om liefde te voelen, over wat het betekende in leven te zijn, over hoe Beth Preveena accepteerde. En dat deed Beth. Preveena leerde Beth een beetje Hindi, vertelde haar lange ingewikkelde verhalen over apen in banyanbomen en baders in de vervuilde Ganges. Ze beschreef de rituele brandstapels en hoe baby's en lichamen in de rivier voorbijdreven, en ze vertelde haar hoe de Ganges, lang geleden, uit de hemelen in een stortvloed naar beneden kwam in Shiva's wilde haren. En er waren natuurlijk marahani's en maharadja's die op met juwelen getooide olifanten reden om tijgers te gaan schieten. Preveena, in haar sari met al haar verhalen en haar mooie ogen, had ook talent voor vissen met kunstvliegen, dat ze deelde met Beth. Ze hingen samen voortdurend rond bij de woeste voorjaarsstromen, een schilderachtig en onwaarschijnlijk paar.

Jackson was de bedenker van de droom, maar hij had niet de leiding. Zo'n soort ego had hij niet en hij verlangde ook niet naar macht. Hij zou er trouwens niet goed in geweest zijn. Hij had geen belangstelling voor een rol als leider. Bovendien moest zijn neiging tot ruilhandel drijven onder controle gehouden worden – een taak die eerst aan Beth ten deel viel, daarna aan Preveena, daarna aan Sissy Three.

Mensen werden verliefd en dat ging weer voorbij en daar kwamen conflicten over. Sommigen vertrokken als gevolg daarvan, want zelfs achthonderd hectare is niet genoeg om te ontsnappen aan een stukgelopen liefde. Anderen hielden het uit. Kort na de geboorte van Rada ging het mis met de liefde tussen Jackson en Preveena. De jonge moeder werd meer en meer jaloers op Claire, op Jacksons gesprekken met haar, op zijn onvermogen haar te laten gaan. Hij praatte meer tegen Claire over Rada (een meisje met een donkerbruine huid en zijn blonde haren en haar moeders grote ogen – een hoogst verleidelijk contrast in licht en donker) dan hij tegen Preveena deed.

Maar Preveena bleef. Ze leerde iedereen uitgebreide Indiase feestmaaltijden te waarderen. Beth was dol op haar maaltijden met negen curry's die je met je vingers moest eten – alleen van je rechterhand alsjeblieft (de linkerhand werd traditioneel voor het toilet gebruikt). Preveena toverde pilavs te voorschijn en korma's en raita's en mango chutneys, bracht dagen in de keuken door met het combineren van specerijen, het roosteren van kardemom en koriander en mosterdzaad, verpulverde de specerijen tot stof met een stamper, leerde Beth hoe het werkte en beantwoordde de eindeloze vragen van het meisje.

Intussen bleef Jackson met Claire praten over de ontbinding van de liefde, over zijn rol, haar rol, vroeg zich voor de eerste keer af of de tijd hun liefde ontbonden zou hebben, overwoog dat idee met haar, maar slechts even, voor hij het uit zijn hoofd zette, omdat zijn wereld gebouwd was op de duurzaamheid van hun liefde.

Jacksons verdriet duurde even lang als zijn liefde, hoe sterk hij misschien wel was en leek. Soms huilde hij als hij alleen was. Beth wist altijd wat de lange afwezigheid achter de deur van zijn kantoor betekende. Als kind zat ze altijd buiten de deur te wachten. Het kon haar niet schelen hoe lang het duurde voor hij tevoorschijn kwam. Het was haar nietige poging haar moeder te trotseren en haar vader voor zichzelf op te eisen. Daar zat ze dan, in lotushouding net als in India (zoals ze plachten te zeggen), met rechte rug, hard naar de deur te staren, zo hard dat ze zich soms voorstelde dat ze met haar ogen de deur kon doorboren en haar vader aan zijn bureau kon zien zitten, met zijn hoofd in zijn handen, terwijl hij snikte en probeerde te praten met iemand die er niet was. De onontkoombare pijn verlamde haar vader. Als hij ten slotte naar buiten kwam, nestelde ze zich tegen hem aan en borstelde zijn haren met haar vingers, en voelde hoe zwaar het verdriet was, voelde hoe bang ze ervoor was. Ze haatte haar moeder omdat ze dood was gegaan, en tegelijk haar vader gestolen had.

'Je moet Claire niet haten,' zei hij altijd. Hij kende zijn meisje. Hij wilde tegen Claire praten zodat Beth haar moeder kon horen antwoorden. Hij wilde dat Beth wist dat haar stem bij hen was, dat haar wijsheid met hen was, dat ze van haar meisje hield. Hij wilde dat zijn dochter in Claires armen werd opgenomen, bedolven onder Claires kussen. 'Kijk naar je dochter, liefje,' zei hij. Het was voor Beth of hij echt tegen iemand praatte, alleen kon ze die persoon niet zien. 'Kijk eens hoe goed we het hier doen met haar,' ging hij door.

'Maar ik ken die vrouw niet eens,' zei Beth. 'En het is uitgesloten dat ze mij kent.'

'Dat moet je niet zeggen,' beet hij haar toe. 'Ze kent je wel. Ze weet precies wie je bent. Je bent nog net zo als toen je geboren werd. Ze kent je heftige wil. Ze kent je warmte en je liefde. Ze wist precies wie je zou worden.' Hij keek in de doodsbenauwde ogen van Beth.

Ze bleven komen. Mash kwam aan midden in de jaren zeventig van de twintigste eeuw, uit New York en daarvoor uit Rusland. In de bossen bouwde hij tipi's en joerten en kleine hutten zodat een persoonlijke levenssfeer aangeboden en gerespecteerd kon worden. Hij instrueerde anderen hoe ze konden helpen en mensen die nooit van zichzelf gedacht hadden dat ze konden timmeren leerden dat ze het wel konden. In 1984 kwam Hunter, de mislukte investment banker, uit New York (een heleboel mensen kwamen uit New York). Op een of andere manier had deze knaap, met alle champagne die hij verschafte en zijn penny loafers, (waar een penny inzat), te maken gehad met Iwan Boesky en was hij voor hem gevallen lang voor Boesky zou vallen. Hunter, aanbiddelijk, vieze blonde haren, niet-aflatend positief, die van heel veel zaken verstand had, een buitengewone vragensteller, zou Beths echtgenoot worden – Valeria's vader. Maar dat wist natuurlijk nog niemand.

Sissy Three kwam met haar massa rossige krullen en haar opgewekte energie en haar bazige aard, speelde over iedereen de baas met haar grote plannen alsof ze vanaf het begin op Claire gewoond had en wist wat het beste voor Claire was. Ze schreef een grondwet. (Tot de dag van vandaag ligt die begraven in een la ergens in een kelder op Claire.) Ze raakte bovendien geobsedeerd door de echte Claire, bestudeerde aandachtig foto's van de vrouw – er werd zelfs gezegd dat ze probeerde te wedijveren met Claire, zelfs probeerde haar enthousiasme voor het leven te overtroeven. Sissy Three praatte alsof ze Claire kende en deze belangstelling bracht Jackson en Sissy Three al vlug bij elkaar, hoewel Jackson geen idee had hoe diep het navragen en onderzoeken ging waar Sissy Three aan begonnen was: weekeinden in New York met Claires moeder, oude fotoalbums en Claires notitieboekjes van de universiteit doorbladeren, haar brieven van thuis lezen. 'Ze was slim,' zei de grootmoeder, die genoot van de aandacht en de belangstelling, tegen Sissy Three. 'Veel slimmer dan ik ooit had kunnen zijn. Ze had grootse ideeën, maar ze was te slim om haar tijd op de farm te verspillen. Ze zou boeken geschreven hebben. Ze zou in de voorhoede gestaan hebben van deze vrouwenbeweging als – als hoe heet ze ook al weer?' Ze sloeg op haar voorhoofd met de muis van haar hand alsof ze de naam eruit kon kloppen.

'Betty Friedan?' opperde Sissy.

'Ze kende Betty Friedan – Claire kende haar. Sterker nog, Betty is zelfs op Claire geweest.' Toen zag ze Sissy's handen, en veranderde van onderwerp: 'Je hebt echt prachtige handen.' Ze tilde ze op om ze te bewonderen. Sissy Three's belangrijkste kenmerk, vreemd genoeg, waren haar handen, heel lang en slank. Ze was model voor handen geweest in Parijs. Een Japanse chemicus met wie ze korte tijd in Parijs was omgegaan had haar op een heldere voorjaarsdag naar Claire gebracht. De chemicus was betrokken bij het project van de waterstofeconomie. Sissy Three ging nooit meer weg.

En altijd kwam de grootmoeder, in haar zwarte Lincoln met een sjaal om haar witte haren en een omslagdoek om haar schouders. Ze zat op het plankier met uitzicht op de velden en het bos en de boerderijen in de verte. Ze vertelde Beth over New York waar het leven beter was, probeerde haar kleindochter te overreden hetzelfde pad als Claire te volgen. Ze wilde dat Beth naar een particuliere school zou gaan waar ze Latijn zou leren in plaats van Hindi, dat ze naar New York zou komen en de Franse keuken zou leren waarderen in plaats van die van India. (Tegen 1979 had de grootmoeder deze strijd gewonnen.) En dan ging ze bij Jackson zitten en deed alsof ze van haar champagne nipte (ze was geen drinker) en vertelde hem dat hij een dromer was; ze vertelde hem dan alles behalve dat zijn droom wel moest mislukken zoals deze experimenten in alternatief leven altijd doen. 'Te veel seks, te veel ego, te veel mensen met te veel bestemmingen.'

'Nou, Grammy,' zei Jackson dan als hij haar de 'kokend hete' thee aanbood waarom ze verzocht had alleen maar omdat ze hem graag vroeg iets voor haar te doen. Jackson hield Claire levend voor haar, en hoewel ze dat nooit zou toegeven, oefende de gemeenschap aantrekkingskracht op haar uit, ze bleef maar komen, zat ergens op dat plankier volop te genieten van de plek en de denkbeelden, en vertelde Jackson waarom het nooit zou werken. Ze was misschien heethoofdig, maar ze was niet immuun voor wat haar dochters mythe vermocht. Ze zat daar op de plek die Claire had genoemd als de locatie voor het huis, waar Claire een bevallige striptease gedanst had op een mistige dag in april. Terwijl ze zich opdrukte om naar Jackson te kijken, allebei naakt in het gras, had Claire gezegd: 'Het eind van de wereld kan onmogelijk nabij zijn als we ons zo goed kunnen voelen als we nu doen.'

Tegen de tijd dat Cesare op Claire aankwam in november 1985, door Beth uit New York gehaald voor Thanksgiving, woonden en werkten er meer dan honderd mensen op de farm. Cesare had zich Claire anders voorgesteld. Hij had zich een chaotische plaats voorgesteld met mensen die boven op elkaar leefden en het op een of andere manier ondanks zichzelf allemaal redden. Hij had zich voorgesteld dat iedereen bezig was met samen eten en koken en slapen, een heleboel rare mensen van over de hele wereld die dromerig rondliepen terwijl ze plannen verzonnen, kinderen die wild en verwaarloosd rondrenden, en iedereen met taken die uitgevoerd werden, vraag niet hoe, Jackson die aan alles leiding gaf met zachte hand, die zijn dochter (en verschillende vrouwen) harder probeerden te maken. Zo was Claire niet. Wat hij aantrof was een ordelijke woonplaats met persoonlijke vrijheid, regelmaat, zelfs discipline. Vreemd, ja, anders, ja, maar meer als een dorp, een soort stad, dan wat Cesare zich bij een commune had voorgesteld. Hoewel Cesares drogbeelden in een detail bewaarheid werden: de keuken in het centrale huis leek altijd voor iedereen toegankelijk te zijn. De hele dag haalden zowel mensen die Cesare niet en mensen die hij wel kende eten uit de ijskast en de kasten. ('Een draaideur,' zei Grammy altijd. 'Al die mensen te eten geven wordt nog eens de ondergang van Claire.')

Er waren onverharde wegen op Claire (het werk van Mash), die een contrast vormden met het interieur van de joerten en hutten, die allemaal onberispelijk afgewerkt waren met blinkende witte muren, antieke bedden, en vrolijke gordijnen, ter beschikking gesteld door een ontwerper genaamd Short (en hij was inderdaad kort, met heel veel haar en lange nagels). Shorts bijdrage aan de gemeenschap was zijn oog voor antiek, en hun vermogen om het te waarderen.

De gemeenschap had een bevoorradingsmagazijn en een magazijn dat artikelen aan de toeristen verkocht; er waren kantoren, de school, en natuurlijk het huis dat boven op de heuvel lag, naar alle kanten uitgegroeid en gebouwd met glas en cederhout – ook gedecoreerd door Short. Cesare had nog nooit zo'n huis gezien, dat geen speciaal ontwerp leek te hebben maar toch spectaculair was, omdat alle ramen een schitterend uitzicht hadden, en omdat het hout de ongelijksoortige delen tot een eenheid maakte. Langs het hele huis en elk van de vijf slaapkamers alsook langs de woonkamer liep een plankier, en de keuken had schuifdeuren die daarop uitkwamen. Het huis was nooit uitgebreid. Het was in een keer gebouwd in de wetenschap dat het uitzicht altijd hetzelfde zou blijven. Het was het resultaat van een vaag ontwerp van Claire dat ze gemaakt had toen ze zoveel jaar geleden naast haar echtgenoot terugreed naar New York. 'Glas,' had ze gezegd. 'Heel veel glas. Zodat het eruitziet als water en niets voor ons verborgen blijft.'

Bij het Thanksgivingdiner was Cesare verbaasd vijftien of twintig mensen aan te treffen in plaats van de honderd in totaal die hij zich had voorgesteld. Zelfs dit was een grote groep, werd hem verteld, maar hij bestond uit familie en vrienden. De andere mensen op Claire waren of voor de feestdag weggegaan of vierden het met hun eigen familie. In de loop van het jaar dat Cesare in Amerika was en op Claire logeerde was hij zich zelden bewust van de honderd mensen in totaal. Evenmin als in een stad zit de hele bevolking voortdurend bij je aan tafel.

Jackson, Preveena, Sissy Three en Rada troffen hem als een vreemde familie: niet excentriek, maar ongewoon. Jackson had bijvoorbeeld niet de twee vrouwen – Preveena en Sissy Three – waar Grammy hem voor gewaarschuwd had. ('Twee vrouwen,' zei ze altijd. 'Drie als je Claire meetelt. En ik bedoel de farm, niet mijn dochter.') Preveena, die meer als een zus was en speels omging met zowel Sissy Three als Jackson, had een verhouding met Mash, de Russische timmerman wiens zware accent Cesare nauwelijks kon verstaan. In Italië waren families zo ongecompliceerd; Beths familie was ongewoon maar ook verfrissend, en Cesare bewonderde de poging om hier geluk te scheppen, om een toestand te creëren (hoe onconventioneel die ook mocht zijn) die even goed, misschien beter werkte, dan een traditionele familie, waarin ellende zo vaak afgedaan werd als iets dat er nu eenmaal bijhoorde. Ze probeerden het, zo eenvoudig was het.

Hoewel Cesare niet met zoveel woorden erkend zou hebben wat hij zocht, wilde hij Claire zien, Amerika en Beths wereld zien, zodat hij haar volledig kon begrijpen, haar grondig kon leren kennen, erachter kon komen of hun liefde hun respectieve geschiedenis kon weerstaan. Het was voor hem veiliger om over zijn ervaring te denken in termen van Amerika: als kleine jongen droomde hij al altijd over Amerika, las over Amerika, was verliefd op Amerika, en nu hij hier was, wilde hij erin wegzinken, een worden met Amerika, zoveel mogelijk te weten komen en zo mogelijk ervaren. In theorie hield hij van avonturen. In theorie was hij bereid zichzelf te verliezen en alles en nog wat te proberen om te kijken hoe het zat, te kijken of hij er beter uitzag, zich beter voelde in een ander jasje. Dit was zijn wezen, datgene van hem waar Beth het meest van hield, dat Beth naar boven probeerde te halen en te stimuleren.

Toen hij op de woensdag voor Thanksgiving uit New York wegging met alle andere studenten die naar hun vroegere leven terugkeerden, voelde hij zich een Amerikaan, als een student die naar huis ging. Hij hield van wat de universiteit vertegenwoordigde, al die jongens en meisjes die op zo'n jonge leeftijd onafhankelijk van hun familie waren, in staat te doen en te kiezen wat ze wilden; ze leerden het begrip vrijheid kennen eenvoudig door de verscheidenheid aan onderwerpen waaruit ze konden kiezen bij hun studie, en al doende leerden ze wie ze zouden en konden worden. De universiteit in Italië was heel anders. Je woonde en werkte thuis (het was gebruikelijk thuis te wonen tot je trouwde) en je ging hoofdzakelijk naar de universiteit om examen te doen. Je had geen echte band met je docenten en je keuze voor de universiteit was gebaseerd op de baan die je zou hebben als je klaar was, wat al besloten was door wat de familie voor haar nakomelingen bepaald had. Hij studeerde aan de Bocconi omdat die op de economie gericht was. Je ging niet naar de Bocconi als je rechten moest studeren of geneeskunde of bijvoorbeeld talen. Op de middelbare school kreeg je les in de alfawetenschappen. Zijn zomertripjes naar Londen hadden bij hem een kleine zucht naar onafhankelijkheid gewekt, maar die excursies hadden een hechte structuur, waren goed georganiseerd, en er nam een grote groep Italianen aan deel. Hij was hier in Amerika net een kameleon. Hij kon doen alsof hij een Amerikaanse student was, kijken of het hem paste.

Onderweg, toen hij op de lange rechte 1-80 naar het westen reed, en zijn tank vol gooide (heel goedkoop, ontdekte hij) bij die immense halteplaatsen voor vrachtwagens die alles leken te verkopen; toen hij over de kleine lintwegen reed die schilderachtige boerderijen met elkaar verbonden, met hun koeien en kippen en gemeenschappen van huizen die er allemaal hetzelfde uitzagen, (al) helder verlicht met uitgebreide odes aan kerst – Santa's en rendieren en flikkerende lichtjes langs huizen, bomen, garages, hele neon kerststallen in voortuinen – voelde Cesare zich echt een Amerikaanse jongen die naar huis ging. Toen hij die middag op Claire aankwam, een koude dag in november, alle bladeren van de bomen en het gras stijf bevroren, gooide hij, zelfverzekerd als iemand die daar thuishoorde, zijn jas uit. Hij sloot zich als een oudgediende aan bij de kleine groep die op het grasveld voor het huis met een spelletje rugby bezig was, alsof hij deze onbekenden altijd al gekend had. Beth keek. Daarom hield ze van hem.

'Welkom,' zei Jackson met een glimlach en hij strekte zijn hand uit. Hij was een lange, slanke, knappe man met doordringende blauwe ogen, borstelige wenkbrauwen en een scherpe kaak. (Cesare had gedacht dat hij zwaarder gebouwd zou zijn.) Zijn haar was dik, zijn bakkebaarden liepen messcherp over zijn wangen. Hij had een verschoten spijkerbroek aan en een flanellen hemd met een leren vest, en hij deed Cesare denken aan Peter Fonda in *Easy Rider*, die hij als kind vaak op de televisie had gezien, samen met een groep vrienden die allemaal heimelijk droomden dat ze op hun motorfiets onbezorgd over die lange Amerikaanse wegen reden. Jackson maakte een jeugdige indruk, niet typisch een vader, ondanks zijn zevenenveertig jaar. Cesare gaf Jackson een kus op beide wangen en vervolgens kuste hij Preveena en Sissy Three. Rada sprong in zijn armen. Een meisje dat er onmiskenbaar vreemd uitzag, dacht Cesare; haar donkere huid en blonde haren vormden zo'n opvallende combinatie. Cesare zou spoedig ontdekken dat Rada, tien jaar oud, verliefd was op Beth en haar als een jong hondje overal volgde en net als haar grote zus wilde zijn. Als gevolg daarvan flirtte Rada uitbundig met Cesare, vertelde hem alles over zichzelf waarin ze net als Beth was: 'Ik drink niets met prik, net als Beth. Ik vind alleen maar koffieijs lekker, net als Beth...' Ze wilde altijd op zijn schoot zitten aan tafel of voor het haardvuur. Ze vroeg hem steeds weer bij haar team als ze rugby speelden. Ze nam hem mee uit wandelen om hem haar geheime schuilplaatsen te laten zien. Beth verwende haar kleine zusje, plaagde haar met haar gedweep, nam Rada in haar armen en kietelde haar zo dat Rada uitzinnig van vreugde werd, alleen al omdat Beth het deed. Cesare zag dit alles en kwam tot de conclusie dat er iets treurigs in haar radeloosheid zat, alsof ze probeerde zich vaster aan deze wereld te hechten ter compensatie van het feit dat ze kennelijk zo weinig wist over haar andere kant, haar Indiase wereld.

'Dat is belachelijk,' zei Beth later toen Cesare het probeerde uit te leggen. 'Dit heeft meer met jou te maken dan met Rada.'

Op het grasveld was bij hun komst al een spelletje rugby aan de gang. Toen ze dichterbij kwamen zag Cesare tot zijn verbazing Preveena in haar sari en een sweater, met een bal in haar armen. 'Is het zo niet lastig rennen?' vroeg Cesare. En ze lachte tegen hem, vond het heerlijk dat hij zo direct was. Ze was mooi, misschien de mooiste vrouw die hij ooit gezien had. Ze had heel kort haar en haar ogen waren helder en donker maar op een of andere manier net lichtjes, geaccentueerd door de boog van haar donkere wenkbrauwen. Ze had een breed gezicht. Er was heel veel gezicht, maar al haar trekken werkten samen om er een compositie, een studie in perfectie van te maken. Beth had niet verteld dat Preveena zo mooi was. In haar neus schitterde een klein diamanten knopje. Haar huid was zo glad als melkglas afgezien van een grote sproet op haar linkerwang.

'Dus dit is de grote liefde van onze Beth. We hebben alles over je gehoord,' zei Preveena. 'En nu willen we alles vanuit jouw gezichtspunt horen, alles over die verhouding op Paros.'

'Een derdegraadsverhoor,' zei Jackson. 'Je moet oppassen voor ons. We zijn dol op vragen.' Het grasveld liep schuin af in de richting van dichte bossen, een ingewikkeld netwerk van kale bomen.

'Nog meer op antwoorden,' zei Preveena.

'En ik heb alles over jullie gehoord maar ik heb nog veel vragen,' zei Cesare en het lijstje flitste door zijn hoofd. Wat hij het liefste wilde weten was hoe Jackson erin slaagde Claire nooit te verlaten. Hij leek niet het soort man dat altijd op dezelfde plek wilde blijven. 'Hij haalt de wereld naar zich toe,' zei Grammy altijd.

'Beth maakt zich wel eens te veel zorgen om ons,' zei Jackson. 'Ik hoop dat zij en haar grootmoeder je niet te veel verhalen verteld hebben.' Hij lachte zijn grote ondeugende lach, zijn vrolijke gezicht vol leven, diepzinnig en raadselachtig. Zolang Cesare zich kon herinneren had Beth nooit afgegeven op Claire, er alleen maar vol liefde over gepraat, en soms, misschien, verbeeldde Cesare zich, want hij wist het zelf nog niet zeker, een beetje te idealistisch. Hij vroeg zich af of ze veel verschilde van haar vader. Jackson keek zoekend rond naar zijn dochter.

'Hier ben ik,' zei Beth die aan kwam rennen van het plankier om haar vader met een grote omhelzing en kus te begroeten. Cesare zag (hij zag zo ongeveer alles) hun overduidelijke liefde waar niets vormelijks aan was. Jackson zwiepte Beth de lucht in alsof ze nog een kind was en zette haar daarna weer op de grond zodat ze de anderen kon kussen. Uit alle monden kwamen witte wolkjes.

'Eindelijk,' zei Sissy Three. 'Beth heeft je al die jaren voor zichzelf gehouden.'

'Vooruit Sissy,' zei Preveena. Cesare werd ook onmiddellijk door Sissy's schoonheid getroffen. Sissy's schoonheid, het tegenovergestelde van die van Preveena, was een prerafaëlitisch visioen, met haar blauwe ogen en haar lange rossige tressen, haar scherpe puntige neus. Haar gezicht leek van porselein en zag er even breekbaar uit. Ze had een spijkerbroek aan en gympen en een sweatshirt. Deze twee vrouwen, over wie Beth zo vaak had gesproken, maakten grote indruk op hem. Hier waren ze, tot leven gekomen als figuren die van de bladzijden van een boek zijn herrezen, vitaal, met kloppende aderen. Op een of andere manier had hij nooit verwacht dat ze maar een paar jaar ouder waren dan hij. Wat vreemd te ontdekken dat deze twee zij aan zij leefden zelfs al was er voor hen niets vreemds aan.

Even sloofden ze zich uit voor Cesare, boden hem iets te drinken aan, te roken, een rondleiding over het terrein. Ze stelden Beth snelle vragen over haar studie en New York, de pizzeria waar ze werkte, en plaagden haar, zag Cesare, door de manier waarop ze lachte en haar hoofd boog. Het leken net drie zusjes. Rada sprong om hen heen en probeerde bij hen betrokken te worden.

Mash en Hunter speelden ook een spel. Ze kusten Beth en schudden Cesares hand. Ze leken aardig. Hij keek naar Hunter, herinnerde zich Beths woorden over zijn vermogen. Hij was gekleed als het evenbeeld van de Amerikaanse jongen waar Italiaanse jongens naar streefden – een kakibroek en daarover een dik katoenen overhemd dat nodig gestreken moest worden, bootschoenen. Een amish-boer en een paar amish-jongens deden ook mee, evenals nog wat anderen van wie Cesare de naam ontging – vrienden van een farm uit de buurt die niets met Claire te maken had hoewel ze waarschijnlijk wat producten ruilden, vrienden uit New York, een verwarde professor met een naam als Ali Baba. Ze dromden om Beth en Cesare heen en kusten en verwelkomden hen. Beth noemde alle lekkernijen op die ze uit New York had meegenomen – biscotti uit de Bronx en olijfolie en mozzarella en flessen wijn. Ze beloofde om pizza te maken en vroeg Mash of hij vlug een steenoven voor haar wilde bouwen. 'Voor jou doe ik alles, lieverd,' zei hij met een knipoog. (En hij maakte de oven echt. Zo'n effect had Beth; mensen wilden dingen voor haar doen.) Toen Cesares zusje thuiskwam uit Milaan, nam ze niets mee. Toen ze wegging, had ze tassen vol biefstuk en pasta en kaas en fruit, een voorraad waar ze genoeg aan had tot haar volgende bezoek. Cesare merkte het verschil op.

'Het wordt donker,' zei Preveena. 'Ik wil mijn touch-down maken voor het zover is.' Ze gooide de bal naar Cesare en zei dat hij in haar team zat. De bal rolde van haar vingers en zweefde rustig naar Cesare. Hij ving hem tegen zijn borst en gooide hem weer naar haar terug, liet hem van zijn vingers rollen. 'Je bent een snelle leerling,' zei ze. 'Ik weet zeker dat Beth je niet heeft leren spelen.'

'Een groep rugbyspelers uit Texas heeft zich op school over hem ontfermd,' zei Beth. 'Ze doen de hele zondag niets anders dan Cesare rugbyles geven en daarna leren ze hem hoe hij zoveel mogelijk biertjes kan drinken.'

'Uit Texas?' vroeg Sissy Three, alsof rugbyspelers uit Texas en New York complete onzin waren. Net op dat moment keek Cesare naar Beth, die ingepakt was in een sweatshirt en een joggingbroek, een donzen vest, en hardloopschoenen, en hij begreep dat zij er hier toe deed. De vouwen die zijn moeders dienstmeisjes in zijn broek geperst hadden zaten er nog in. De vouwen deden er niet toe.

'Pas op voor die Texanen,' zei Jackson met een koket opgetrokken linkerwenkbrauw. 'Ze spelen gewoonlijk vals.' Cesare dacht aan de dag dat Beth voor het eerst zijn vader ontmoette, hoe koel en streng hij geweest was, hoe zij met haar vriendelijke en hartelijke manier van doen zich niet had kunnen voorstellen dat die onbeleefde man Cesares vader was, dat ze hem integendeel gehouden had voor een irrelevant persoon die een slechte dag had, die niet vriendelijk hoefde te zijn: de tuinman. En het spel ging door met Preveena in haar sari die haar touch-down maakte en Cesare die als een oude bekende werd opgenomen. Dit was het voorval dat Cesare wilde herscheppen, later, toen hij, weer terug in Italië, zijn vrienden bijeenriep om rugby te spelen op het grote veld in Fiori. Hij wilde een groep mensen verzamelen die overal vandaan kwamen: zijn vader, zijn moeders dienstmeisje uit Sri Lanka, haar man, zijn surfvrienden. Hij stelde zich voor dat hij een bal naar zijn kleine oude vader gooide, stelde zich voor dat zijn vader hem ving en hem daarna van zijn gekrulde vingers liet rollen, met een glimlach om zijn mond. Hij stelde zich voor dat hij zijn vader omhelsde, groot en breed, zoals Jackson Beth omhelsde. De zon, die wegzonk in de heuvels, spreidde haar kleuren uit tegen de hemel.

Het vieren van Thanksgiving was voor Cesare ook een vreemd en mooi ritueel om mee te maken, alle warme gezichten die samen liedjes zongen aan een lange tafel ('We gather together to ask the Lord's blessing' en dergelijke), het eten van de grootste vogel die hij ooit gezien had (die ze zelf gefokt en gedood hadden), het volladen van borden met aardappels en zoete aardappels en groenten en vulling en zoete cranberrysaus en geglaceerde uien – gerechten die hij nog nooit eerder gezien had, smaken die hij nooit eerder geproefd had. Zijn bord was, net als dat van alle anderen, volgestouwd – volstrekt niet delicaat of discreet. Hij dacht aan zijn superslanke moeder, hoe ze nauwelijks durfde te eten en ook bijna niets at. Hij stelde zich voor hoe geschokt ze zou zijn als ze zo'n bord zag, en hij verheugde zich erop het voor haar in detail te beschrijven, wist hoe ze zou lachen. *Grammy schepte het meeste op*, schreef hij, *en ze at haar bord helemaal leeg, nam zelfs nog een keer. Ze had een eetlust als die muilezels van de amish. Alle gerechten vermengden zich met elkaar – cranberry met aardappel met kool met uien tot het roze werd en je niets meer kon onderscheiden. Hoe*

meer het in elkaar overging hoe meer ze ervan leek te genieten,
en ze prakte alles met haar vork door elkaar.

Over alles droop jus. Al deze joviale mensen kwamen bij elkaar om dank te zeggen. Dank waarvoor? Dank omdat je naar dit land gekomen bent, dank omdat je bij elkaar kunt zijn, dank omdat het je goed gaat? Italianen hadden altijd in Italië gewoond – het stadium van dankbaar zijn voor wie ze waren hadden ze allang gehad. Er was iets onschuldigs en naïefs en jongs in dit ritueel, dat hij met Kerstmis opnieuw zou zien met al het gejubel en overal al die Santa's en de verering van de boom. Aan tafel was iedereen tegelijk aan het woord, ze argumenteerden en discussieerden hartstochtelijk over een aantal onderwerpen als muziek en eten en binnenhuisarchitectuur en zelfs de kleur van dinerborden – cranberry met een goud randje. 'Borden moeten wit zijn,' verklaarde Short in een discussie over esthetiek, 'om het eten beter uit te laten komen.'

'En als het eten er niet uitziet?' vroeg Hunter. Deze knappe jongeman, die waarschijnlijk jonger was dan Cesare, blaakte van zelfvertrouwen, het zelfvertrouwen van een bevoorrechte positie en een goede opleiding. Hij kwam uit Beacon Hill in Boston, rijkdom, blauw bloed. Hij was naar Harvard geweest, daarna naar de business school van Columbia. Hunters geloofsbrieven van Brahmin uit Boston (Cesare hoorde dit van Beth, die ze opsomde alsof het redenen waren waarom hij zich aangetrokken zou moeten voelen tot Hunter, alsof het feit dat ze geld hadden en tot een vooraanstaande familie behoorden genoeg voor hen was om vrienden te worden) zeiden Cesare niets. Hunter probeerde altijd met Cesare een discussie aan te gaan over corruptie in de Italiaanse bankindustrie en in de Italiaanse politiek. Wat Cesare bij Hunter het meest opviel was zijn agressiviteit, zijn verlangen je te laten weten hoeveel hij over alles wist, van Italiaanse cultuur en geschiedenis tot muziek en eten tot literatuur. (Wat kon een Italiaan in hemelsnaam weten over Amerikaanse non-fictie en de literaire journalisten? liet Hunter doorschemeren. Liever dan een discussie aan te gaan – Cesare argumenteerde niet; dat lag niet in zijn

aard – ging hij op een ander onderwerp over.) Cesare vroeg
zich nog eens af of Hunter ooit een oogje op Beth had gehad,
omdat hij voor haar leek te acteren, en op een of andere manier
begreep Cesare dat Hunters elitaire opvoeding – zijn geld, zijn
opleiding, zijn kennis van de wereld – haar in verleiding
bracht. Hunter draaide om Beth heen, glimlachend en flirtend,
en vertelde haar van grandioze reisplannen en zijn ideeën om
uit niets geld voor Claire te genereren. Het leek of Beth bloosde, verlegen werd onder zijn belangstelling, zoals kan gebeuren als iemand die je aardig vindt met je flirt – zoals ze zich op
Paros met Cesare gedragen had. ('Je begrijpt helemaal niets
van hem,' zei Beth tegen Cesare toen ze na het eten alleen waren. 'Hij is een vriendelijk mens en je jaloezie maakt dat je onschuldige vragen als een uitdaging ziet.' Pauze. Daarna: 'Wil je
dat ik verliefd op hem word?')

'In een huis als dit is het eten altijd om aan te zien,' zei Short.
Er werd over Reagan gepraat en over de aandelenmarkt en de
laatste opwindende onderwerpen uit de *New York Times* die
elke ochtend, uitgespreid over de tafel van de eetkamer, door
iedereen die erom gaf grondig gelezen werd. Cesare stelde zich
voor dat niemand ooit eenzaam was op Claire, en vroeg zich
vervolgens af of ze daarom allemaal hier waren. Beth had Cesare verteld dat Hunters familie eens per maand naar Claire
kwam om te proberen hem ervan te overtuigen dat hij weg
moest gaan, met de woorden dat angst hem gevangen hield.

'Thanksgiving is een geconstrueerde feestdag,' zei Preveena
tegen Cesare.

Ze zat rechts van hem. 'Door een vrouw die Sarah Josepha
Hale heette, in het begin van de negentiende eeuw. Ze wilde een
feestdag die zich richtte op de vrouw en haar voedsel en ze pro-
pageerde het idee in een roman die ze schreef en in een enorm
populair tijdschrift dat ze uitgaf, vol adviezen om je huis nog
volmaakter te maken. Ze wilde vrouwen een feestdag geven.'

'En de Pilgrim Fathers?' vroeg Cesare.

'Die hadden er eigenlijk niets mee te maken. Een verhaal, dat
is alles.'

'Preveena kent haar Americana,' zei Sissy Three. Haar gezicht gloeide in het kaarslicht.

'Weer Sarah Hale,' zei Beth. Ze zat tegenover Cesare, en had een lange zwarte fluwelen jurk aan. Iedereen had zich formeel gekleed. Jackson droeg een vlinderdas en een smokingjasje. Door zijn bakkebaarden leek zijn lach nog groter. Cesare vroeg zich af of hij bakkebaarden zou kunnen laten groeien. Rada zat op Jacksons schoot en at van zijn bord, wat Cesare licht weerzinwekkend vond, alsof ze een soort ongezeglijk huisdier was. 'Lincoln zorgde tenslotte in 1863 dat het een nationale feestdag werd.'

'Beth kent ook haar Americana.'

'Ze kan jullie alles over je volkslied vertellen,' zei Cesare.

'Dat hebben we heel vaak gehoord,' zei Sissy. Grammy begon het volkslied te zingen. Rada zong mee. Cesare wist dat Grammy niet zoveel met Rada ophad. ('Ze is zo donker en vreemd met dat blonde haar. Een halfbloed. Vlees noch vis.') Maar samen kregen ze de hele tafel mee. Beth lachte, een jeugdige lach – een lach die hij vaak bij Laura gezien had, een lach van het jongere zusje, een lach die leeftijd en wijsheid achter zich liet. Op Claire werd Beth een kind op een manier die Cesare nog niet eerder had gezien. Maar ze was tegelijkertijd ook verantwoordelijk en ze had de leiding: de organisatie van het koken en tafeldekken, het tot stand brengen van overeenkomsten voor het gebruik van het land en de verkoop van appels en het slachten van het vlees – dat deed ze allemaal snel en moeiteloos. Het was duidelijk dat ze dit al lang deed en het was duidelijk dat Jackson op haar vertrouwde, maar op een of andere manier waren de behoefte en het vertrouwen een onuitgesproken gegeven dat ze weglachte (in die lach naar Sissy Three) onder het mom van onschuld. Als Cesare naar Beth keek, voelde hij een sterke behoefte haar te beschermen.

De maaltijd begon met een moment van stilte (ook een onverwachte traditie) en een gebed (hoewel niemand van deze mensen erg godsdienstig leek) en eindigde, na het dessert (kleinere borden vol met een mengsel van pecannoten en pompoen en chocola en allemaal even heerlijk, zij het ongewoon, alles door elkaar heen) waarbij Sissy Three die voor de tafel stond haar glas hief, met rode wangen van de wijn en de champagne, en een toast op Claire uitbracht. 'Niet het huis Claire, maar de dromer Claire. Dank je voor het dromen van je droom.'

Intussen voerde Ali Baba (Albarbar) met Jackson een discussie over het onhaalbare van waterstof als brandstof: 'Er is een tekort aan natuurgas. Dus zal men op kolen over moeten gaan en dat zal de ozonlaag meer schade berokkenen dan olie.' Ze kenden allemaal de kwalijke gevolgen van het gebruik van kolen. Snyder County lag op de grens van de antracietmijnstreek van Pennsylvanië. Albarbar was een kleine corpulente man met een baard, voorovergebogen in zijn gekreukelde tweedjasje, altijd kortademig – het soort Amerikaanse intellectueel dat Cesare zich had voorgesteld als hij over intellectuelen in New York las. Hij kon Albarbars appartement voor zich zien, muren vol boekenkasten, stapels oude kranten die hij niet durfde weg te gooien omdat hij er misschien nog eens een artikel in zou willlen opzoeken. Albarbar discussieerde graag. Jackson niet. Hij luisterde alleen maar, stak een sigaret op die een joint was, gaf die door aan Albarbar en zei dat hij zich niet zo moest opwinden. Maar de discussie werd steeds meer verhit. Mash en Hunter mengden zich erin, terwijl Hunter af en toe opstond om iedereen champagne in te schenken, en de grootmoeder haar mantra over het mislukken van Claire bleef herhalen. Maar Jackson bleef onverstoorbaar. Sterker nog, Cesare voelde een terughoudendheid, alsof hij er slechts gedeeltelijk echt bij was. Naarmate Cesare Jackson beter leerde kennen, zou dat het meest kenmerkend voor hem blijken te zijn, en hoewel Jackson een ambitieuze dromer was, liefdevol en vriendelijk, vroeg Cesare zich wel eens af hoe goed je op zo'n afstand echt een vader kon zijn. Ook al was Cesares vader ver van zijn zoon verwijderd, die afstand weerhield Giovanni Paolo er niet van om er een vastomlijnde visie op na te houden over de toekomst van zijn zoon en dus over zijn welzijn. 'Hij is bij mijn moeder,' verklaarde Beth altijd gewoonweg – iets wat ze al jaren zei en waarvan ze begrepen had dat het zinnig was.

Na het eten ruimde Cesare de tafel af, waste de borden af en veegde de vloer. Zijn hulpvaardigheid kreeg commentaar. Maar toen hij 's avonds in bed lag, net zes weken in Amerika, voelde hij voor het eerst toch een zweem van verwarring door zich heen sidderen – een verwarring die hij niet onder woorden kon brengen, maar waarop het antwoord begraven leek te zijn in het beeld van Sissy Three (wat voor soort naam is dat?) die voor de tafel stond, met verhitte wangen en loshangende haren, minnares van Jackson, die een toast uitbracht op Claire, 'de vrouw'. Iedereen had zijn glas geheven, niets vreemds, alsof ze een toast uitbrachten op de president of op God of op Sarah Hale of op de kok die het fantastische maal bereid had. Het sidderde door hem heen, een trage brandwond.

'Ben je wakker?' vroeg Beth die zich in het donker naar hem toe draaide. Hij wilde haar iets over haar moeder vragen, haar iets laten zeggen dat de verwarring zou verjagen.

Hij zei niets.

'Hoe vind je het hier?' vroeg ze, een vraag die ze graag stelde, alsof de vraag zijn temperatuur kon opnemen. Hoewel ze het niet zeker wist kende ze het antwoord: hij vond het hier heerlijk. Hij hield van New York. Hij hield van Claire. Zij hielden van hem. Ze voelde zich dolgelukkig alsof alles in de wereld was zoals het moest zijn. Hij trok haar tegen zich aan en nam haar in zijn armen. Hij dacht aan Fiori, aan het huis dat daar stond, al vijfhonderd jaar in het bezit van zijn familie. 'Je bent zo zacht,' fluisterde hij. Buiten was de maan vol, glinsterde op het bevroren gras en de verwarring bleef langzaam doorkruipen, smoorde zijn verlangen om Amerika en het nieuwe en het onbekende te veroveren tot de verwarring door de slaap werd weggevaagd.

Cesare zou bijna een jaar in Amerika blijven, lang genoeg om de verwarring, die week en opkwam als het tij, te begrijpen. Elke keer als de verwarring terugkwam werd de oorsprong ervan echter steeds duidelijker, als een beeld dat uit een polaroid-camera tevoorschijn kwam. Hij kwam in oktober 1985. Zijn jaar zou doorlopen tot in 1986. Het Amerika dat hij aantrof was totaal verschillend van het Amerika dat Claire in 1968 achter zich liet. De tijd die Cesare in Amerika doorbracht maakte deel uit van een historische periode die op vreemde wijze gemarkeerd werd door uitbarstingen en explosies die de wereld schokten. Het is een lange lijst: het schip van Greenpeace, de *Rainbow Warrior*, werd gebombardeerd en zonk in de haven van Auckland; er kwam een uitbarsting van de vulkaan de Nevado del Ruiz in Colombia, en meer dan drieëntwintig mensen werden gedood; het ruimteveer *Challenger* explodeerde met de lerares, Christa McAuliffe, aan boord. (Toen zij en zes anderen de dood vonden, waren Beth en Cesare aan het schaatsen bij het Rockefeller Center en probeerden ze lussen en achten uit.) De kernreactor van Tsjernobyl ontplofte, veroorzaakte de dood van dertig mensen en braakte straling uit in de atmosfeer. Tegen dit decor schoot Madonna de stratosfeer in, reisde de wereld rond om reclame te maken voor *Like a Virgin* terwijl ze deed alsof ze zichzelf bevredigde.

Deze periode wordt ironisch genoeg door de meeste Amerikanen herinnerd als een vredige, een periode van welvaart. De dollar was sterk. Reagan was president. Gorbatsjov werd de leider van de Sovjet-Unie. Ivan Boesky publiceerde *Merger Mania*; Michael Milken was de onbetwiste koning van de Junkbond, en de aandelenmarkt nam een hoge vlucht – borrelde, explodeerde, joeg de prijzen omhoog. In Studio 54 gebeurde het; cocaïne was de drug (kon je in de stad het beste kopen op 106th Street en Amsterdam). 'Holiday' werd eindeloos veel gedraaid; 'Like a Virgin' werd eindeloos veel gedraaid; 'Material Girl' werd eindeloos veel gedraaid. Allemaal van Madonna, de hele tijd. Ze poseerde voor *Playboy*. *Desperately Seeking Susan* werd uitgebracht. En Cesare kwam naar Amerika – een knappe Italiaanse jongen met grootse ideeën over wat mogelijk was, achter zijn Amerikaanse meisje aan naar New York, waar hij het liefst 's avonds laat in de Lincoln van de grootmoeder

183

reed, kruisend over de wegen en door de krochten van Wall Street, en hij maakte zichzelf wijs dat het onmogelijke mogelijk was.

Cesare woonde in New York bij Grammy (niks van die apekool). Beth woonde met haar twee vriendinnen van de universiteit in de binnenstad op Sixth Avenue, in een appartement overvol met meubels die ze van de straat gehaald hadden, een idee waar Cesare even aan moest wennen. De gedachte dat je op een bank zat, aan een tafel at, op een matras sliep (dit was voor hem de limiet) die door onbekenden op een onbekende manier gebruikt waren was eerst grotesk. Maar het duurde niet lang of hij hielp Beth een stoel of twee naar huis te slepen voor de eettafel. 'Hij is perfect,' zei ze toen ze op straat een roodfluwelen stoel vond. Een van de poten was gebarsten en er liep een scheur door het fluweel op de zitting. Verder was hij prima. *L'America*, dacht hij. Dat dacht hij met een geamuseerde glimlach de hele tijd. Als gordijnen had Beth oude lakens opgehangen, die ze overdag met lint van de pakjes van afgelopen kerst aan de achterkant vastbond. Het ordenen van de spullen van anderen vereiste overleg, zelfs inspanning. Ze gebruikten wijnflessen met bijzondere vormen als vaas voor bloemen, gekocht bij Koreaanse kruideniers die op alle hoeken van alle straten vierentwintig uur per dag open waren. De bloemen verwelkten onmiddellijk in de hitte van het appartement. Desondanks bleven ze dagen in de vazen staan. 'Ik houd ervan als ze dood zijn,' zei een van Beths kamergenootjes altijd. 'Zo gaan ze langer mee.' Beth kookte voor etentjes uitgebreide Italiaanse maaltijden op een vies en heel oud fornuis, en het was niet ongewoon als je een, twee of drie kakkerlakken daaruit zag komen schieten om aan de plotselinge hitte te ontsnappen. Ze maakte haar eigen gnocchi en haar eigen *gnocchetti alla romana* en haar eigen tortellini en haar eigen ravioli en haar eigen lasagne. Lasagnevellen hingen op de ruggen van stoelen, aan handdoekenrekjes, aan hangertjes. Een tafel vol vrienden praatte en discussieerde bij kaarslicht over

Reagan en Koch en ging dan over op muziek en dan op filosofie – Nietzsche en nihilisme en Hegel en tragedie. 'Hegel heeft
gezegd dat een echte tragedie niet een zaak is van goed tegen
kwaad maar van goed tegen goed.' Zweverige gedachten die
middag opgepikt in hun filosofiecolleges die hen samen met de
wijn en de eeuwige sigaretten een volwassen gevoel gaven.
(Tijdens de weekeinden dat ouders op bezoek kwamen was elk
spoor van zulke feestjes grondig verstopt en werden er nog
meer strikken om de gordijnen gebonden.) Als hij dit alles bekeek, herinnerde Cesare zich hoe Beth in Italië was, hoe Beth
zich tijdens hun etentjes het meest thuis voelde. Beths vrienden
wendden zich altijd tot Cesare en stelden hem vragen over de
Italiaanse politiek. 'Hoeveel premiers sinds de tweede wereld-
oorlog?' In het begin spraken ze zijn naam altijd verkeerd uit
totdat ze het ten slotte opgaven en hem Caesar noemden, een
naam die Cesare zowel lelijk als vertederend vond, vertederend
omdat hij als hij zichzelf zo hoorde noemen zich voorstelde dat
hij echt een Amerikaanse jongen geworden was: Italië en zijn
leven daar even goed verstopt als de sigaretten en de wijnflessen tijdens de ouderweekeinden. Jackson kwam natuurlijk
nooit naar de stad op de ouderweekeinden. 'Je weet dat hij dat
niet kan,' zei Beth tegen Cesare, maar in een bepaald opzicht
wilde hij haar vader wat dit betreft bevechten, breken. Jacksons weigering naar Beth toe te komen maakte Cesare kwaad:
Jackson gedroeg zich als een kind, Beth was geboren om hem
te bemoederen. 'Jouw vader is precies hetzelfde,' zei Beth altijd. 'Ik zie hem of jouw moeder echt niet hierheen snellen om
jou op te zoeken.'
    'Kom nou, Bet. Je weet dat dat niet past in de Italiaanse tra-
ditie.'
    'Wat?' vroeg ze dan, met een verwrongen gezicht om aan te
geven dat zijn logica onzinnig was. Er zou een kleine ruzie ont-
branden, een kleine ruzie die duidde op de diepst onderliggen-
de kloof. Amerikanen waren schooiers. Italianen niet.
    'Mijn vader stelt belang in wat er van mij terechtkomt.'
    'Mijn vader wil dat ik word wat ik wil worden,' beet Beth

hem toe. En dan waren ze echt aan het ruziemaken. Ja, dat kon ze goed. 'Jouw vader wil alleen maar dat je je leven besteedt aan het behouden van het verleden. Jouw toekomst interesseert hem niet, het enige wat hem interesseert is dat je iets handhaaft wat niet van deze tijd is.' Cesare hield vol dat ze het niet begreep. 'Bet, wees redelijk. Bet, wees redelijk.' Maar Cesare wist dat Beth gelijk had, dat zijn vader hem nooit zou opzoeken als hij voorgoed in Amerika bleef.

Cesare keek hoe Beths huisgenoten zich door haar appartement bewogen, alsof hij naar een voorstelling keek, een nieuwe soort bestudeerde. De ene was een meisje met een zweep dat voor leer ging; de andere was een dikkerdje, met roze haar en een voorliefde voor massa's sieraden en gescheurde maillots. Ze droegen allebei zware zwarte make-up. Maar het waren aardige meiden die op Cesare gesteld waren omdat hij hen op een speelse manier plaagde en hen aan het lachen maakte over hun eigen buitenissigheden. Als Beth het te druk had met de universiteit of met bedienen namen ze hem mee uit naar clubs en pasten als een moederkloek op hem hoewel beide meisjes in een bepaald opzicht smoorverliefd op hem waren. Ze heetten Veronica (het leermeisje) en Jane (met het roze haar). Ze gingen gedrieën naar ongewone plaatsen – een kerk die in een disco veranderd was, een homoclub met veel verdiepingen waar travestieten voor een ongeïnteresseerde menigte op podia dansten, een bankkluis die eveneens in een disco veranderd was. Allemaal Madonna, de hele tijd. Op de toiletten werd gretig gesnoven, neusvleugels wit van het spul – ook door Jane en Veronica. Ze boden het Cesare aan. Hij maakte bezwaren. Vervolgens praatten ze snel en eindeloos tegen hem over hun families en die van hem: 'Hoe is het om vijfhonderd jaar oud te zijn? Beth zegt dat je vijfhonderd jaar oud bent.' Of: 'Is iedereen dik in Italië?' een vraag van de mollige Jane (die zichzelf niet mollig vond), schreeuwend boven de muziek uit terwijl ze platgedrukt werden door de feestende mensenmassa.

'Geweldig,' antwoordde Cesare met een knipoog. En hij hoorde dat de familie van Veronica heel vermogend was – haar grootvader had de kogellager uitgevonden of zo iets. Jane was, in haar eigen woorden, 'een legerdochter', een term die voor Cesare nader verklaard moest worden. Zij noemden hem ook Caesar. Hij bracht hen 's avonds laat thuis, kroop bij Beth in bed en keek hoe ze sliep, maakte zich een voorstelling van haar leven voor hij naar New York was gekomen, afgunstig op alle jongens die haar, zoals hij dacht, bewonderden.

Na hun gesprek in het lange zomergras in Fiori laat in de middag had hij er bijna twee maanden voor nodig gehad om naar Amerika te komen. Deze maanden hadden ze hun brieven geschreven, hun liefde verklaard – hij meer dan zij, bang als hij was voor al die studenten en voor wat ze met en voor Beth zouden doen. Cesare wachtte elke dag ongeduldig op de post, vreselijk chagrijnig als er geen brief kwam. Hij zag haar in gedachten haar tanden poetsen, haar haren borstelen, bij dit nonchalante ritueel bekeken worden door een jongen, een deskundige op het gebied van de muziek waar ze van hield – de Talking Heads, de Ramones, de Police. Hij zag haar de jongen eerst afhouden, afschepen met verhalen over haar Italiaanse vriendje. Dan zag hij de jongen volhouden, haar onvermijdelijke overgave aan de verrukkingen van de begeerte – vingers die subtiel geheime plekjes opspoorden, haar in een toestand van nerveuze verwarring brengen tot ze alleen nog maar kon smeken, kon soebatten, kon vragen om meer. Hij kon het zien alsof hij daar, in een van die op straat gevonden stoelen, zelf zat te kijken. Haar brieven zeiden niet veel, de afstand als desem, een kweek die zijn liefde deed zwellen tot het pijn deed, tot het hem van binnen aan stukken reet. Dan haar stem door de telefoon – lieve Amerikaanse stem – die alleen maar vroeg: '*Vieni?*' Kom je?

Toen hij het niet meer kon uithouden, zei hij tegen zijn ouders dat hij wegging en, zonder een gedachte aan zijn studie en carrière, kocht hij zijn ticket, pakte zijn koffers, en vloog naar New York. Toen het vliegtuig laat in de middag op het JFK-vliegveld landde en de zon als een scharlaken schijf achter de gebouwen wegzonk, kon hij in al die gebouwen alleen maar belofte zien en de opluchting daarover.

Toen hij net aangekomen was, leek het alsof ze op een nieuwe manier de liefde bedreef, een manier waarvan hij dacht dat ze het van die studenten geleerd had. Het idee vergiftigde hem met de pijn die het veroorzaakte. Ze was in een bepaald opzicht opwindender, vrijer, begeriger. En hij stond verbaasd, realiseerde zich, geloofde daarna dat deze verandering het gevolg was van een zelfvertrouwen dat hij tevoren niet zo duidelijk in haar onderkend had.

En nu lag ze hier, uitgeput door het werk en de studie. Hij kon de hele nacht naar haar kijken, zich verbazen over de diepte van haar slaap, over de vrede op haar lippen. Hij maakte haar niet wakker; alleen al het feit dat hij er was, haar gadesloeg kon erotisch genoeg zijn. 's Ochtends ontweek hij Grammy's vragen over waar hij de nacht had doorgebracht. Hij wist het. Zij wist het. Maar vragen en leugens hoorden erbij.

Cesare maakte gemakkelijk vrienden. Hij had de jongens uit Texas ontmoet op een avond dat Beth aan het werk was en hij deed alsof hij student was en haar maaltijdbon gebruikte. Ze namen hem onder hun hoede, leerden hem rugby te spelen en bier te hijsen. Cesare ontwikkelde zelfs een bierbuikje waarop hij onverklaarbaar trots was. Hij omarmde alles, ook junkfood. Met de Texanen propte hij zich vol met Italiaanse en Franse sandwiches en pizza en brood met gehaktballen en waterige leut. Beth zag deze vriendschappen met genoegen, een vriendschap met jongens die ze daarvoor nauwelijks had opgemerkt. Ze leerden hem gewichtheffen en duidelijk zichtbare biceps te ontwikkelen. Cesare wilde fors worden, net als de rugbyspelers. De jongens nodigden hem voor de kerstvakantie in Texas uit. (Beth stak er een stokje voor.) Ze regelden dat hij een college creatief schrijven kon volgen bij een aardige jonge schrijver die de Texaanse jongens volledige vrijheid had gegeven zolang ze hun werk inleverden. Hij schreef een kort verhaal voor de aardige schrijver met de scheve glimlach en de scheve tanden (waarschijnlijk jonger dan hijzelf) dat alleen maar ging over een stad in Noord-Italië die beroemd was om haar verhouding met voeten en het geld dat ze eraan verdiende. Het verhaal was een gelijkenis over hebzucht in de trant van Calvino. De docent, die onbekend was met Calvino, vond het verhaal over hebzucht en voeten briljant. Cesare vond het heerlijk in Amerika.

Op zijn eigen houtje, of met Beth, ging hij naar jazz luisteren in de Village Vanguard, in Sweet Basil, en in Birdland, helemaal in de bovenstad. Hij liep door de straten. Beth had een druk programma. Ze had niet zoveel vrije tijd als ze in Italië leek te hebben. Ze moest vier colleges lopen en ze bediende bij de pizzeria. Ze had grootse plannen voor deze pizzeria, PIZZERIA AMALFI in felle neonletters, en haar enthousiasme vormde een bedreiging voor Victor, de Albanese pizzabakker, die de voorkeur gaf aan de status-quo. Ze wilde een dunnere korst maken, wilde dat de eigenaar investeerde in een houtoven, wilde saus gebruiken die van verse tomaten gemaakt was, kleinere eenpersoonspizza's maken, de prijs verhogen en de kwaliteit verbeteren. Ze bakte zulke pizza's voor de eigenaar, Bruno, een kleine man uit Napels, om hem het verschil te laten proeven. Cesare kwam helpen. 'Jij bent mijn sous-chef,' zei ze. Hij trok een schort aan en zette een witte chef-koksmuts op en een tijdje vond hij het idee iets van niets te maken fantastisch. Hij had nooit van zijn leven kunnen denken dat hij ooit pizza's zou bakken in New York, laat staan dat zijn inspanningen een Albanese immigrant razend zouden maken. Dit zou thuis een mooi verhaal zijn, een mooi verhaal zolang het daarbij bleef.

Bruno was dol op de nieuwe pizza's. 'Net als in Italië,' zei hij. En hij kuste zijn vingertoppen. Beth gebruikte de beste mozzarella die ze in de Bronx kon opsporen, de mooiste olijfolie, en basilicum die ze uit de kassen van Claire gehaald had. Eerst maakten zij en Cesare pizza margherita – genoemd naar koningin Margherita omdat zij net als het gewone volk pizza wenste te eten en er een pizza speciaal voor haar bedacht was, in de kleuren van de vlag. Daarna wilde Beth ingewikkelde dingen boven op haar pizza's leggen en Cesare overtuigde haar dat ze het eenvoudig moest houden.

'Dat is nog een verschil tussen ons, tussen Amerika en Italië: jullie houden van overdaad, van te veel; wij houden van karig, te weinig,' zei hij.

'Hou op de verschillen op te merken,' antwoordde zij.

Beths inspanningen waren een daverend succes: de pizza's vlogen als warme broodjes de deur uit. Mensen konden er niet genoeg van krijgen. Bruno was in extase. (Hij installeerde na een tijdje zelfs de houtoven.) Victor niet. Hij was jaloers en boos en probeerde Beths werk zwaarder te maken, treiterde haar omdat ze vreselijk was in het onthouden van de bestellingen. Ze nam het allemaal zo serieus, huilde op Cesares schouder, voelde zich vernederd en uitgeput door de studie en te hard werken.

'Bet,' zei hij sussend, en hij klopte haar op haar hoofd en wreef haar tenen en hield haar daarna van zich af om naar haar te kijken met verschillende lagen van gevoel. Eerst liefde, liefde voor haar doorzettingsvermogen en ambitie, haar onver-schrokkenheid, haar bereidheid om wat dan ook te doen. Daarna de sluimerende verwarring. Hij had zich vermaakt met de pizza's, zeker, maar wat had het eigenlijk te betekenen? En waarom gaf ze in hemelsnaam om een Albanees? Daarna dacht hij aan Sissy Three die een toast uitbracht op Claire, 'de vrouw', en haar droom. Hij kon iets zien, een vaag detail, een aanwijzing: Beth stond aan het begin van haar droom. Ze was net begonnen de spits af te bijten, besefte zelfs niet waar ze mee bezig was. Wat waren zijn dromen? Mocht hij zelfs wel dro-men eigenlijk?

'Ik ben nog steeds je Bet,' zei ze dan tegen Cesare. In zekere mate betwijfelde ze het, maar ze bleef geloven: hij was verliefd, zij was verliefd. De reusachtige kloof leek niet zo reusachtig. Hij was haar Cesare, haar Caesar, haar keizer. Een onderbre-king, en dan was ze weer gegrepen. Ze wilde maken en doen en creëren. Een deel van hem wilde haar bij dit alles weghalen en datzelfde deel van hem kon er niet bij dat ze moest bedienen en dat ze ambities had die om eten draaiden, om pizza's nog wel. Wat had ze er trots uitgezien toen Bruno haar pizza proefde, zin en vastbeslotenheid en gevolgtrekking straalden van haar gezicht. Ambitie.

Hoewel hij het niet toegaf aan Beth, het nauwelijks zelf erkende, voelde Cesare zich vernederd als hij zag hoe Beth trots haar fooien telde, meer dan honderd dollar in contanten en munten, verdiend met bedienen. 'We zijn rijk,' had ze gezegd. Hij kon er alleen maar aan denken hoe vies het geld eruitzag, hoe vies haar handen ervan werden. Dat deel van Cesare wilde haar mee terugnemen naar Italië en van alles voor haar kopen en haar bewaken en beschermen en haar alles geven wat ze nooit gekend had: samen zouden ze een gewoon gezin stichten – twee kinderen, een hond.

Maar het was gemakkelijk om op te gaan in de extatische energie en het tempo van Manhattan, de elektriciteit, de lichten. Peepshows; naaktrevues; Alleen Voor Mannen; xxx; prostituees op de West Side Highway; Broadway; een man onder de douche, naakt, voor een manshoog raam, manshoge erectie; iedereen leek een of andere lederen uitrusting te hebben, ongewoon haar – geverfd of pieken of geschoren. Er kwam geen eind aan Cesares brieven naar huis, zoveel te beschrijven.

Ten slotte zocht Dario hem op. Dario, vel over been, die volstrekt niets van het Engels kon maken – hij paste niet in Amerika. Hij wilde zijn espresso, 'Corto, corto, come in Italia'. Hij wilde zijn pasta, 'Al dente, come in Italia'. Hij wilde zijn hoofdmaaltijd 's middags, 'Come in Italia'. Hij wilde alles zoals het in Italië was. Hij werd bijna omgegooid toen hij de rugbybal ving. Op Claire, waar Cesare hem een week mee naar toe nam, klaagde hij over al die rare mensen. Hij klaagde niet zozeer maar gaf voortdurend commentaar op het feit dat er een Indiase en een zwarte vrouw en een Chinese gozer rondliepen, commentaar in de vorm van niet zulke subtiele grappen. In Città kwamen alleen de dienstmeisjes uit andere landen. Daarna begon hij serieus te klagen over constipatie en gaf de schuld aan al het buitenissige eten dat hij op Claire kreeg – al die curry's die Preveena hen te eten gaf. Hij wilde helemaal geen werk doen omdat hij pijn in zijn buik had. (Er was niets waar mensen op Claire een grotere hekel aan hadden dan aan iemand die zijn handen niet uit de mouwen stak.) Maar hij wilde vooral Sylvia zien. Ze was voortdurend in zijn gedachten gebleven sinds ze uit Griekenland was weggegaan. Hij bleef vragen tot Beth haar ten slotte smeekte om hen uit Boston waar ze studeerde te komen opzoeken. Ze kwam binnenvallen met haar kokette lachje en al haar plannen maar zonder de minste romantische belangstelling voor Dario. 'Hoe kwam ik erbij?' zei ze letterlijk tegen Beth. Beth reageerde haar eigen ongeduld op Cesare af. 'Waarom denken Italianen zoveel aan hun stoelgang?' vroeg ze. Gedetailleerde beschrijvingen van Dario's voortdurende fratsen met zijn ingewanden waren zelfs haar niet bespaard gebleven en hadden haar eraan herinnerd dat meer dan een tafelgesprek in Italië over de stoelgang was gegaan. Bea's zusje had voortdurend constipatie en at zoethout dat haar vader haar gaf, in de hoop dat het haar darmen zou ontlasten. Toen Dario wegging, waren zowel Beth als Cesare opgelucht. 'Waarschuw me als ik ooit net zo word,' zei hij tegen haar.

Daarna stapte hij uit de wereld van Beth en in die van haar grootmoeder, en Beth trok een mooie halflange jurk van chiffon aan, zwarte pumps, een snoer parels om haar nek, knopjes in haar oren. Ze veranderde voor zijn ogen in een bijna onherkenbaar keurig meisje: een meisje gemaakt voor een duur leven dat haar overhandigd moest worden en dat ze niet hoefde te zoeken. Plotseling was Beth niet het ambitieuze meisje dat hij kende. Als hij haar zo zag begreep hij wat voor rol de grootmoeder hem wilde laten spelen, zelfs al had Beth dat niet door. Als ze in de taxi de betere wijken inreden liet Cesare de ene realiteit achter voor de andere, en hij wist aan welke hij de voorkeur gaf en welke hij zou kiezen als hij dat maar kon.

De werkelijkheid van de grootmoeder werd gekenmerkt door kristallen kroonluchters en liefdadigheidsvoorstellingen in de Met (het Museum) of het luisteren naar een opera in de andere Met. 'Mijn buurttheater,' zei ze graag. De grote gebeurtenis van het seizoen was de productie van Wagners *Lohengrin*, 'waaruit de Trouwmars afkomstig is', lichtte de grootmoeder hem in. Voor deze gebeurtenis en voor het feest dat ze zou geven 'om hem te introduceren', had hij een smoking nodig die ze zelf voor hem kocht bij Paul Stuart, 'Waar mijn man al zijn kleren kocht. Voel de stof eens,' zei ze terwijl ze de dunne wol van de broek betastte en onwillekeurig Cesares been kietelde toen hij helemaal in avondkleding voor haar stond. Ze zat voor de vele spiegels in de hal van de afdeling avondkleding boven, en haar beeld werd voor Cesare oneindig weerspiegeld. In Italië had je niet zulke grote winkels. Een Indiase verkoper die al jaren in de winkel was, en die Grammy's man altijd geholpen had, hielp hen het goede pak te vinden. Grammy wist alles van de verkoper (vrouw in India, drie dochters, geen zoons, vreselijke spijt, stuurt geld naar huis, familie peinst er niet over naar Amerika te komen), maar ze wist niet hoe hij heette. Ze vertelde hem dat Cesare een Italiaanse prins was. 'Verloofd met mijn kleindochter. Een grote trouwpartij zodra ze afgestudeerd is. Natuurlijk kopen we een nog betere smoking voor die gelegenheid – die natuurlijk gevierd zal worden in de Pierre, niets minder. Behalve natuurlijk als je in Italië wilt trouwen?' vroeg ze, met een plotselinge blik op Cesare, terwijl ze de Indiër op de hoogte bracht van het drama van kostbare beslissingen over het huwelijk, die hem, zo merkte Cesare op, bijna aan het hijgen maakten met de verwachting van financieel gewin.

Op haar feest om 'hem te introduceren', was hij ook de prins, en hij werkte mee, deed de grootmoeder dat genoegen. 'Italiaans fabrikaat,' zei hij, en hij maakte alle dames aan het lachen, en hij praatte met elk van hen, beantwoordde hun talrijke vragen over bankieren en sokken en schoenen en het onderwerp van zijn dissertatie, dat de geschiedenis van de verf betrof, hoe het product aanvaardbaar voor de bank werd. Ze stonden in het geheim achterdochtig tegenover zijn Italiaanse afkomst en hadden er tevoren met de grootmoeder over gesproken. 'Hij is tenslotte katholiek,' had een vrouw gewaarschuwd. Ze associeerden Italianen met de maffia of met gondeliers die hen vredig door de kanalen van Venetië roeiden of met de verhalen van hun dochters die geknepen werden terwijl ze over het Forum slenterden. De grootmoeder had om dit alles gelachen en verklaard dat hij een prins was uit een edel Noord-Italiaans geslacht. 'Ik heb de villa gezien,' had de grootmoeder gezegd. Bekrachtiging. Bewijs. 'Beseffen jullie dat het enige bestaande fresco dat Benvenuto Cellini geschilderd heeft, misschien de enige schildering van zijn hand, in het bezit van zijn familie is?' De dames waren cultureel goed onderlegd. Cultuur was hun betaalmiddel. Dit detail maakte Cesare in hun ogen gewichtiger, wat Grammy wel wist. Ze waren welbespraakt in de taal van het geld en Cesare was dat ook, hoewel zijn vaardigheid veel subtieler en discreter was.

Op het feest wervelden elegante matrones om Cesare heen en wedijverden om indruk op hem te maken. Een van hen, met een vlekkerige abrikooskleurige teint en kastanjebruin haar dat boven op haar hoofd gedraaid was, probeerde een gesprek met hem aan te knopen over het onderwerp van zijn dissertatie. Ze droeg een bijzonder mooie jurk met een lijfje van goudbrokaat, en ze was jeugdig, hoewel ze niet jong was. Ze heette Gimbel, haar man was 'in de detailhandel', zoals ze vertelde, maar haar naam zei Cesare niets, net als een Bianchi haar niets gezegd zou hebben. Ze nipte aan een fluit champagne en at de hele tijd hors d'oeuvres, plukte die van bladen, gepresenteerd door langskomende jonge obers in het wit met handschoenen en een vlinderdasje. 'Wist je dat een van onze presidenten, William Howard Taft, een zoon had die stierf omdat de verf van zijn blauwe sok in een snee in zijn linkervoet kwam? Als gevolg daarvan ontstond er hier een revolutie in de industrie van de sokkenverf.' Cesare had iets dergelijks gehoord, maar hij was er niet zeker van dat het Tafts zoon was of dat er een revolutie was geweest. 'Vooruitgang,' zei Cesare. 'En penicilline.'

194

Andere dames stelden hem andere vragen, vertelden hem over hun 'Grand Tours' naar Venetië en de kust van Amalfi, over huwelijksreizen naar Positano, tochtjes naar Cinque Terre ('Cinque' verkeerd uitgesproken met een zachte *c*), Florence (een van hen zei met een zwierig gebaar *Firenze*), en Pisa. Grammy's appartement had grote ramen met een weids uitzicht over de Hudson, waarop een enorme en zware sloep dreef. Cesare keek naar de sloep en vroeg zich kortstondig af hoe het kwam dat een aantal van de rijkste mensen in New York in huurappartementen woonden. Beth had het ingewikkelde systeem van huurappartementen, dat was bedacht ten voordele van gezinnen met lage inkomens, maar waarvan de rijken profiteerden, aan hem uitgelegd. Het deed hem denken aan de ingewikkelde infrastructuur van Napels, die voordelig was voor de rijken maar de armen arm hield. Beth sloop van achteren naar Cesare toe en gaf hem een kus. Tijdens het hele feest had hij haar tussen de dames zien zwerven, bevallig als een zwaan over koetjes en kalfjes zien praten. Hij wenste dat zijn moeder haar kon zien. Ze was elegant. Hij herinnerde zich dat zijn moeder geprobeerd had hem te vertellen zonder beledigend te zijn, maar wat ze daardoor juist was, dat Beth afschuwelijke manieren had. Ze was helemaal niet afschuwelijk. Ze deed haar grootmoeder een plezier door haar grootmoeders vriendinnen te plezieren. Hij herinnerde zich hoe ze tijdens een feest voor *Carnivale* dat zijn ouders in de villa in Città gaven geprobeerd had met de vrienden van zijn ouders te praten, maar het al snel leek op te geven en nauwelijks meer met iemand gepraat had. Toen dacht hij dat het kwam omdat ze verlegen was tegenover de oudere mensen die formeler waren. Nu vermoedde hij dat de gasten van zijn ouders geen poging gedaan hadden, omdat ze geen idee hadden wat ze tegen haar moesten zeggen. Hij kreeg hier zoveel belangstelling, maar in Amerika waren ze meer gewend aan buitenlanders, waren zelfs dol op hen, wilden graag indruk maken. 'Mijn jeugd,' zei Beth. 'In ieder geval een helft ervan.' Schizofreen, stelde hij zich voor als hij dacht aan de andere helft, aan Claire.

En dan waren ze op Claire. Beths vader belde nooit om te vragen of ze kwam, maar desondanks was zijn aantrekkingskracht groot. Ze gingen ten minste om het andere weekeinde naar Claire. Soms ging Cesare alleen. Beth bekeek de boeken van de farm, hielp met wat er in het voorjaar met de appels gedaan moest worden. Cesare en zij brachten in juni aardbeien naar restaurants in New York, in juli bramen, in augustus frambozen. Cesare begon te begrijpen hoe al de verschillende stukken in de activiteiten van Claire in elkaar pasten: de geiten voor ronde geitenkaasjes; de bijen voor honing; de toeristen voor een overnachting en contanten; de reënsceneringen voor contanten; het slachten van de runderen, de varkens, de kippen, en ga zo maar door.

Zowel Claire, de vrouw, als Claire, de plek, waren onderwerp van gesprek op het feest van de grootmoeder. Aan een muur in de woonkamer hing een olieverfportret van Claire als meisje, een mooi meisje met doordringende ogen en donkere krullen; haar felle intelligentie leek uit de verf te komen als stralen van de zon. De dames zeiden als ze naar het schilderij keken: 'Een vreemd einde voor dat allerliefste meisje.' Iets wat ze ongetwijfeld elke keer zeiden als ze het portret zagen, omdat ze haar lot nooit accepteerden noch zich ermee verzoenden, geobsedeerd als ze er zelf door waren hoewel ze haar al een mensenleven overleefd hadden.

Er was een enkel kiekje van Claire op Claire, genomen vlak voor ze geschept werd. Ze lacht, en kijkt over haar schouder achterom. Ze is op de muur geklommen en Jackson heeft haar naam gezegd en ze heeft zich omgedraaid omdat ze weet dat hij een foto gaat maken. De lach zegt: 'Ik heb gezien wat er aan de andere kant van deze muur is en jij niet. Ik weet wat daarachter ligt. Ik wil je daar mee naartoe nemen.' Sissy betrapte Cesare terwijl hij de foto bekeek. 'Het is geen toeval,' zei Sissy, 'dat dit de enige foto van Claire is die Jackson heeft.' Beth was in New York en Cesare was deze keer alleen op Claire. Hij was ongeveer acht maanden in Amerika. Hij had Sissy Three meer dan eens over Claires dromen horen praten. Hij had nog niet tot

Jackson kunnen doordringen, het niveau van een vertrouwelijk gesprek kunnen bereiken. Cesare begreep dat dat nooit zou lukken, dat het Jacksons eigen dochter niet zou lukken, dat Jackson zo niet in elkaar zat – omdat hij nu eenmaal zo was of als gevolg van het lot. Jackson was hoofdzakelijk in de weer met het werk op de farm en met zijn brieven naar Washington, werkte tot diep in de nacht aan zijn grote en donkere bureau. Aan de muren van zijn kantoor hingen onontcijferbare kaarten en grafieken en diagrammen. Ontelbare knipsels uit tijdschriften en kranten lagen verspreid over de vloer. Jackson praatte nog steeds tegen Claire, en Cesare begon te begrijpen dat als Jacksons eigen dochter geen manier kon vinden om met hem over de zinloosheid van deze gesprekken te praten, hij dat ook niet kon.

Cesare keek naar Sissy's schoonheid die uit haar ogen en van haar lippen straalde en vroeg haar op de man af: 'Waarom heb jij je leven gewijd aan de toevallige dromen van zo maar een of andere vrouw?' Dag in dag uit werkten ze op de boerderij en zorgden dat die succes had. Cesare was het prettig gaan vinden met zijn handen te werken – de geiten melken; de vroege zomerappels, de aardbeien plukken; de velden bemesten; met Jackson praten over een dag waarop Amerika niet meer voor brandstof van het Midden-Oosten afhankelijk zou zijn, waarbij hij ernstige gevaren voorspelde als er niets gedaan werd. Claire verkocht zelfs bessen aan restauranthouders in New York, onderhandelde scherp over de prijs per pond. Sissy keek Cesare recht aan, fixeerde hem met haar blik, en antwoordde: 'We hebben allemaal iets nodig om in te geloven.'

'Maar het is niet duidelijk of Claire dit echt zou hebben nagestreefd,' zei hij.

'Wel waar.' Ze strekte haar handen voor zich uit. Ze waren slank en lang en mooi. Beter een farm dan handen, veronderstelde hij. Ze had haar leven kunnen doorbrengen met geloven in haar handen.

'Hoe weet je dat?' drong hij aan.

'Omdat ik in het idee geloof en ik geloof dat haar leven iets moet betekenen, dat elk leven iets moet betekenen,' zei ze. En dat is alles wat ze over dit onderwerp kwijt wilde. *Ze is gek*, dacht hij. *Ze zijn allemaal gek*. Maar daarna verwierp hij het idee, bang om een betovering te verbreken.

Filippo Tommaso Marinetti schrijft over de geschiedenis dat ze zichzelf consumeert, zichzelf oprispt, zichzelf eindeloos herhaalt. Het geloof dat de geschiedenis lineair is wordt ons aangepraat. Maar ze cirkelt en cirkelt en cirkelt om zichzelf heen, leert weinig, verstrikt zichzelf als de slang die zijn eigen staart opeet. Preveena die in Claires gezwollen voorjaarsstroom aan het vissen was, en haar lijn rustig uitgooide met een minieme beweging van haar pols, sari doorweekt en verfrommeld op haar enkels, nam onbewust Cesares verwarring heel eenvoudig weg: 'Jackson zit vast in het verleden, zoals iemand in drijfzand vastzit.' Ze gooide weer. Ze waren lange tijd stil, gooiden de lijn uit, vingen niets terwijl hun vliegen gracieus over de stroomversnellingen sprongen. Daarna zei Preveena: 'Maar Beth niet. Jackson is er op een of andere manier in geslaagd haar te bevrijden.'

Met haar woorden verscheen het polaroidbeeld, helemaal scherp, en Cesare kon ten slotte met onontkoombare helderheid zijn leven en dat van Beth zien. Hij ziet Sissy Three met Thanksgiving een toast op Claire uitbrengen. Hij ziet Preveena vissen. Hij ziet Beth grote draaiboeken uit pizza's brouwen. Hij ziet Fiori. Hij ziet het fresco van Cellini met het bovenmaatse meisje met liefdesverdriet. Hij ziet zijn vader in de tuin bezig met het onkruid. Hij ziet Jackson gekluisterd aan de grond van Claire, op zoek naar de glimlach van een mooi meisje. Hij ziet de geschiedenis haar eigen staart opeten. Hij ziet vijfhonderd jaar Cesares en Giovanni Paolos. Hij kijkt zijn ogen uit. Hij ziet Claire, de farm, een uitvoerig eerbetoon aan een persoonlijk verleden. Fiori een uitvoerig eerbetoon aan een persoonlijk verleden. Jackson had Beth bevrijd. Cesares vader had hem niet bevrijd. Cesare had Beth willen redden, of dat had hij zich voorgesteld. Wat hij echt wilde, was zichzelf bevrijden.

Cesare had de Indiër en Paul Stuart verlaten met de smoking, het overhemd, de cummerband, het strikje, de manchetknopen, sokophouders en plastron, en dacht aan Beths huisgenoot met haar roze haar en gescheurde maillot en aan de Indiase verkoper die in Queens woonde, zijn familie in India, en aan alle uitwendige aangroei – duizeligmakend en grandioos en eenvoudig – van Claire. Al deze werelden die naast elkaar bestonden, volledig en onvolledig, eigenlijk elkaar overlappend, toch onafhankelijk en op een afstand, de wereld in het klein, allemaal hier om rechtlijnigheid te vinden, om te ontsnappen aan het verleden.

In Italië dragen mannen geen smoking. Maar Cesare genoot van het Amerikaanse gevoel dat het chique pak hem gaf. Maanden later, op een zomeravond, trok hij het aan, niet voor een speciale gelegenheid, alleen maar om over die lanen te rijden en door die krochten, zijn arm losjes op de rugleuning van de voorbank alsof hij een of ander belangrijk personage was – Gary Cooper, bijvoorbeeld, of Gary Grant – in een of andere romantische komedie uit de jaren veertig van de vorige eeuw. In New York had hij het gevoel dat je, zelfs als je het gemaakt had, toch anoniem bleef, en daar zat iets treurigs, iets afschrikwekkends in: ieder mens zijn eigen land bij elkaar gehouden door persoonlijke, eerder dan collectieve ambitie. Op deze zomeravond was Cesare al meer dan negen maanden in Amerika, en hoewel hij veel had nagestreefd, had hij, besefte hij, in werkelijkheid niets nagestreefd. Hij had zijn tijd verdaan met uitgaan met Veronica en Jane, spelen met de Texanen, naar Claire afdrijven om op de farm te werken, halfhartig aan een kort verhaal werken, die lange brieven naar huis schrijven, zwerven over de Strand, lezen, en geld ontvangen overgemaakt uit Città, welwillend ter beschikking gesteld door de Cellinibank. Er was weinig dat hij tot stand gebracht had in termen van het proberen erachter te komen of hij hier een bestaan kon opbouwen. Hij besprak dit niet met Beth. Maar ze wist het. Italië, de voorspelbaarheid van zijn kleine stad, het spelletje voetbal op een zaterdagmiddag, surfen op het meer, een baan die al eeuwen voor hem was vastgehouden, dat alles leek ver weg maar volledig mogelijk.

In zekere zin, tot op zekere hoogte, om een onbegrijpelijke reden, wenste hij dat Beth het soort meisje was dat haar haren roze verfde en moeilijkheden veroorzaakte, dat hij zo'n soort man was, dat ze samen alles op hun beloop konden laten. Juist nu, nu hij het hart van Wall Street doorkruiste, donker en laat en niemand in de buurt, wilde hij weggaan – wilde Beth oppikken en dwars door Amerika rijden, naar Las Vegas rijden en trouwen, een verhaal inrijden, een roman, iets wat groter was dan zij beiden.

Hij reed naar haar appartement. Ze lag te slapen. Hij ging zitten en keek naar haar zoals hij graag deed. De sirenes van Sixth Avenue blèrden. Lichtjes dwarrelden door het raam. Haar huisgenoten waren uit. Hij dacht aan Grammy en haar gezelschapsspelletjes met haar dames, Grammy die aan de ene kant Europees wilde zijn terwijl ze verachtelijk over Europa sprak met het idee van alle Italianen als zorgeloze billenknijpers, alle Zwitsers als op tijd, alle Fransen als bekrompen, alle Duitsers als overgedienstig. Hij herinnerde zich dat hij tijdens zijn laatste rit van Claire naar huis bij het pompstation stopte, een gigantische stopplaats voor vrachtauto's ergens in New Jersey. De bediendes van het pompstation kwamen uit een tiental verschillende landen. Ze waren gekomen voor de Belofte. Nu spraken hun kinderen accentloos Engels. Nu droegen hun kinderen Levi's en aten gebakken kip en Hamburger Helper. Nu spraken hun kinderen verachtelijk over het land waar ze vandaan kwamen als vies en arm en vol ziektes. Nu hadden hun kinderen een goede opvoeding genoten en waren ze ambitieus. Nu was het verleden van hun ouders keurig geabsorbeerd in de structuur van deze cultuur – de structuur die jan en alleman toestond Chinees nieuwjaar te vieren, hindoes Holi, Kwanzaa, Yom Kippoer en wat er nog meer te vieren valt. Cesare dacht aan Fiori. Hij dacht aan sokken en schoenen en voeten en hoe saai hij zich door het vooruitzicht op dat werk voelde; hij dacht aan Beths pizza's en de verrukking op haar gezicht over het succes ervan. Hij wilde Beths passie en ambitie in zichzelf voelen – de ambitie die zij hem eens had laten voelen.

'Cesare?' zei ze, terwijl ze haar ogen in het donker opende. 'Heb je een smoking aan?'

'Zie ik eruit als een filmster?'

'Mijn filmster.' Haar gezicht werd roodgestreept door de lichten van de straat. Haar haren waren verward, haar tanden niet gepoetst. Toen zat ze plotseling rechtop: 'Wat is er aan de hand?'

'Ik wil dat je je aankleedt,' zei hij. 'De auto staat beneden te wachten.'

'Waar gaan we naartoe?'

'Las Vegas.'

'Om wat te doen?'

'Trouwen.' Hij had een goede vriendin uit Città die verliefd was geworden op een hertog uit Milaan. Toen ze vierentwintig was vloog de hertog met haar naar Amerika, naar Las Vegas, en trouwde daar met haar in een klein kapelletje. Het was een verrassing. Beth had het verhaal altijd erg romantisch gevonden, en Cesare wist dat.

'Wat is er aan de hand?' vroeg ze nog eens. Ze had het gevoel dat er iets groots op komst was. Ze was bang. Ze was nu klaarwakker. Ze had de neiging tegen hem te gillen, hem te vertellen dat hij lui geweest was, dat hij het niet geprobeerd had, dat hij het nooit een kans gegeven had. Ze kende hem absoluut, wist welke richting hij uitging.

En toen zei hij heel eenvoudig: 'Ik weet niet wie ik ben.'

Veel later, het jaar 1997. Beth is acht maanden zwanger van Valeria. Ze zit op een driezitsbank in een discountwinkel. De winkel is in Pennsylvanië niet ver van Claire. Beth en Preveena zijn boodschappen aan het doen voor de kerst. Preveena heeft een verkoopster gevraagd de prijs na te kijken van een ongeprijsd artikel dat ze wil kopen: een Italiaans gebreid babypakje voor Valeria. 'Het is alleen maar de moeite waard als het goedkoop is,' heeft Beth geadviseerd, en Preveena verdwijnt om de verkoopster te zoeken. Beth zit nu alleen bij de caissières. Zonlicht stroomt door het glas en verwarmt haar nek. Ze draagt een lange jas van schapenvacht en een zwarte broek bezaaid met grote witte bloemen, laarzen, en een zwarte trui die haar buik keurig bedekt. Ze is moe door het gewicht van de baby en haar onophoudelijke getrappel.

'Ben je Italiaans?' Een lange oudere man verschijnt voor haar en kijkt op haar neer. Hij heeft een grondig geschoren gezicht bespikkeld met sneetjes en sporen van opgedroogd bloed. Hij gaat zitten. Hij stinkt uit zijn mond.

'Nee,' zegt ze. Maar ze is gevleid.

'Je ziet er Italiaans uit.' Ze wil vragen wat er aan haar Italiaans uitziet. Ze denkt, al die jaren hebben me gemaakt tot iets wat ik ben.

'*Parlo Italiano pero.*'

'*Di dov' è Lei?*'

'*Ho passato qualche anno a Città la Venice quand' ero giovane.*'

'Toen je jong was?' Hij lacht. 'Je bent nu jong.' Ze lacht, weer gevleid. 'Ik ben opgegroeid in Triëst in Noordoost-Italië maar ik ben na de oorlog weggegaan. Bijna vijftig jaar geleden. Er was daar geen werk.'

'Langer hier dan daar,' zegt ze. Ze wendt haar hoofd een beetje van hem af omdat ze zijn scheerkorstjes niet wil zien en zijn adem niet wil ruiken.

'Città is dicht bij Milaan,' zegt hij. 'Ik zal je een vieze mop vertellen in het Milanees, maar ik zal het niet voor je vertalen.' Hij begint met zijn mop. Het komt er snel uit in een onbekend dialect. De enige woorden die ze herkent zijn 'vrouw' en 'sneeuw'. Als hij klaar is kijkt hij naar haar en lacht. 'Ik zal het niet vertalen. Je bent te mooi om ernaar te luisteren.' Ze is weer gevleid. 'Ik heb twee dagen nadat ik in Amerika was aangekomen een baan gekregen,' zegt hij. 'Werk voor de regering. Ik spreek vier talen: Duits, Frans, Italiaans, en Engels. In Columbus, Ohio.' Ze vraagt zich af wat hij doet in een deprimerende winkelpromenade in Snyder County, Pennsylvanië.

'Gaat u ooit terug naar Italië?' vraagt ze.

'Een keer in de twee jaar,' zegt hij. 'Ik wil er voorgoed naar-toe. Ik mis Italië.'

'Italië is een van de landen waar je niet buiten kunt,' zegt Beth. Kort geleden at ze een clementine en haar handen roken naar het fruit en de geur alleen al deed heel Italië voor haar her-leven, hoe ze die met de kerst voortdurend at, het skiën in de Alpen, in de Dolomieten, bars gemaakt van sneeuwbanken waarin flessen alcohol koel stonden, van een week skiën en nooit op hetzelfde spoor, van hutten hoog in de bergen waar je goelasj en polenta kon eten, van walsen op sneeuwlaarzen vroeg in de avond, koud en stijf van de hellingen, van opwar-men met een hete grog.

'Mijn vrouw is een Amerikaanse en haar zuster is gehandi-capt dus tenzij ze snel doodgaat zullen we nooit terug kunnen gaan. Ze heeft ons nodig. Ze kan geen vin verroeren. Helemaal verlamd. Zonder ons kan ze niets.'

Beth wil vragen wat haar overkomen is, maar ze doet het niet. 'Wat erg,' zegt ze in plaats daarvan, en ze kijkt of ze Pre-veena ziet. Bij de kassa staat nu een lange rij.

'In de oorlog heb ik in een concentratiekamp gezeten,' zegt de man, en hij wendt zich naar Beth zodat ze hem niet meer kan ontwijken, zodat zijn ogen de hare strak aankijken. Ze voelt de baby bewegen, voelt hoe ze haar voetjes tegen haar buik schopt, haar hoofd tegen haar blaas drukt. Beth gaat ver-zitten. De zon blijft in haar nek priemen.

'Ik zat in het kamp in Noord-Italië. Mijn vader was het niet eens met het fascisme, wilde Mussolini niet steunen. Mijn va-der is gedood. Hij wilde ons nooit vertellen wie we waren. Ik heb nog een zuster daar. Mijn broer is gedood door de Duit-sers. Mijn stad heeft kortgeleden een standbeeld opgericht als eerbewijs aan mijn broer, en ik wil teruggaan om het te zien.'

Zijn adem is weerzinwekkend. Ze kijkt hem nog steeds aan. De baby blijft schoppen. Beth weet niet zeker waar ze naar luistert.

'Ik weet niet wie ik ben,' zegt hij, niet op een existentiële manier. Hij zegt het eerder direct, zakelijk. Ze denkt aan Cesare in haar kleine appartement in New York jaren geleden, daar in zijn smoking, Cesare die wilde huilen, die wilde dat zij op de een of andere manier het antwoord was, denkt aan zichzelf in Italië.

'Ik wil teruggaan en vragen stellen. Ik wil weten wie ik ben. Mijn vader en broer zijn gedood door de nazi's. Ik heb in een concentratiekamp gezeten. Mijn vader haatte het fascisme. Hij wilde niet dat wij wisten wie we waren. Ik weet niet wie ik ben. Amerika heeft gezorgd dat ik me kan verstoppen.'

De rij bij de kassa is nu heel lang. Beth hoopt dat het gebreide pakje voor Valeria te duur is want ze wil niet op die rij wachten.

'Ik denk dat we joods zijn, maar mijn vader wilde niet dat we dat wisten.'

Vrouwen rukken aan de onafzienbare rekken afgeprijsde kleren. Wat is dit voor een verhaal? Ze denkt weer aan Cesare. 'Ik weet niet wie ik ben.' Ze vraagt zich af of Cesare vandaag de dag weet wie hij is. Is dit wat hij vijftig jaar later gezegd zou hebben, na een leven lang in Amerika? Preveena verschijnt, mooi als altijd in haar sari.

'Ze verkopen hier zelfs olijfolie,' zegt Preveena en ze zwaait met een fles naar Beth.

'Die kan niet goed zijn,' geeft de man te verstaan.

'Vast niet,' stemt Beth in.

'Maar er staat op dat het de eerste koude persing is,' zegt Preveena.

'*Er staat op*,' spot de man, maar niet onvriendelijk.

Op een tafel bij de deur ligt een stapel geparfumeerde zeep. 'Ik ben zo terug,' zegt Preveena. Preveena zal voor Valeria het meest voor de hand liggen als grootmoeder. Ze verdwijnt weer in de bende van de winkel. Zoveel lelijks, merkt Beth op. Na de dood van Beth zal Jackson niet eens uit Claire weg kunnen om naar de herdenkingsplechtigheid in New York te gaan. Preveena zal gaan. Cesare zal jaren later, als hij aan Preveena denkt, begrijpen dat zij zichzelf bevrijd heeft. Ironisch genoeg was het Claire waardoor het voor Preveena mogelijk werd.

'Mooie vrouw,' zegt de man.

'Inderdaad,' bevestigt Beth.

'We hebben ons gewroken. Inderdaad, dat hebben we. Ik kon joods zijn, maar mijn vader moest ons daartegen beschermen. We kregen onze wraak daarboven in Noord-Italië, in een deel van Italië dat nu Kroatië heet. Die Duitsers kwamen.' Hij noemt de naam van een plaats, maar de naam zegt Beth niets.

Waarom vertelt de man haar dit verhaal? Cesares vader liet hem nooit vergeten wie hij was; de hele familie hield zichzelf in leven met haar geschiedenis.

'Ze kwamen en we hebben ze neergemaaid met onze geweren. We hebben echt al die nazi's doodgeschoten tot de laatste toe. We hebben geen gevangenen genomen. Niet een. We hebben ze allemaal gedood. Gedood met de geweren en toen ze dood waren...'

Preveena verschijnt met het kleine gebreide truitje, een dun breisel voor de zomer met een linnen kraagje. Op het kraagje staan kleine figuren – beertjes en bootjes. Ze lacht triomfantelijk.

'Maar vijf vijfennegentig,' zegt ze zacht, en trekt een gezicht van kan-je-het-geloven. De man staat nog te praten; het winkelpubliek is nog aan het winkelen. Preveena gaat in de lange rij staan. Beth schuift ongemakkelijk op haar stoel. De zon verbrandt haar nek.

'We hebben ons gewroken. Ze zijn allemaal dood. We namen geen gevangenen.'

Ze denkt aan Cesare. Hij hoefde zijn land niet te verlaten om een baan te krijgen. Zijn vader was korte tijd fascist geweest. Was het om te ontsnappen, een middel om te overleven, een manier om al die geschiedenis te behouden? Als Cesare uit Italië was weggegaan had hij inderdaad geen baan gehad. Hoe zou zij eraan toe zijn als ze naar Italië verhuisd was?

'We hebben die mannen niet eens begraven. We wilden hun lijken niet in de buurt van onze begraafplaatsen laten komen waar onze eigen mensen lagen. Geen denken aan. Weet je wat we met hen gedaan hebben? Wil je het weten? We hebben hun lijken als oude rotzooi in de bossen gegooid. In de bossen boven de met gras begroeide heuvels waar we hen neergeschoten hadden. Gedumpt als oude rotzooi. Ze zouden niet bij onze lichamen liggen. Geen schijn van kans. Ik ga terug en ik ga vragen stellen, ik zal begrijpen wie ik ben. *Sei bella, veramente.*' Je bent mooi, echt waar. Hij gaat met zijn duim over haar wang, een vaderlijk gebaar van tederheid, zoals Bea's vader dat altijd deed.

'Ik weet niet wie ik ben,' zei Cesare die avond, en hij zag er fantastisch uit in zijn smoking, met zijn donkere haren die bij zijn slapen terugweken. Hij kleedde haar uit en trok haar nachtjapon over haar hoofd. Ze maakte de knopen van zijn overhemd los, trok zijn plastron uit, maakte zijn manchetknopen los. Ze nam zijn slappe penis en zoog erop tot haar hele mond gevuld was. Hij stelde zich voor dat ze het zo met al die jongens deed. Hij betastte haar zoals hij zich voorstelde dat al die jongens haar betast hadden. Hij rolde haar bijna met geweld om, maakte haar een beetje aan het huilen door zijn vingers achter te houden. Haar buik werd in de matras gedrukt, haar armen boven haar hoofd uitgespreid. Hij lag op haar rug, ging van achteren bij haar naar binnen, zoals hij zich voorstelde dat de jongens het gedaan hadden. Hij wilde haar haten. Ze vond het heerlijk wat hij met haar deed. Meer, smeekte ze. De zomeravond was niet te heet maar warm en hoe dan ook plakkerig. Ze wilde hem. Ze was begerig. Ze wilde echt alles voor hem doen. Het was dit gedrag waarvan hij zich voorstelde dat ze het van een paar van die studenten geleerd had, brutale, vrije Amerikaanse jongens die nog niet hoefden te weten wie ze waren, die tijd hadden om erachter te komen, een alternatief hadden om hen te helpen. Cesare vertelde haar wat hij haar met die andere jongens zag doen. Hij wilde de details weten. Hij vroeg haar het hem te vertellen. Hij wilde over haar met anderen horen. Ze maakten dat hij haar meer begeerde; hij had een reden nodig om haar meer te begeren.

September 2001: Cesare zit in de fluwelen stoel onder het fresco van Cellini. Het licht in de lamp die boven de schildering hangt gaat langzaam uit, het licht rijst op van de vloer tot het plafond tot het helemaal verdwijnt en de illusie wekt dat de wolk de figuur van de kunstenaar naar binnen zuigt, hem helemaal opslokt.

Isabella slaapt. Leonardo slaapt. 's Ochtends zal Isabella toezicht houden op de bouw van een zwembad in Fiori. Uitstel heeft gegarandeerd dat het zwembad op tijd voor de winter klaar zal zijn. Het is nu pikzwart in de kamer. Bij de rand van de gordijnen is de nacht een tint lichter, verlicht de ruimte niet, maar bakent hem af. Cesare haalt zich zijn vrouw en zijn zoon voor de geest. Leonardo nestelt zich in de warmte van zijn moeders rug. Hij slaat zijn armpjes om haar dunne middel. Ze ademen elkaar in. Haar dromen zijn vol zorgen over het zwembad. Zelfs het idee van een zwembad was verboden geweest tijdens het leven van Cesares vader. Isabella volgt het spoor van behoud en vasthoudendheid. Ze kent het belang van continuïteit, maar ze aanbidt haar echtgenoot, zijn grillen en ideeën. Ze heeft nu de rol en de verantwoordelijkheid om het geslacht Cellini voort te zetten. Cesare ziet Beth. Ze balanceert boven op een skihelling in een roodbruin donzen ski-jack, een maat te groot, op het punt aan haar eerste wedstrijd te beginnen. Ze is pas kort geleden begonnen met skiën. Ze is achttien. In haar haren heeft ze vlechtjes die onder een oude wollen muts uitpiepen die oranje is en met haar jack vloekt. Hij denkt dat hij met kerst een muts voor haar zal kopen.

Er zit een bal in Cesares borst. De bal is omvangrijk. Hij is groot, zo groot als een basketbal, mogelijk onhandig – zo groot als een voetbal. Zwaar. Onmogelijk zwaar, gemaakt van lood. Hij zit daar, verankert hem aan de fluwelen stoel. Hij denkt aan Isabella, die 's ochtends vroeg, fris na een vredige slaap, haar fruit schilt. Hij denkt aan Leonardo, begerig om de dag te beginnen, een en al verwachting en onstuimige energie. Zijn kleine mannetje kent de betekenis van angst nog niet, kent nog helemaal niets behalve verlangen. Zijn kleine mannetje lijkt op

Cesare met zijn dikke zwarte haar en zijn heldere, hoopvolle ogen. Zijn kleine mannetje, weet hij, zal het lood in zijn borst verdrijven als hij Cesare overal volgt zoals zijn gewoonte is, een en al ambitie om te leren. Zijn kleine mannetje – Cesare had niet geweten wat de mogelijkheden van liefde waren, de ontwrichting en de vreemde vormen die ze kon aannemen.

Hij denkt aan Beth op de skihelling in Cortina in het L.L. Beanjack. Ze geneert zich ervoor, stelt hij zich voor, misschien omdat hij zich er zelf voor geneert. Haar vader had het haar gegeven toen ze tien was, een paar maten te groot zodat ze erin zou kunnen groeien, er een tijdje mee kon doen. Ze heeft het nu acht jaar en ze is er nog niet ingegroeid. Ze logeren bij Francesca en haar verloofde in hun villa aan de rand van de helling. Naar binnen skiën; naar buiten skiën. Je hoeft niet met de ski's te lopen. Francesca heeft een pak van Ellesse aan en de allernieuwste moderne ski's, K2s. Voor après-ski, *dopo sci* zoals dat genoemd wordt, heeft Francesca een lange jas van schapenvacht en witte bontlaarzen om haar voeten warm te houden. Ze ziet er lief uit, als een bloemknop, nog meer bont om haar gezicht, mink gemodelleerd tot een hoed. Beth zal haar bewonderen in de avondlijke straten van Cortina, levendig met Oostenrijkers die walsen met hun skilaarzen aan en hete kwast drinken, terwijl het net zachtjes begint te sneeuwen. Als ze daar staat in hetzelfde roodbruine jack dat ze aan had bij het skiën, zal Beth Francesca bewonderen met die levendige ogen, zichzelf met Francesca vergelijken, zal dan de rits van haar jas een beetje hoger optrekken en zich wat langer maken. Als Cesare naar Beth kijkt zal hij ook een lange jas van schapenvacht voor haar willen kopen. Hij zal alles voor haar willen – nieuwe ski's, nieuwe kleren, nieuwe sieraden. Hij zal haar willen transformeren, maken dat ze zich speciaal voelt, haar Italiaans maken, haar net als Francesca maken – niet omdat hij wil dat ze net als Francesca is, maar omdat hij wil dat ze hetzelfde krijgt.

Maar nu staat Beth op de helling bij het startpoortje van de wedstrijd. Dit is haar eerste wedstrijd. Het is mistig. Van waar hij staat kan hij haar zien naast het poortje en hij kan de bovenste helft van de baan zien en een paar van de palen waar ze omheen moet slalommen. Ze staat op haar vaders oude ski's. De wedstrijd begint. Ze begint goed. Ze is snel en vastberaden, heeft een goede houding, gehurkt en laag bij de grond. Ze gaat moeiteloos sneller. Hij wil ook nieuwe handschoenen voor haar kopen; ze draagt een paar handschoenen van zijn zusje. Wat betekent het voor Beth om te logeren bij zijn oude vriendin in haar villa aan de rand van de helling, haar te zien in die bevoorrechte positie?

Isabella zal 's ochtends over de details van het zwembad willen praten. Nog een paar dagen geleden had Beth een bloeiende carrière in restaurants en eten en kookboeken. Hij heeft haar opgezocht op internet, recensies gelezen, gehoord over financiële winsten en mislukkingen. Hij heeft recepten uit haar boeken gezien, om een in het bijzonder, *pasta carbonara* – zijn recept uit Griekenland lang geleden, bereid met bacon omdat er geen *pancetta* te krijgen was – moet hij glimlachen. Hij begrijpt uit dit alles hoe bestendig Italië en hijzelf in haar zitten. Hij kan Valeria of het feest op het fresco boven hem niet langer zien, alleen maar een duisternis met twee nuances. Hij zal Leonardo morgenochtend naar school brengen, met Isabella naar Fiori gaan, en dan naar zijn werk, waar hij ervoor zal zorgen dat er meer geld aan voeten verdiend wordt. Morgenochtend zal Beths Valeria opstaan voor weer een dag zonder haar moeder. Hij wilde Beth zo lang geleden stelen, haar beschermen tegen haar dromen, haar de zijne maken. Hij had haar als een dief willen beroven van haar ambitie en haar verlangens. Stel dat hij dat gedaan had? Stel dat? Die twee woordjes.

Toen zag hij, terwijl ze de helling afging, verdween in de mist die haar opslokte, om die palen schoot (ze werd trouwens tweede), zag nog eens toen ze die avond naast Francesca, die gehuld was in al haar bont en rijkdom, naar het restaurant liep, zag dat wat hij in Beth bewonderd had haar overgave was, een bereidwilligheid, een enthousiasme, een behoefte, een verlangen alles op te geven voor wat ze wilde, waar ze haar zinnen op had gezet. (Ze had een tijdje haar zinnen op hem gezet.) Het was in zeker opzicht eenvoudig aan haar te zien in de jas: haar vader had haar de jas gegeven; ze hield van haar vader; de jas hield haar warm; ze hoefde niet op Francesca te lijken – ze moest op zichzelf lijken. Het was dit opgeven van pretenties, van haar eigen ik, dat hij koesterde, en hij wist, toen hij haar zag verdwijnen, de heuvel af, dat hij altijd jaloers zou zijn op, altijd zou worstelen met (sterker nog, zich ervoor verschuilen), het verlangen voor die overgave te zwichten.

Ze zet hem af buiten de TWA terminal op JFK. Ze kust hem. Ze houdt hem stevig vast alsof ze hem voor altijd bij haar binnen kan trekken, maar hij heeft zich teruggetrokken als oude verf die van een muur bladdert, vast maar toch niet. Hij rijst in die wolken op, weggerukt door die lelijke klauw en wat je daar maar in wilt zien. Hij probeert, niet overtuigend, haar gerust te stellen. 's Nachts in haar appartement had hij gehuild. Toen hij eenmaal was opgehouden met huilen was het alsof hij aan zichzelf een gelofte had afgelegd dat hij nooit meer om haar of om kinderlijke romantische denkbeelden zou huilen.

Zijn gezicht krijgt nu iets terughoudendheids. Het lijkt wel of hij zo snel mogelijk weg wil. Zijn gedrag krijgt iets formeels en ongewoons. 'Vaarwel,' zegt hij. 'Vaarwel?' vraagt ze. De manier waarop hij het woord zegt is als *addio*, een definitief afscheid – op weg naar God. Ze houdt zich aan hem vast. Hij vertelt haar dat het goed komt. Dan is hij weg, zijn rug naar haar toe als hij verdwijnt in de terminal die de vreemde vorm van een golf heeft. En zij weet dat ze, nu ze hun droom gehad hebben, elkaar niet meer zullen zien. Het is hun lot, net als de trein die in de Spaanse nacht gesplitst werd hun lot was. Ieder van ons heeft zijn bittere verhalen.

Maar hij zou terugkomen. Hij zou voor kerst terugkomen met een groenzijden hoed die zijn minnares de hoedenmaakster gemaakt had. Het hele voorjaar zou hij Beth brieven schrijven met de vraag of ze naar Italië kwam.

Maar zij zou James tegenkomen. Hij zou zijn gedichten tussen het stuur en de bel van haar fiets stoppen. Zijn lach zou wel duizend vlinders in haar buik laten fladderen. In plaats van oostwaarts naar Italië te vliegen, zou ze westwaarts door Amerika rijden, terwijl ze volstrekt niet begreep waarom, door een of andere onzichtbare kracht weggetrokken van datgene waarvan ze dacht dat ze het het liefst wilde. En waarom? Waarom? Omdat hij niet meer van haar hield? Als gevolg van ambitie? Omdat ze een dromer was? Omwille van Claire? Omdat ze Claires dochter was? Claire glimlacht, verleidt de camera, Jackson en de kijker met de mogelijkheden van wat daarachter ligt – want wat daarachter ligt is oneindig en ze is niet in staat iets anders te geloven. Maar altijd, haar hele verdere leven, zou Beth de vraag stellen: Houdt hij nog van mij?

6

Mogelijkheid

Ze was een deel van hem, zoals een orgaan. Een deel dat pijn deed, dat schrijnde midden in zijn borst, in zijn hoofd, zijn armen, zijn voeten, de kleinste botjes van zijn tenen. Ja, de pijn werd geleidelijk doffer, maar het schrijnen, een herinnering eraan, zou blijven, een litteken van een operatie lang geleden, dat klopt in de kou. Je kon zeggen dat hij haar operatief verwijderd had. Haar eruit gesneden met het mes van de haat, het voor de hand liggende tegengif voor de liefde. Haar eruit gesneden met verraad, vernedering, leugens, tot hij haar niet meer verdragen kon vanwege haar zwakheid, vanwege haar onstuitbare liefde, die Amerikaanse wil die geloofde dat hij alles kon veranderen, de hybris. Zie je haar daar huilen? Zie je haar daar met haar hart opengereten door hoop? De diepten van de hoop, zijn diepe schuilhoeken, zijn bodemloze putten. Vijf jaar, zoveel tijd kostte het. Desondanks hield hij nog steeds van haar.

In de nazomer van 1986, na bijna een heel jaar in Amerika, ging Cesare terug naar huis. Hij kuste zijn moeder. Hij kuste zijn vader. Hij kuste zijn zusje. Hij kuste de dienstmeisjes. Hij pakte zijn koffers uit. En daarna begon hij verhalen te vertellen, verhalen die hen allemaal aan het lachen maakten – verhalen over de commune, over Jackson in zijn donkere kantoor omgeven door krantenknipsels; verhalen over het verkopen van bessen, over toen hij even een koopman was en over een vaste prijs onderhandelde; verhalen over de grootmoeder en haar Indiër en de smoking (Cesare showde hem voor zijn familie), over de grootmoeder die in de opera prompt in slaap viel na het opgaan van het doek en de eerste aria van de lange *Lo-hengrin*. Voor de opera realiseerde de grootmoeder zich dat Cesare geen geschikte schoenen had. Liever dan hem oude schoenen te laten dragen, liet ze hun taxi stoppen bij een apotheek waar ze zwarte fluwelen slippers kocht. '*È vero?*' vroeg het zusje lachend met grote ogen, haar blonde krullenknoet naar achteren getrokken met een gouden lint, als een meisje uit de jaren twintig van de vorige eeuw. Laura leek even verbaasd over het idee dat een apotheek slippers verkocht als over het dragen van slippers naar de opera. Cesare begeleidde de groot-moeder naar de indrukwekkende hal met de enorme Chagalls en alle mensen in hun elegante kleren. Ze speelde de rol van oude Vriendin, ontdekte Gregory Peck en wees (indiscreet) naar hem om Cesare te laten weten dat ze zich onder de elite bevonden. Cesare liet zijn ouders en zijn zusje de suffe fluwe-len slippers zien, liet ze rondgaan om ze te laten bewonderen. '*Che ridere, che buffa*, come *ridicolo*.' En natuurlijk lachte het zusje, de moeder lachte, de vader lachte breeduit en stralend, een lach die zijn geringe omvang in de schaduw stelde. Cesare vertelde hun verhalen over het met je vingers eten van Indiase gerechten, over alle vette verontschuldigingen voor het eten van fastfood. Hij vertelde verhalen over de meubels die van straat gehaald werden, over de kinderen die brandkranen opendraaiden om af te koelen in de zomerhitte, over de menge-ling van mensen, over de winkels die de hele nacht open bleven, over de limousines en de honden (ja, de honden) die erin rond-gereden werden (de poedel van mevrouw Gimbel had zijn ei-gen wagen met chauffeur). En ze lachten nog meer en konden niet meer ophouden. Het was fantastisch getuige te zijn van zijn vaders lach, die warmte en tederheid op zijn gezicht bracht, zijn lach die spränkelde als een kristal in de zon. Zijn lach maakte zijn moeder nog harder aan het lachen. Ze lachten een hele tijd, de lach van opluchting omdat Cesare thuis was en omdat hij om Amerika (ook al was het toegeeflijk) lachte en omdat ze wisten dat de droom eindelijk voorbij was.

Nadat hij gewend was en met zijn vrienden op het meer ging

surfen, met zijn ouders een snel reisje naar Elba maakte, op zijn Amerikaanse fiets (hij had hem gekocht in New York, een bel op het stuur gezet en reed ermee door de hele stad) Città doorkruiste, een paar pogingen deed zijn vrienden tot rugby te bekeren, zette hij zich ertoe zijn studie af te maken. Hij verhuisde naar Milaan, trok bij zijn zusje in, ging elke dag naar college, werkte hard en deed zijn laatste examens, slaagde met de hoogste cijfers die hij ooit gehaald had. Hij begon serieus aan zijn dissertatie te werken, schreef die in drie maanden, en de woorden kwamen even gemakkelijk uit zijn pen als water uit een kraan. In november begon hij officieel bij de Cellinibank in Città. Sofia, de hoedenmevrouw, was zijn eerste klant. Ze kwam uit Florence en had rood haar en een brede aanstekelijke lach. Ze kwam bij hem met een tiental hoeden, van zijde en fluweel en leer, met en zonder veren, met en zonder bont, met vilten knipsels en kristallen kralen in een regenboog van kleuren. Ze zette de hoeden voor hem op en daarna zette zij ze op zijn hoofd en bracht ze voor de spiegel in orde. Haar lange vingers zwierven zachtjes over zijn wangen en zijn nek, en haar lach hield de zijne even vast in de spiegel. Hij zag er aantrekkelijk uit, uitnodigend in een fuchsiakleurig kapothoedje met een grote fuchsiakleurige strik onder zijn kin geknoopt. Terwijl hij haar in de spiegel bewonderde, moest hij steeds denken, ze is een Italiaanse – alsof dat feit alleen al verbazingwekkend was en waardevol en volkomen onbegrijpelijk. Niet veel later begonnen ze met elkaar naar bed te gaan en kort daarna kocht hij een hoed voor Beth – het groenzijden kleine ronde hoedje dat hem herinnerde aan de hoed die Valeria droeg op het fresco van Benvenuto. Deze aankoop was zijn eerste wrede daad. Met de kerst vloog hij naar New York om hem zelf aan haar te geven.

Ze trof hem op het vliegveld, stond daar met haar hoopvolle glimlach, in een witte zomerbroek met een koord om haar middel, een jas van schapenvacht die hij haar gegeven had, en vuurrode pumps. Ze had zich zorgen gemaakt over wat ze aan moest, had geleend van haar huisgenootjes, had zo goed mogelijk haar best gedaan. Haar lippenstift had dezelfde kleur als haar schoenen. Ze zag er belachelijk uit. Elk gevoel voor mode dat ze in Italië verworven had was ze kwijtgeraakt alsof haar bezorgdheid over het lot van hun verhouding haar zelfvertrouwen ondermijnd en haar onderscheidingsvermogen verzwakt had. Hij kon alleen maar aan Sofia denken en aan haar vingers en de hoeden waarvan ze wilde dat hij ze opzette en het onweerlegbaar verrukkelijke feit dat ze een Italiaanse was met grote Italiaanse ogen en een grote Italiaanse lach en het uitstekende Italiaanse gevoel voor vormgeving. Hij bleef een week. Alles wat hij eerst romantisch had gevonden vond hij nu weerzinwekkend: de meubels, de kakkerlakken die in het fornuis huisden, het verkeerslawaai, de onophoudelijke sirenes en hun rode grimmige lampen. Hij merkte deze keer zelfs, had hij nooit eerder gedaan, de hokjes in de openbare toiletten op – hoe de voeten en enkels van mensen zichtbaar waren als ze in het openbaar een uiterst particuliere daad verrichtten. Hij had geen interesse meer om naar Claire te gaan. De mensen daar leken hem nu in een bepaald opzicht belachelijk, Jackson die nooit weg wilde, Sissy Three die met een dode vrouw wedijverde, Preveena die geen afstand van haar sari's wilde doen, en arme kleine Rada.

'Jouw familie,' zei hij tegen Beth nadat ze hem gevraagd had of hij zin had naar Claire te gaan. Alleen al de manier waarop hij het zei gaf aan hoe hij zich voelde. En de lichte beweging van zijn hoofd, dat bijzonder Italiaanse gebaar, deed haar hele familie als bizar af. Ze voelde zich zowel diep beledigd als diep gekrenkt; alsof ze eindelijk datgene gezien had waar ze haar hele leven het meest bang voor was geweest. Ze kende dat gevoel van toen ze als klein meisje in de gewone sfeer van Sylvia's huis speelde en toneelstukken uit het gewone leven opvoerde met Sylvia's barbiepoppen en al hun cabrioletten en hun campers en hun toilettafels en kleren en Kens. Sylvia's familie was heel anders dan de hare: avondeten om klokslag halfzes op tafel. Een levende moeder, een moeder die altijd thuis was, een moeder die elke ochtend pakjes brood maakte voor haar twee meisjes, die haar correcte echtgenoot naar zijn werk uitzwaaide met een kus. Beth had haar familie nooit vreemd mogen vinden van zichzelf; haar familie was gewoon haar familie, maar families als die van Sylvia en die van Bea en die van Cesare hadden altijd een grote aantrekkingskracht op haar gehad. Nu zat Cesare in een stoel van de straat, gescheurd bloemenpatroon, het raam achter hem open hoewel het winter was en koud, omdat de vochtige warmte net te heet was. Het gordijn van lakens danste in de koude-hete lucht. 'Jouw familie is compleet gestoord.'

Toen Beth de kleine ovale hoedendoos versierd met tekeningen van belangrijke Florentijnse gebouwen openmaakte en de verfijnde groene hoed zag, gevlijd in wit vloeipapier, wist ze alles – dat ze het ontwerp van haar minnaars minnares op haar hoofd zou dragen. Ze zag hoe Cesare naar haar keek als ze de hoed vasthield, angstvallig op zoek naar signalen, en in haar gezichtsuitdrukking probeerde te lezen wat ze concludeerde, afleidde, doorhad. Ze zag hoe hij zowel gepijnigd als blij naar haar keek en dat hij haar, hoewel hij het niet zo direct had kunnen toegeven, leed en verdriet wilde bezorgen. Hij wilde de hoed alles laten zeggen wat hij niet kon. Hij wilde dat de hoed zei: Hoe haal je het in je hoofd dat ik Italië, mijn familie, mijn leven in de steek zou laten? Hier eindigen als elke andere immigrant, om midden in de nacht over de telefoon het nieuws van mijn vaders dood te horen als mijn kinderen in hun Amerikaanse bedden liggen en Amerikaanse dromen dromen? Hoe kon ik dat van je vragen? Je strikken in een wereld die je belangstelling voor pizza, voor restaurants, belachelijk zou maken?

Ze wist wat hij de hoed wilde laten zeggen. Ze wilde niet dat hij haar, hun, dit aandeed. Dus bleef haar gezicht koel, uitdrukkingsloos, standvastig met dat zelfvertrouwen waar hij van hield, het zelfvertrouwen van het roodbruine jack. Ze draaide de hoed rond in haar handen, zag het etiket dat in de voering van de hoed genaaid was: Sofia Ceseretti. Ze stelde zich voor hoe de vrouw eruitzag. Ze ging naar de spiegel, zette de hoed op haar hoofd, boog haar hoofd naar links, bewonderde zichzelf in de spiegel. Zijn ogen waren nog steeds op haar gericht. De radiator siste. Het appartement was koud. Ze had de spiegel ook op straat gevonden, had uren besteed aan het restaureren van de fijn afgewerkte houten lijst, had de gaten opgevuld met vloeibaar hout, had hem goud geschilderd. Ze wendde zich naar hem toe, en met de hoed leek het of ze mooier was dan hij haar ooit gezien had. De hoed, waaronder haar haren lang en weelderig te voorschijn kwamen, bekroonde haar bleke winterse gezicht. 'Het is een beeldige hoed,' zei ze.

De volgende vijf maanden schreef hij haar, belde haar, smeekte haar om naar Italië te komen.

Het voorjaar ging voorbij, daarna de zomer. James walste haar leven binnen met zijn lieve gedichten en zijn spontane plannen voor een reis naar het westen, met al het zelfvertrouwen van een knappe jongen die dol is op een lief meisje. Hij vatte haar woorden, haar liefdesverklaringen (in het veld zonnebloemen) als waarheid op. Hij had geen ervaring die hem kon leren niet te goed van vertrouwen te zijn, rekening te houden met misleiding. In zijn hoofd maakte hij uitgebreide plannen voor haar om met hem naar Los Angeles te komen. Hij kon haar daar even goed als waar dan ook een leven gewijd aan eten zien nastreven.

Door heel Amerika, op elke camping waar ze kwamen, op elke tweedaagse trektocht die ze maakten, bereidden ze een gourmetmaal op het kampvuur. Hij had een speciale tas bij zich met kleine busjes voor kruiden en specerijen. 'Ik hou van je,' zei ze nog eens, na zo'n maaltijd. De maaltijd, bereid op een hoogte van vierduizend meter in twee potten boven een kampvuur, met de toppen van de Rockies purper in het vervagende amberkleurige licht, heette *Koresh-e-Fesenjan*, ofwel stoofschotel van kip met granaatappelsaus opgediend met zuurbessen-basmatirijst. Beth had de recepten van Nasim geleerd, een vrouw op Claire die Iran in 1978 verlaten had, tijdens de revolutie, omdat ze als student een beetje te veel had geprotesteerd. Ze was een lieve maar strenge vrouw met korte donkere krullen en een grote zwarte moedervlek rechts van haar mond. Beth kende haar niet goed omdat Nasim pas kort geleden haar weg naar Claire gevonden had, Beth had zich onmiddellijk aangetrokken gevoeld tot haar bedrevenheid met rozenwater en rozenblaadjes en granaatappelzaden. Haar vingers toverden met deze ingrediënten. James had voor hun vertrek de zuurbessen en de rijst op een Iraanse markt in New York gekocht. Daarna, onder de sterren, zo dicht opeengepakt dat het mogelijk leek dat er meer sterren dan zandkorrels waren, verklaarde Beth nog eens haar liefde, uit bewondering voor alles wat vrij was aan deze man en voor zijn bijzondere talent om haar wensen te koesteren. Ze was verliefd op zijn liefde voor haar. Ze lagen samen in hun aan elkaar geritste slaapzakken, armen en benen verstrengeld. Het was heel donker en heel helder, op een of andere manier tegelijk, en de hemel glinsterde van de ochtendsterren en ochtendplaneten. Zo lagen ze samen, haar ogen wijdopen terwijl hij sliep, wachtend tot de oude maan onder de horizon zou dalen, tot de ochtend zou opdagen, zilver, als water dat de aarde omhult.

Maar na de uitbarsting bij Old Faithful draaide James de Lincoln oostwaarts en ze gingen op weg naar huis. Ze hadden een dag nodig om op te breken; dat was alles. Ze huilde. Hij huilde. Ze vond het vreselijk hem te zien huilen. Hij zei: 'Het ego kan er slecht tegen dat je niet van me houdt.' Hij zei het met een zelfvertrouwen terwijl zijn aantrekkelijke ogen lachten, en daardoor werd Beth bijna verliefd op hem. 'Het spijt me,' zei ze, zonder nog moeite te doen iets te ontkennen. Sterker nog, wat ze eigenlijk wilde was hem ten slotte alles vertellen: hoe het schrijnde, hoeveel pijn het deed. Hoe ze niet begreep waarom ze er geen afstand van kon nemen. Hoe ze onstuitbaar geloofde dat Cesare en zij voor elkaar bestemd waren, alsof het voorbeschikt was, geschreven door het lot, door de hand van Brahma op hun pasgeboren voorhoofd. (Ze had van Preveena over deze hindoemythe gehoord.) Hoe ze er niets van begreep hoe mensen terloops iemand in hun leven toelieten en hen dan even terloops weer lieten gaan. James was een vriendelijke man. Hij zou luisteren. Hij zou advies geven. 'Weet je dat het niets met jou te maken heeft?' zei Beth ten slotte. Ze zaten in de auto ergens in Wisconsin, vlak bij maïsvelden. Er stonden overal reclameborden voor kaas. Ze wilde nooit meer terug naar New York. Ze wilde eeuwig onderweg blijven. '*Sj-sj,*' fluisterde hij, en boog naar haar over om haar lippen met zijn wijsvinger te verzegelen, gebarend: *Ik weet het.* Hij wist het. Zij wist het.

Ergens in Indiana, in een goedkoop Motel 6 met verschoten gordijnen en een bobbelige matras die nog bobbeliger gemaakt werd door het Magic Fingers mechaniek dat het bed aan het schudden maakte als je er een kwartje in stopte, kreeg ze zo'n buikpijn dat ze zichzelf in een shocktoestand bracht. James moest haar naar de eerste hulp van het plaatselijke ziekenhuis brengen. Dokters dromden om haar heen (het was niet druk die avond), en staken naalden en slangen in elke opening van haar lichaam. 'Het zou een buitenbaarmoederlijke zwangerschap kunnen zijn,' suggereerde een dokter in blauw OK-pak, met een blik op James waarin een behoefte aan bevestiging te lezen was, alsof James de diagnose van de dokter kon bevestigen. Paniek, die in al haar schakeringen haar ronde wangen en haar ogen, haar brede voorhoofd verkrampte, maakte Beths gezicht onherkenbaar. 'Maar verlies ik de baby?' vroeg ze. 'Nee toch?' bleef ze vragen. 'Verlies ik de baby?' Ze keek James aan met paniek in haar ogen. Ze was een en al bezorgdheid om de baby, wilde de baby alsof die een of andere onontkoombare vraag zou beantwoorden. Maar het was helemaal geen zwangerschap. Het was eenvoudig angst, die kramp in haar darmen veroorzaakte en die zich om haar ingewanden kronkelde als wingerd om een boom, die de boom verstikt. Ze werd uit het ziekenhuis ontslagen. Hij reed haar aan een stuk door naar New York. In haar appartement op Sixth Avenue hielp hij haar met het uitpakken van haar koffer en haar rugzak en daarna reed hij haar naar haar grootmoeders garage in de betere buurt waar hij haar een harde kus op de wangen gaf, zoals een broer zou doen. Ze zag hem de straat uitlopen met een hol gevoel van binnen omdat ze wist dat hij een liefdevolle vriendelijke goede slimme man was. Ze zag hem weggaan, opeens weer helemaal bang voor de hardheid waartoe ze in staat was en omdat ze zo plotseling en onmiskenbaar alleen was te midden van de gebouwen die overal om haar heen oprezen en de mensen die haastig voorbijgingen, haar alle kanten uit duwden alsof ze niets meer dan een van die verdwaalde zakken was die vast was blijven zitten in de kale takken van een boom.

Ze moest het appartement aan Sixth Avenue opgeven, maar dankzij Sissy Three vond ze een studio aan York en Seventyfourth: vier kamers zonder lift boven een stomerij, waarvan de dampen dag en nacht door haar raam wasemden. Ze ademde de zoete chemicaliën in en vroeg zich af, zonder zich druk te maken, welke schade het ooit later zou veroorzaken. Op het dak van het appartement aan de andere kant van de binnenplaats floten de arbeiders altijd als ze haar door de kale ramen zagen. Het appartement was van een vriendin van Sissy Three uit de tijd dat ze model voor handen was. De huurster wilde het niet opgeven omdat de huur maar driehonderd dollar per maand bedroeg. De huurster had voor Beth een serie van twaalf getekende cheques achtergelaten met precies het bedrag van de huur erop. Het was Beths verantwoordelijkheid om de huur elke maand te storten op een rekening die deze vrouw, Georgia Lazar, speciaal voor dit doel geopend had. Dan moest Beth tien dagen wachten tot de cheque overgeboekt was. Op dat moment kon ze Georgia Lazars van te voren geschreven cheque naar de eigenaar sturen. Na een jaar zouden ze opnieuw onderhandelen. Beth wist dat Georgia Lazar getrouwd was en verhuisd naar een kapitaal pand in Connecticut, maar ze had tien jaar in dit appartement gewoond terwijl ze het probeerde te maken in New York. Het was zo goed als van haar en ze ging het niet opgeven. Als ze het opgaf zou ze iedere mogelijkheid om ooit naar New York terug te keren opgeven. (Jaren later, als Beth dacht aan de greep die New York op mensen had, zag ze Georgia Lazar voor zich: een slanke felle vrouw, die zich, onverzorgde haren om haar gezicht wapperend, met gebalde vuisten, een scherpe kaak, een weg door New York baant, terwijl ze stevig aan haar deel van de belofte vasthoudt.) Voor Beth hadden minstens drie andere mensen in het appartement gewoond, die gedaan hadden alsof ze Georgia Lazar waren. 'In New York,' had Sissy Three gezegd, 'is onroerend goed alles. Houd dat in gedachten en het gaat je goed.' Hoewel Beth jaren in New York gewoond had, werd de stad plotseling een nieuwe en onbekende wereld voor haar met een netwerk van machinaties en trucs waarvan ze nog niet goed wist hoe ze ermee om moest gaan. Toen ze op school zat was ze zich er niet van bewust geweest hoe ingewikkeld het leven in de stad was en werd ze ertegen beschermd. Hoewel het appartement was zoals het was, klein, donker, vol dampen, ontdekte ze dat ze wenste dat het op haar naam stond. En die wens alleen al leek haar een inwijding te zijn in het verlangen dat de brandstof is voor die draaiboeken, het verlangen dat ofwel maakt dat je uit New York weggaat of daar floreert.

Beth vrolijkte het appartement op met het restant van haar meubels van de straat en wat spullen van haar grootmoeder (een sortiment zilver voor dineetjes, kanten tafelkleden, mooie katoenen lakens, en een oriëntaalse lamp met een gescheurde kap waarop een vogel in zijn vlucht was afgebeeld). Maar desondanks bleef het donker. Haar grootmoeder kwam zo nu en dan langs. Ze informeerde in de regel naar 'de 'Italiaan'. 'Laat hem niet ontsnappen,' waarschuwde ze altijd. Beth luisterde op de stereo naar Claudio Baglioni en Lucio Dalla en Lucio Battisti en vroeg zich af waar Cesare mee bezig was en vroeg zich af wat ze in hemelsnaam wilde, of ze zou slagen in het leven? Ze was echt alleen, voor het eerst in haar leven. Haar beste vrienden van de universiteit waren weggetrokken, net als haar huisgenootjes Veronica en Jane: ze hadden zich verspreid over Amerika, naar Boston en Chicago en Los Angeles en zelfs naar Detroit. Bea was in Italië en Beth had een hele tijd niets van haar gehoord. Ze was getrouwd en opgegaan in een nieuw leven. Sylvia onderhield het contact met brieven en ansicht-kaarten van reisjes die ze met verschillende vriendjes onder-nam. Ze woonde in San Francisco, en volgde op Stanford een postdoctorale cursus in creatief schrijven. Zo af en toe kreeg Beth korte verhalen toegestuurd waarin hun avonturen in Griekenland beschreven werden. Beth voelde zich moederziel alleen in haar donkere appartement. Ze had vaak de neiging James te bellen, naar L.A. te vliegen, en daar een bestaan met hem op te bouwen, Perzisch koken en luisteren naar zijn colle-ges over de geologie van Amerika. Vriendinnen die ze niet zo goed kende waren naar Wall Street gegaan, werkten bij een bank, en het zou heel, heel lang duren voor ze zoveel zou ver-dienen als zij in hun eerste jaar deden. Ze liep hen op onge-makkelijke momenten tegen het lijf. Soms trof ze hen aan een tafel in de Pizzeria Amalfi waar ze nog werkte. Ze waren goed gekleed in mantelpak, goud om hun hals, parels in de oren, nu en dan een verlovingsring met een diamant die schitterde als de zon zelf. Beth zei dan: 'De pizza is hier uitstekend', zonder haar eigen aandeel te noemen of daar aandacht aan te schenken. 'Dat hebben we gehoord,' zeiden ze dan. 'Daarom zijn we hier. Ik heb gelezen dat het de beste in New York is, buiten Italië. We zijn deze zomer in Rome geweest en...'

Ze had de gewoonte bloemen mee naar huis te nemen – tul-pen die in een 747 uit Amsterdam het land in gevlogen werden, alleen maar bloemen in het vliegtuig, een beeld waarvan ze ge-noot – en die in een vaas te zetten, haar Italiaanse muziek aan te zetten, en lijstjes te maken met wat ze had: haar baan bij de pizzeria; het geld dat ze ermee verdiende; het succes van de piz-za's. Sterker nog, Italiaanse toeristen waren regelmatige be-zoekers geworden. De zaak stond in een Italiaanse reisgids als de enige plek in Manhattan waar je authentieke Italiaanse piz-za's met een dunne korst uit een houtoven kon krijgen, *Come in Italia*. En daarna maakte ze een lijstje met wat ze wilde: kok worden, chef-kok; een kookboek schrijven; eigenaar van een restaurant worden. Dat was wat ze echt wilde; dat was waar-om ze hier was.

Soms belde hij haar op, de internationale piepjes die over de lijn ruisten kondigden aan dat hij het was: '*Sei ancora perfetta?*' vroeg hij alleen maar, waarmee hij alles van Griekenland weer opriep. '*Sono ancora perfetta*,' antwoordde zij dan. En dat was het dan, en met de dagen raakte het gesprek langzaam op de achtergrond, tot hij weer belde. De Italiaanse muziek stemde haar altijd treurig, deed haar aan het leven in Città denken, waarvan ze nu geloofde dat ze het zo gemakkelijk had kunnen leiden.

Ze ging voor een beroemde chef-kok werken, groente hakken in zijn keuken, citroenschil in lange dunne reepjes snijden, rozemarijn fijnhakken, pancetta in dobbelsteentjes snijden, hakken en nog eens hakken. Ze kreeg blaren op haar handen. Haar handen roken voortdurend naar knoflook. Haar haren roken naar de keuken. De keuken gonsde van de activiteit van een tiental koks in opleiding, de meesterbanketbakker en zijn sous-chefs, de chef-kok en zijn sous-chefs. De staf was zo groot dat elke opdracht efficiënt en perfect uitgevoerd kon worden. Soms, als ze geluk had, mocht Beth de borden opmaken. Maar daar moest je snel voor zijn, en geen vergissingen maken. Geen saus op de rand. Het eten moest er als een miljoen dollar uitzien voor het de keuken uitging, moest er zo perfect uitzien dat de gast er niet in zou willen snijden. Fouten werden niet getolereerd. Er was een heleboel hitte, een heleboel geschreeuw, hoewel de chef-kok vreemd genoeg nooit een woord zei. Het restaurant heette Lago ('Meer') en het had drie sterren in de *Times* gekregen voor zijn voortreffelijke Noord-Italiaanse keuken. Het ironische was dat het vier sterren had moeten krijgen maar er slechts drie kreeg omdat de recensent, net als Julia Child, niet geloofde dat je voor de Italiaanse keuken voldoende techniek nodig had. Vier sterren werden uitsluitend gereserveerd voor Franse restaurants. De beroemde chef-kok van Lago, een Amerikaan, was ook beroemd omdat hij nooit iets zei. Hij gaf nooit interviews, en zijn naaste medewerkers mochten niet namens hem spreken en moesten voor ze voor hem gingen werken een overeenkomst tekenen dat ze dat niet zouden doen. Dit waren de late jaren tachtig van de twintigste eeuw, precies het begin van het tijdperk waarin chef-koks supersterren werden, publiciteit vergaarden en hartstochtelijke aanhangers, en geld opstreken door in het openbaar Viking Range apparaten aan te bevelen, of, bijvoorbeeld, Calphalon pannen. Zeker, de chef-kok van Lago was de eerste van zijn soort – hoewel hij nooit aanbevelingen deed. Hij was een purist. De pers kende hem en vermeldde hem eenvoudigweg als Leo. Lago was het meest opwindende restaurant in de stad ook al was het niet Frans. Sterker nog, mensen vonden het heerlijk dat het niet Frans was; ze hadden genoeg van Frans en waren nieuwsgierig naar authentiek Italiaans. Je moest minstens drie maanden van tevoren reserveren, en Leo stond niet toe dat er met het personeel gerommeld werd voor een eerdere afspraak. Beth voelde zich gelukkig dat ze hier terechtgekomen was. Alle andere leden van het keukenpersoneel bij Lago hadden de aspiratie chef-kok te worden. Er werkten een paar andere jonge vrouwen naast haar, enthousiast, gedisciplineerd, bereid alles te geven. De obers daarentegen, allemaal mannen, allemaal homoseksueel, en allemaal uit Noord-Italië, leken meer gezag te hebben dan het keukenpersoneel – afgezien van Leo natuurlijk – en snauwden tegen de keukenhulpen als er op een schotel maar het geringste flintertje peterselie op de verkeerde plaats zat. Het leek ontegenzeggelijk of ze hier in New York thuis waren. Nadat het restaurant 's avonds de deuren gesloten had maakten ze hun das los, legden hun voeten op tafel, hielden Leo voor de gek omdat hij zijn mond hield, schonken zichzelf een borrel in, staken een sigaret op – deden dingen die de keukenhulpen niet in hun hoofd zouden halen. Daarna verdwenen ze in de nacht en de stad alsof die altijd van hen geweest was. In tegenstelling tot Cesare konden ze uit Italië weggaan omdat ze daar niets hadden en het in New York gemakkelijker was om homo te zijn dan in Milaan.

'Al die opleiding om in een restaurant te werken?' vroeg de

grootmoeder. En vervolgens: 'Wat is er met mijn prins gebeurd?'

'Je prins?'

'Nou, jouw prins?'

De chef-kok had een vrouw. Ze heette Cosella en ze was op een extreme manier aantrekkelijk, heel lang, met kort blond, eigenlijk platina, geverfd haar. Haar eigen kleur was gitzwart, en ze vond het leuk als je de haarwortels zag. Het abrupte contrast, samen met haar lange neus, waren haar karakteristieke kenmerken. De botten staken uit haar lenige lichaam, maakten haar hoekig waardoor ze er nog extremer uitzag. Ze kwam uit de buurt van het Gardameer in Noord-Italië, en het gerucht ging dat zij het echte talent achter het duo was, dat zij 's avonds laat in de keuken stond. (Beth zou later gaan begrijpen dat mystiek en mythe alles met roem te maken hadden.) Overdag was Cosella echter de enige die de zaak drijvend hield, ze nam mensen aan en stuurde hen de laan uit en stond niet bekend als Cosella maar als het Loeder (bijvoorbeeld 'het Loeder dit...'; 'het Loeder dat...'). Ze maakte echt iedereen die bij hen werkte wel eens aan het huilen, vaak meer dan eens. Dat huilen deed men in de manshoge ijskast – een koude chromen wereld van groente en vlees en bessen en desserts – en was meestal het gevolg van het feit dat zij je het gevoel gaf dat je stom en ondeskundig of gewoon eenvoudig ongeschikt was. Bijvoorbeeld: 'Weet je niet wie Escoffier is? Wie Jacques Pépin is? Mijn zoon van zes weet wie Escoffier is.' Het is een Italiaans restaurant, wilde Beth weerleggen, maar ze durfde het nooit. 'Het is allemaal eten, voor het klaarmaken van fantastisch heerlijk eten. En dit zijn de meesters,' zou Cosella geantwoord hebben met haar zware Italiaanse accent. Ze had altijd overal een antwoord op. 'Ik moet overal de leiding over hebben,' was haar refrein. 'Niemand schenkt zoveel aandacht aan details als ik.' Dan keek ze naar je, tuurde langs haar lange neus omlaag van achter haar grote bureau. Als je een soufflé liet inzakken, als je chocola schiftte, als je de leverantie van minder dan de beste groenten accepteerde, dan kreeg je weer te horen over de talenten van haar zesjarige zoon en alle talenten op grond waarvan jij in dienst genomen was verdwenen zowel in haar eigen hoofd als in dat van jou als sneeuw voor de zon.

Toen Cosella Beth in dienst nam voor veertienduizend dollar per jaar, stond ze versteld toen ze hoorde, nadat Beth gezegd had dat ze niet wist hoe ze met zo'n salaris kon overleven, dat ze geen trustfonds had. Met een oprecht verbaasde blik zei Cosella tegen Beth: 'Kun je geen greep doen in je trustfonds?' Het bleek dat het nooit bij haar was opgekomen om zich af te vragen hoe haar werknemers met hun karige loon konden overleven. Beth ontdekte dat ze blij mochten zijn dat ze überhaupt salaris kregen, want de meeste restaurants betaalden per uur. Zij nam aan dat je, als je het niet kon redden met het geboden salaris, een trustfonds had. Zij had zich de donkere holen waarin ze woonden niet kunnen voorstellen, boven op elkaar gestapeld om de goedkope huur nog goedkoper te maken. Ze had altijd geld gehad, altijd te midden van mensen met geld gewoond, en had geen idee wat het betekende om het zonder te stellen. 'Maar je ziet eruit alsof je uit een goede familie komt,' zei Cosella, bij wijze van verontschuldiging. Goed gekenmerkt door geld.

'Ik heb geen trustfonds,' zei Beth. Cosella keek Beth strak aan in wat Beth het langste en gênantste ogenblik leek dat ze tot dusverre in haar leven had meegemaakt, alsof ze in Beth iets zag dat ze nog nooit eerder had gezien. Cosella was, hoewel Italiaans, op haar veertiende naar New York verhuisd en had haar tienerjaren doorgebracht in een huis van bruinrode zandsteen op Fifth Avenue. Central Park was haar voortuin. Ze had op een van de beste particuliere scholen gezeten en was daarna naar Barnard gegaan. Haar vader hield zich bezig met geldzaken en haar moeder met het geld uitgeven aan Cosella en haar drie zusjes. Cosella droeg de hele herfst, de hele winter en het voorjaar een nertsmantel. Ze had een villa in Garda en een op Sardinië, en ook een buitenhuis op Nantucket. Haar verlovingsring had een diamant zo groot als een ijsblokje. Ze had hem gekregen nadat Leo beroemd (en rijk) was geworden.

Daarvoor hadden haar ouders haar keuze van een echtgenoot niet serieus genomen, omdat ze dachten dat hun dochter zich niet aan een leven op kleinere voet zou kunnen aanpassen. Maar Cosella en Leo werden zo rijk dat ze graag zeiden dat ze 'hun huis van bruinrode zandsteen konden verkopen om een appartement te kopen', een variatie op een citaat van een beroemde schrijver die het helemaal maakte met een roman en bijgevolg een appartement kon kopen dat twee keer zo groot was als zijn enorme huis van bruinrode zandsteen.

'Het kwam allemaal door mij,' zou Cosella later zeggen. 'Ik wist hoe je geld geld kon laten verdienen. Als ik het aan Leo had overgelaten waren we straatarm geweest.' Ze leek te genieten van de gedachte dat ze op een haar na straatarm waren geweest, net als mensen als Sylvia's Chas vertederd terugdachten aan hun vluchtige contact met armoede toen ze op jeugdige leeftijd rond de wereld trokken.

Ten slotte wendde Beth haar blik af en kwam er een eind aan de stilte toen Cosella gewoonweg 'Het spijt me' zei. Ze was oprecht, vond het erg voor Beth dat ze geen vermogen en daardoor een zwaar leven had, hoewel ze het niet zo erg vond dat ze overwoog om haar meer te betalen. Afgezien van het detail van het trustfonds wist ze bijna niets over Beth – wist niets over Claire (de moeder, of de farm), noch dat ze gestudeerd had, dat haar grootmoeder begunstiger van de Met was, dat Beth waanzinnig verliefd was op een man die ze niet kon krijgen om redenen die ze zelf niet helemaal begreep. In zeker opzicht wilde Beth dat Cosella alles over haar zou weten, wilde dat Cosella haar sympathieker zou vinden en verliefd op haar zou worden en haar zou bewonderen als een moeder zou doen. Beth wilde haar voor zich winnen, haar laten zien hoe opgewekt en pienter ze was, hoe fantastisch ze kon koken. Ze wilde met haar warmte Cosella's ijzigheid ontdooien. Het zou het gevoel geven van een overwinning, stelde ze zich voor. Sterker nog, Beth wilde dat alle oudere vrouwen van haar hielden alsof ze hun dochter was – Bea's moeder, Cesares moeder, Preveena, zelfs Sissy Three.

Er waren niettemin ogenblikken dat Cosella Beth verraste, haar duidelijk maakte dat ze medelijden had, dat ze in staat was liefde te geven, dat ze niet het Loeder was. (Ze wist hoe er over haar gepraat werd.) Dan liet ze Beth zien dat ze begreep dat ze het moeilijk had, dat ze wist dat het restaurant veel aan Beth te danken had, en dat ze gewaardeerd werd. Dan moest Beth in haar kantoor komen en gaf Cosella haar een cheque voor een buitensporig bedrag, meer dan honderd dollar en stuurde Beth naar haar eigen kapper om zich te buiten te gaan aan een behandeling. Zo'n salon had Beth nog nooit gezien – sober, borrelende fonteinen, heen en weer drentelende barzois, Farah Fawcett en andere supersterren, vaste klanten, die glimlachten vanaf de chic ingelijste omslagen van *Elle* en *Vogue* en *Harper's Bazaar* die de muren versierden. De stylistes zweefden door de salon met de nonchalance van de rijken en van degenen die hen verzorgen, hun haar in alle kleuren van mogelijke kleuren en stijlen en hun kleren hip en van zwart leer met kettingen erbij en benen als stokjes. Beth was nog nooit in een dergelijke omgeving geweest, alle pretenties van haar grootmoeder en haar Paul Stuart smokings ten spijt. De fooi bedroeg meer dan Beth in een week aan eten uitgaf (ze at in het restaurant en thuis at ze ramen-noedels, drie pakjes voor een dollar). Beth moest een cheque uitschrijven voor de styliste om haar een fooi te geven en dan maar hopen dat de styliste hem niet zou innen voor haar loon op haar rekening kwam. Om de onverwachte uitgave te compenseren wachtte ze met het betalen van haar elektriciteitsrekening. Ze was te trots om haar grootmoeder om hulp te vragen.

Na een vergaande strafepisode in Cosella's kantoor (uitgescholden omdat ze een kreeft in een pan kokend water had gedaan zonder hem eerst met een scherpe messteek in de kop af te maken: 'Verbrand in kokend water? Denk het je eens in! De pijnlijkste manier om dood te gaan. Weet je hoe lang het duurt voor het water weer aan de kook is en het dier zo kan doden? Weet je dat? Weet je dat? Je had van de kreeften af moeten blijven. Daar heb je niets mee te maken. Jij moet je bezighouden met selderij, worteltjes, bosuien, sjalotten. Blijf uit de buurt van de kreeften.') stortte Beth in en barstte prompt in tranen uit waar Cosella bij was. 'Ik kan hier niet meer tegen,' zei ze. 'Ik ben uitgeput.' Beth had aanvankelijk haar baan bij de pizzeria gehouden, drie avonden per week bedienen na zo'n zestig uur groente hakken en eiwitten kloppen bij Lago. Het letterlijk heen en weer rennen tussen haar werkplekken had zijn tol geëist. Beth verkleedde zich altijd in de toiletten van Lago in haar uniform (geelbruine broek, wit overhemd), trok zwarte hardloopschoenen aan die ook dienstdeden als de schoenen waarin ze bediende, en rende drie blokken door de stad en dertig blokken de stad het centrum in naar de pizzeria Amalfi. Ze kon het flikkerende neon uithangbord van het restaurant altijd vanaf grote afstand zien als ze Seventh Avenue afrende: het uithangbord, een toonbeeld van smakeloosheid, deed haar denken aan de recensent die Lago drie sterren had gegeven omdat er Italiaans gekookt werd. (Elke keer als ze de straat afrende herinnerde ze zichzelf eraan dat ze Bruno moest vertellen dat hij een beter uithangbord moest ophangen.) Ze kwam altijd bezweet aan, waste haar gezicht op het toilet, kneep in haar wangen, poetste haar tanden en serveerde tot twee uur 's nachts. Om acht uur 's ochtends begon de hele sleur dan weer opnieuw. Ze zat in Cosella's kantoor te snikken.

In plaats van haar te ontslaan, wat Beth verwacht had, stuurde Cosella een masseuse naar Beths studio, niet een, maar vier keer. Terwijl de masseuse haar onder handen nam, op de tafel die de masseuse alle vier de verdiepingen omhoog had gesleept, werd Beth verliefd op Cosella. Toen Beth na afloop van de behandeling de masseuse een fooi probeerde te geven, kreeg ze te horen dat alles betaald was. De zomer daarop stelde Cosella haar huis op Nantucket twee weken tot Beths beschikking terwijl zij en Leo met vakantie naar India gingen. Ondanks de vriendelijkheid, de cadeautjes, bleef Cosella veeleisend: niet het kleinste blijk van incompetentie ontging haar, en ze uitte haar woede over de fouten van Beth of van wie dan ook altijd openlijk. En Leo bleef altijd een raadsel. In de jaren dat Beth bij Lago werkte zei hij nooit een enkel woord tegen haar. Maar Beth drong tot Cosella door, wrikte haar als een oester open, dwong Cosella, in haar bevoorrechte positie, om ongeschoolde slordige ambitie vanaf het begin te zien (en te bewonderen). Cosella had een goede uitgangspositie gehad; ze was geboren met een gouden lepel in haar mond.

Toen Beth acht maanden bij Lago werkte, ontsloeg Bruno haar omdat ze niet op het bal van de pizzeria was geweest. (Victor, de Albaanse *pizzaiolo*, was verrukt toen hij hoorde dat Beth ontslagen was.) Beth was niet verrast, ze was eerder opgelucht. Ze had daar alles bereikt wat mogelijk was. Het was ten slotte alleen maar een pizzeria. Nu had ze de ambitie om de critici te laten zien dat de Italiaanse keuken gelijk aan of beter dan de Franse was. Beth ontdekte dat ze wenste dat Cosella haar opslag gaf in plaats van een massage of een kappersbehandeling. Maar de gedachte aan Cosella, die verschanst in haar donkere kantoor achter haar grote bureau haar ondergeschikten in het oog hield door haar hoofd op te heffen en haar blik langs haar lange neus te laten glijden, maakte het vragen van opslag zo goed als onmogelijk. En Beth had al wortelen hakkend weinig ruimte om haar bijdrage te markeren of te stellen dat haar aanwezigheid echt noodzakelijk was. Bovendien – als je van eten droomde was Lago beslist een van de beste restaurants waar je kon werken. Op Cosella's bureau lag een ellenlange wachtlijst van mensen die bij Lago wilden werken, iets wat iedereen heel goed wist.

Als ze 's avonds laat in bed lag vroeg Beth zich altijd af waarom ze dit wilde. Dan vroeg ze zich af hoe ze eraan toe zou zijn als ze op een of andere manier in staat was geweest naar Italië te gaan. Dan keek ze naar de telefoon, dwong hem te rinkelen. Cesare had haar een brief geschreven na hun woordenwisseling bij Old Faithful, een brief waarin hij haar schreef dat ze verantwoordelijkheid moest nemen voor haar eigen aandeel en haar eraan herinnerde dat ze naar Italië had kunnen komen, al was het alleen maar om te kijken: dat ze dat aan hun verhouding verschuldigd was. Waarin hij schreef dat Sofia niets betekende, een aardige vrouw, zeker, maar geen Beth – niet warm zoals Beth, zacht als Beth. Sofia was hard en amusant, maar niet serieus. Hij had Beth nodig. Waarin hij schreef dat deze onderbreking van hun verhouding de uitdaging was die ze nodig hadden gehad om verder te komen zodat hun grote liefde kon bloeien. Ze las en herlas de brief en vroeg zich af of hij eerlijk was of dat hij alleen maar probeerde de verantwoordelijkheid af te schuiven. Dan ademde ze uitgeput die zoete dampen in, at als uitspatting een afhaalchinees in bed en keek hoe de dikke man in zijn ondergoed in het appartement aan de overkant van de binnenplaats zijn kont en zijn ballen krabde alvorens met zijn avondeten in een leunstoel te gaan zitten voor de blauwe gloed van de televisie. Dan viel ze in slaap met de lichten aan, het restant van de chinees naast haar bed op de grond. Dan droomde ze dat het appartement groter werd, deuren opengingen naar kamers waarvan ze niet wist dat ze die had, kamers die daarna in nog meer kamers uitkwamen tot ze zoveel ruimte had dat ze eindeloos van kamer naar kamer naar kamer kon walsen. 's Ochtends brandde ze zich altijd onder de douche als iemand ergens in het gebouw de wc doortrok. Maar toch gaf de droom over al die kamers haar altijd een opgetogen gevoel als ze naar haar werk liep.

Ze vermaakte zich ook wel. Hunter kwam uit Claire terug naar New York, begon te werken voor een hedge fund (Beth kon nooit begrijpen wat dat inhield, hoe vaak ze het ook uitgelegd kreeg), verdiende massa's geld, en nam haar op haar vrije dagen mee uit naar luxerestaurants en het theater. Hij nam haar mee uit dansen en ging met haar naar comedyclubs en jazzclubs. Voor deze gelegenheden kocht hij een jurk voor haar bij een winkel voor tweedehands kleren, een zwarte jurk met wel duizend kwastjes van zijden lintjes. Als ze zich bewoog glinsterde de jurk met al de elegantie die geld kan geven. Wat zou het gemakkelijk zijn voor Hunter te zwichten, dacht Beth, te bezwijken voor al zijn geld. Hij vond het heerlijk om geld uit te geven. 'Geld is er om uitgegeven te worden,' zei hij altijd. Maar hij gaf het graag uit aan voorwerpen en situaties die een verhaal konden vertellen. Hij kocht een Perzische ring uit de vijfde eeuw voor haar in een antiekwinkel, van een hoogbejaarde verschrompelde man met een wandelstok en een kromme rug die nog steeds de wereld rondreisde op zoek naar schatten. De steen was een rode jaspis, Hunter deed hem zelf om de middelvinger van Beths rechterhand, en ze voelde een scheut van begeerte door zich heen gaan, wat haar bang maakte. Het doffe gedreven goud en de fonkelende steen waren vijftienhonderd jaar oud. Ze vond het heerlijk om die geschiedenis te dragen, vond het heerlijk om zich de andere vrouwen voor te stellen die voor haar de ring aan hun vinger bewonderd hadden. Bij ABC Carpet kocht hij een Perzisch tapijt voor haar, een Kerman met een tuinontwerp. Ze ontdekte dat de Perzen vijfentwintighonderd jaar geleden tot de eerste tapijtenwevers behoorden en dat de ontwerpen van de tapijten oorspronkelijk een vorm van schrift waren voor de ongeletterde stamleden, een manier om hun lotgevallen en hun moeilijkheden en hun genoegens, dromen en zorgen vast te leggen. De tapijten kwamen uit plaatsen waar ze nooit van gehoord had, indrukwekkende namen als Khorassan, Baluch, Quchan, Shirvan, Lilihan – plaatsen die ze nooit zou bezoeken of leren kennen maar waarover Hunter sprak alsof hij haar erheen bracht, alsof hij zodoende de wereld toegankelijk kon maken, net een klein beetje groter maken dan Italië. Dan haalde ze de atlas te voorschijn en probeerde de steden op de kaart te vinden. Hunter had bepaalde eigenschappen, zijn uitgebreide kennis, die nieuwsgierigheid en dat verlangen die kennis te delen, die Beth aan haar vader deden denken, zoals hij misschien ooit geweest was.

Bij de Perzische kruidenierswinkel (een ontdekking van James) koos ze (en Hunter betaalde) granaatappels uit en zuurbessen en rozenwater en een specerij die bekendstond als *advieh* en gesuikerde sinaasappelschillen en kartons rijstnoedelsorbet. Ze hield zich bezig met de Perzische kookkunst, maakte voor Hunter feestmalen klaar, en haar belangstelling voor de Perzische kookkunst veranderde in een ware hartstocht.

(De Indiase en de Italiaanse beheerste ze al.) En als ze in haar kleine appartement zaten en de kaarsen flikkerden en er klonk wat rustige Mozart (die Hunter had uitgezocht) praatte Hunter met Beth over haar vader, besprak zijn ambities, merkte op dat hij een geweldige, zij het geheimzinnige man was, en Hunter prees Jackson omdat hij hem gered had door hem gewoon toe te staan niets te zijn, een onbeschreven lei waarop alleen Hunter mocht schrijven. (Hunter zou in de verre toekomst voor Claire investeren en Claire financieel advies geven.) Beth vond het heerlijk als mensen haar vader bewonderden. Maar ergens, diep in haar binnenste, wenste ze dat hij voor haar kon zijn wat hij voor al deze mensen scheen te zijn.

'Hoe was het om zijn dochter te zijn?' vroeg Hunter. Beth schrok even van de vraag. Het was in zekere zin een intieme vraag. Ze keek naar Hunter. Hij was ruim vijf jaar ouder dan zij, zwaarder dan Cesare – een man die te veel tijd verdaan had met bier drinken en achter een bureau zitten. Ze kon zien dat hij een behaarde borst had; het haar dromde door de hals van zijn T-shirt tegen zijn sleutelbeen. Ze kon Bea, met haar charmante accent, elk woord zorgvuldig uitgesproken, horen zeggen: 'Ik houd niet van mannen met een behaarde borst.' De tafel was bezaaid met de vuile boel van hun maaltijd. Ze had Hunter altijd als een bevoorrechte zelfverzekerde man beschouwd, maar als ze nu naar hem keek leek hij kwetsbaar en die kwetsbaarheid ging van zijn zelfvertrouwen af. Tegelijkertijd gaf het haar het gevoel dat ze echt alles tegen hem kon zeggen.

'Waardeloos,' zei ze, zelfs tot haar eigen verbazing omdat het niet waardeloos geweest was. Het werd pas waardeloos toen Cesare haar familie beschreef als geschift, toen ze haar vaders vreemde experiment door Cesares ogen zag en zich gebrandmerkt voelde als het eerste proefkonijn ervan. 'O, dat bedoel ik niet. Het is ambivalentie, is alles.' Ze hield even op. 'De ambivalentie van de jaren.' Ze dacht aan Cesare, vroeg zich af of hij nog van haar zou houden als ze uit een gewone familie was gekomen.

'Al jouw jaren,' zei Hunter gekscherend. 'Al jouw stokoude jaren.' Hij legde zijn hand op de hare. Kleine scheuten van begeerte schoten door haar heen, maar ze draaide die gevoelens snel de nek om. Ze was op iemand anders verliefd. Ze wilde dit niet voelen; ze kon zichzelf niet toestaan ook maar iets voor een andere man te voelen. James was voor haar het bewijs geweest.

'Alles gaat op zijn voorwaarden. In godsnaam, ik heb alleen maar een vader, en hij wil me nooit komen opzoeken, me in mijn wereld zien. Bla, bla, bla. Mijn moeder, mijn vader, mijn moeder, mijn vader...Ik zou mijn leven op een divan kunnen doorbrengen. Nee dank je. Ik houd van hem. Hij is mijn vader.' En daarmee begroef ze, voor het moment, de ambivalentie die ze net van zichzelf had mogen voelen.

Soms reed Hunter Beth in de weekeinden naar Claire. Tijdens de lange rit naar huis zetten ze het gesprek altijd voort, vergeleken de vrijheid van haar jeugd met de structuur van die van hem. Hunter was altijd nieuwsgierig naar haar. Hij stelde zoveel vragen, was zo belangstellend. Ze raakte eraan gewend hem in de buurt te hebben.

'Je bent weggegaan,' zei Beth, doelend op Claire. 'Betekent dat dat je ouders uiteindelijk gewonnen hebben?'

'Gewonnen?' vroeg Hunter.

'Ze wilden dat je wegging.' Beth had zijn ouders bij een paar gelegenheden ontmoet. Haar indruk was oppervlakkig – enthousiaste mensen die dol waren op avontuur zolang het zijn plaats kende. Ze zouden Claire bijvoorbeeld fantastisch gevonden hebben als hun zoon er niets mee te maken had gehad, als ze Jackson gekend hadden als vriend die veilig op Claire bleef, iemand om aan hun vrienden verhalen over te vertellen, om tafelgesprekken te verlevendigen. Ze barstten van het geld en hadden geen veeleisend werk, de moeder werkte helemaal niet. Ze deed niet eens liefdadigheidswerk. Ze sliep de hele dag voorzover Beth wist, en 's avonds organiseerde ze etentjes om zichzelf te amuseren. Sterker nog, de vader was er trots op dat hij een enorm salaris kreeg en bijna niets deed – hij deed iets dat met financiën te maken had, maar Beth besteedde er, net als bij de hedge funds, niet genoeg aandacht aan om het volledig te begrijpen. Hunters vader bracht zijn dagen door met verzamelen. Hij verzamelde originele kaarten uit de achttiende eeuw en zelfs eerder, kaarten getekend door Guillaume de l'Isle, bijvoorbeeld, of Samuel de Champlain of Nicholas de Fer – namen die Beth nooit gehoord had, maar Hunters vader sprak er met zoveel gezag en enthousiasme over dat je werkelijk iets van de grote genoegens van het leven leek te missen als je er zelf niet een paar bezat. 'Kaarten bevriezen de tijd, de geschiedenis,' zei hij. 'En als je de kaart bezit ga je dagelijks over dat bevroren moment nadenken.' De kaarten waren inderdaad prachtig, etsen en gravures en lithografieën, aquarel en gouache, pen en inkt en aquatint, satijn en perkament. Hunters vader, Palmer, was een kleine man en even knap als zijn zoon met een jongensachtig gezicht met diepe kuiltjes als hij lachte. Hij was trots op zijn uitgebreide kennis en kon over bijna elk onderwerp met gezag het woord voeren. Hij liep rond op Claire en bewonderde het antiek dat Short gekocht had, op de hoogte van hun herkomst en marktwaarde. Hij tilde kussens op, draaide matrassen om, stak zijn hoofd onder tafels – net als Hunter gedaan had toen hij voor het eerst Claires antiek bewonderd had. Als Beth naar Palmer keek begreep ze Hunter opeens, begreep dat zijn grote behoefte aan kennis aangewakkerd werd door de competitie met zijn vader – wijzer te zijn, meer te weten, zodat zijn vader nooit aan zijn intelligentie zou twijfelen.

Hunters moeder had een beetje te veel aan haar gezicht laten doen en het resultaat was belabberd. Ze zag er, net als de kaarten, bevroren uit, maar haar gezicht onthulde in plaats van eeuwige jeugd een zekere vermoeidheid, die van een zestigjarige vrouw die vijf kinderen ter wereld heeft gebracht. Ze eigende zich haar echtgenoots belangstelling voor kaarten en verzamelen toe als doel en als principe. 'We kunnen een stempel nalaten als we een belangrijke verzameling nalaten,' zei ze graag. (Ze praatte toevallig ook graag over vrienden van hen die in het terminale stadium van hun ziekte gekomen waren.) Hunters vader veronderstelde dat iedereen iets verzamelde en vroeg, toen hij met Jackson en Beth kennismaakte, wat zij verzamelden. 'Mensen,' zei Beth. 'Wij verzamelen mensen.'

'En eten,' voegde Jackson toe. 'Mijn dochter verzamelt eten.' Beth keek vol genegenheid naar haar vader, stroomde opeens over van liefde voor hem, met zijn lange bakkebaarden en zijn heldere ogen. Het verbaasde haar altijd dat hij doorhad waar haar belangstelling naar uitging, omdat zij tweeën er zo zelden over spraken. Maar hij wist precies wanneer ze zich wijdde aan pizza's of pasta's of Perzische of Indiase gerechten. Ze vond het heerlijk dat hij haar zo zorgvuldig in de gaten hield, zelfs al was het op een afstand. Deze wetenschap maakte het probleem van haar gevoelens voor hem nog ingewikkelder, gaf haar het gevoel dat de afstand tussen hen niet zo groot was als ze vaak dacht – net als ze door de ontmoeting met Hunters ouders tot het besef kwam dat er mensen waren nog gekker dan haar eigen familie. Ze vroeg zich af wat Cesare van hen zou denken.

'Ze wilden dat ik weer overeind krabbelde, dachten dat ik bang was na het Boesky fiasco,' zei Hunter. De rit langs de I-80 voerde hen door golvende akkers en daarna door reusachtige vlaktes met pijnbomen, terwijl ze omhooggingen, de Poconos in en daarna naar de Delaware Water Gap omlaag gleden. 'Ik ging zeker niet weg omdat ik plotseling niet meer bang was.'

'Dus je was bang?'

'Ik was echt op mijn bek gegaan. Je verdient een heleboel en dan heb je niets en iedereen denkt dat je een schurk bent terwijl ze eerst dol op je waren. Het is slecht voor het ego.'

'Waarom ben je dan ooit weggegaan uit Claire? Waarom ben je ooit naar Wall Street teruggegaan?'

'Omdat ik in jouw buurt wilde zijn,' zei hij. Ze huiverde, nu de waarheid zo overduidelijk op tafel lag.

'In mijn buurt?' zei ze. Maar ik houd van Cesare, dacht ze, maar ze zei niets.

'Ik weet het,' zei hij, haar gedachten lezend. En ze keek naar hem, een lieve blonde man met al dat haar dat uit zijn hemd kroop, met de niets ontziende behoefte alles over alles te weten te komen, om zijn vader te overtreffen die een grondige kennis van kaarten had, en overal over kon meepraten. Maar eigenlijk wilde ze weten waarom hij bij haar in de buurt wilde zijn. 'Heel eenvoudig: je bent niet bang,' zou hij geantwoord hebben.

Hij zette haar in New York bij haar appartement af en liep met haar het gebouw in. Ze gaf hem een haastige kus in de vestibule, waar het stonk naar kattenpis en vuilnis, en daarna verdween ze, snel de trappen op, geschrokken door wat haar in verleiding gebracht had.

American Express gaf haar een creditcard, wat haar ogenblikkelijk een rijk en onverstandig gevoel gaf. Ze gebruikte de kaart direct bij haar favoriete winkel op Madison, en kocht veel meer kleren dan ze zich mogelijkerwijs kon veroorloven. De kleren gaven haar het gevoel dat ze een pop was. Ze kocht kleine kashmieren pakjes en broeken met wijd uitlopende pijpen met bijpassende witte jasjes met enorme knopen, doorschijnende blouses die ze alleen maar met een kanten bh droeg zodat je die net tegen haar borst zag glinsteren. Ze gooide al haar oude kleren weg. Het kon haar niet schelen als ze schulden maakte. Dit kon New York met je doen. Ze kreeg een visacard en liet het saldo van de American Express overzetten omdat die elke maand afbetaald moest worden en de visacard niet. Na de liquidatie van Ma Bell in 1984 betaalden telefoonbedrijven die om klanten wedijverden mensen als ze van bedrijf veranderden en Beth leerde snel om daarvan te profiteren. Het duurde niet lang of ze veranderde maandelijks van bedrijf om van de aanbiedingen te profiteren – vijftig dollar van de een, honderd dollar van een ander – en ze voelde zich echt trots over alles wat ze bespaarde, zelfs verdiende. Uiteindelijk deed ze haar meubels van de straat weg, en verving die door afgedankte spullen van haar grootmoeder en van Claire. Ze wilde dat haar wereld er mooi uitzag. Ze kocht altijd bloemen bij haar Koreaanse kruidenier op de hoek. De verkoopster daar kende Beth nu, was dol op haar lach en gaf haar kleine extratjes – appels, gedroogde mango's, bananen. Het krediet bevrijdde Beth en ze nam geen cadeaus van Hunter meer aan. Ze zei tegen hem dat ze hem liefhad als een broer en vroeg hem of ze niet gewoon vrienden konden zijn.

'Dus je zat achter het geld aan,' zei hij plagend. Hij pakte haar op en kuste haar op haar wang. 'Als een goede broer,' verduidelijkte hij en hij voegde eraantoe: 'Als je het geld niet wilt, zeg ik mijn baan op.'

'Nee, alsjeblieft niet. Je moet je baan niet opzeggen. Je zal vroeg of laat mijn schulden moeten betalen.' Hij lachte en zij lachte en hun verhouding was opgeklaard en de wetenschap dat hij er was (als broer) gaf haar een blij gevoel.

'Wacht maar tot hij een vriendin krijgt,' zei Sylvia tegen Beth door de telefoon helemaal uit Californië (een gratis gesprek, dankzij Beths machinaties).

'Dat zou een hele opluchting zijn. Wanneer kom je deze kant uit?'

'Als ik mijn roman verkocht heb. En jij?'

'Zodra ik een restaurant geopend heb en het een fantastische kritiek krijgt.'

'Gestrikt door de armoede van de jeugd.'

'Ik mis je.'

'Hij houdt van je.'

Ze begon etentjes te geven voor vrienden van haar werk, voor vrienden van de universiteit die naar New York teruggekeerd waren nadat ze hun postdoctorale affaires met andere steden hadden gehad, voor vrienden van Hunter hoewel ze altijd (ten onrechte) geloofd had dat ze niet wist waar ze met de investeringsbankiers over moest praten, geen idee van de taal die zij spraken. Ze kookte uitgebreide maaltijden die ze tot in de kleinste details voorbereidde, natuurlijk Perzische. Ze leerde de namen van de gerechten: *kask-o bademjan* en *borani-e esfenaj, kukuye sabzi, rub-e bareh.* Ze wilde dat haar appartement een soort culinaire salon werd. Ze keek niet op geld, maakte jacht op Perzische kaviaar, beluga en sevruga, en diende die op met wodka en champagne (Hunter had natuurlijk voor Dom Pérignon gezorgd). Ze zette wat Perzische muziek op om de stemming te verhogen, en zette alle gerechten midden op tafel samen met borden verse kruiden en rozenblaadjes.

Indiase feestmaaltijden waren een van haar andere specialiteiten. Ze wilde dat de mensen beseften dat er meer te genieten viel dan de bekende pilafs en curry's en vindaloo's, en daarom liet ze hen kennismaken met meer authentieke en exotische gerechten als *idli upma* en *bhel puri, karareebhindi,* Malabar zalm en *Gobi lashuni* (ze was dol op de namen), met chutneys van zure peer en tomaat en kokosnoot. Op verzoek legde ze enthousiast de subtiele leer van de gebruikte specerijen uit, cilantro en tamarinde en mosterdzaad en komijn en koriander. Het rook altijd exotisch in haar appartement. Ze maakte regelmatig maaltijden van negen curry's en vroeg dan iedereen met zijn vingers te eten, legde uit waarom. Beth baseerde zich op de lessen die ze van Preveena en Nasim had opgepikt, en belde naar Claire als ze dringend meer informatie van hen nodig had. Beth en haar vrienden voerden altijd lange gesprekken bij kaarslicht tot diep in de nacht, over boeken en politiek en roddels over de plaatselijke restaurants: wie was besproken, welke jonge sterren schoten omhoog, wie was een kookboek aan het schrijven, hoe groot was het voorschot dat ze gekregen had, wat voor nieuwe eetwinkel ging open. De etensmensen – voornamelijk vrienden uit Lago, keukenhulpen net als Beth, die eten allemaal serieus namen en ooit chef-kok wilden worden – probeerden zelden hun jaloezie te verbergen op de nieuwste jonge chef-kok die omhoogschoot naar de culinaire stratosfeer en ze hadden eindeloos veel kritiek op alle mogelijke nieuwe restaurants, zelfs als ze er nooit geweest waren.

'Zoo is een dierentuin en hoe kom je op zo'n naam.'

'Ik heb veel meer talent dan die gozer. Dat verzeker ik je, zelfs als ik mijn dag niet heb.'

'Het komt door wie hij is.'

'Wie is hij?'

'De zoon van Jake McFundy?'

'Hij is een man. Het komt doordat hij een man is.' Een avondje uit, weg van het restaurant en Cosella en zwijgende Leo, voelden ze altijd allemaal een zekere vrijheid, alsof ze weer hun eigen baas waren, alsof hun toekomst echt van hen was. Maar ze gingen onvermijdelijk over Cosella praten en over de nieuwste belediging die ze een van hen naar het hoofd geslingerd had. Oude en nieuwe verhalen, Beths verhaal over het trustfonds kwam dan boven borrelen; zelfs als ze vrij waren, waren ze niet vrij van Lago.

Dan ging iemand op een ander onderwerp over. Een opluchting. Dan bespraken ze de Franse keuken en de technieken – boter klaren, eiwit kloppen in ijs, eiwit kloppen au bain marie – en ze gebruikten Julia Child als ruggensteun of verwierpen haar geheel en al als elitair. 'Ik ben het niet met haar eens, maar elitair is ze niet.' En dan gaf iemand die haar ontmoet had, ook al was het kort, ook al hadden ze elkaar alleen maar de hand geschud, een beschrijving van haar. (Beth had in het geheim besloten dat ze de Julia Child van de Italiaanse keuken wilde worden.)

Ze praatten tot er niets meer te zeggen viel en ze zich volgepropt voelden en een beetje vies en nietig. Dan schonk Hunter glazen armagnac in en bracht het gesprek op het theater en het ballet en de opera en de laatste tentoonstelling in het Guggenheim, zaken waar geen van de culi's geld of tijd voor over hadden, maar ze waren opgelucht dat ze niet langer gefixeerd waren op de successen van anderen, en ze luisterden naar de bankiers die over kunst praatten en hun mening (eerlijk) over de grootte van Beths studio gaven, genoten van de intimiteit, de gedachte dat ze beneden hun stand bezig waren.

Na de maaltijd gaf Beth hun altijd allemaal een vingerkommetje en druppelde rozenwater in hun handpalm. Ze was dol op het geven van etentjes: dol op de dagen van bedenken en voorbereiden; dol op het uitkiezen van wat ze aan zou trekken, de maaltijd bereiden, de tafel dekken met al het zilver en alle kaarsen, (gestreken) linnen handdoeken ophangen in de wc, een heleboel votiefkaarsen aansteken en die overal neerzetten; ze was vooral dol op waardering na afloop. Er was altijd wel iemand die 'Ik wil met Beth trouwen,' zei. De omvang van haar appartement weerhield haar er niet van te doen wat ze het liefste deed. Ze hield het allermeest van de romantiek van het eten, vooral van de Perzische en Indiase keuken, de onpeilbare geschiedenis, de zinnenstrelende eigenschap van de smaken en van het gebruiken van je hand en een stuk naanbrood of een takje verse dille in plaats van een vork. Maar de Italiaanse keuken was altijd haar sterke kant.

Via Hunter hoorde ze over een ander clandestien onderverhuurd appartement aan de Upper West Side. Met twee slaapkamers, een woonkamer en een eetkamer was dit vier keer zo groot als de studio, en, het kon niet beter, het kostte maar vijfhonderd dollar per maand. Beth had doorgekregen hoe je het in de stad moest doen: met een huisgenoot om de huur te betalen kon ze gratis wonen en hoefde ze zich geen zorgen te maken over het vinden van een tweede baan als serveerster. Dus dat deed ze gewoon en dat was niet alles. In plaats van het appartement aan York Avenue op te geven, verhuurde zij het op haar beurt weer onder, natuurlijk clandestien, voor het dubbele van wat ze aan Georgia Lazar betaalde, en zo betaalde ze niet alleen geen huur, ze kreeg elke maand genoeg geld binnen om van haar salaris bij Lago te kunnen leven. Ze ging meteen naar haar Franse boetiekje op Madison en kocht nog een stel kleren, een zwarte geplisseerde rok met piepkleine witte stippen en een bijpassende blouse. Ze kocht een zwart leren jack en een paar schoenen. Ze ging terug naar de salon met de barzois en liet haar haren knippen tot net onder haar oren. Ze zag er Frans uit. In haar nieuwe appartement onthaalde ze tien man op een Perzisch diner. Ze was dol op New York.

Een jaar later raakte ze dit appartement kwijt omdat het gebouw eigendom was van de universiteit van Columbia en ze het huurde van professors die de universiteit allang verlaten hadden. De universiteit had hen eindelijk ingehaald. Hunter hielp Beth erbovenop met een makelaar die haar aanbad zodra ze elkaar zagen, enkel en alleen omdat Beth vastbesloten was om iets te vinden wat onrealistisch was: 'Ik wil iets dat groot en goedkoop en mooi is,' verklaarde ze.

'Ik heb precies wat je zoekt maar dat kun je nooit betalen,' antwoordde de makelaar. 'Behalve natuurlijk als je die leuke man die verliefd op je is zover krijgt dat hij het betaalt.' De makelaar was een grote vrouw met dun rossig haar en een glimlach die bijna een grijns leek. Ze was drie keer getrouwd geweest en had van elke echtgenoot een zoon. De echtgenoten waren respectievelijk Turks, Israëlisch en Spaans. 'Ik ben op weg naar het westen,' legde ze uit. 'De volgende echtgenoot wordt een Amerikaan.' Eigenlijk wilde ze schilderen.

'Wat kunt u me erover vertellen?' vroeg Beth die op het appartement terugkwam.

Het appartement lag verscheidene blokken ten zuiden van waar ze nu woonde, was weer drie keer zo groot, met ramen op het zuiden, uitzicht op het Empire State Building, aan de westkant uitzicht op de Hudson, drie slaapkamers, een formele eetkamer, en een grote woonkamer. De huur bedroeg niet veel, maar toch meer dan ze kon betalen. In gedachten berekende ze, terwijl ze de kamers door liep en bij de ramen bleef staan om het uitzicht te bewonderen, dat ze als ze gewoon twee huisgenoten nam en hen de huur liet betalen ze weer gratis kon wonen op nog grotere voet.

'Ik neem het,' zei ze.

'Vijftienduizend contant in een papieren zak,' antwoordde de makelaar met die lepe grijns die ze had. De onroerendgoedtransactie hield in dat ze al die duizendjes in de papieren zak moest stoppen en aan een man in een lange donkere jas moest overhandigen op de hoek van de 103rd en Broadway bij halte 1 van de ondergrondse. Hij overhandigde Beth op zijn beurt een grote envelop waarin ze, hoopte ze, het huurcontract (vaste huur) op haar naam zou aantreffen en de sleutels. Hij had de langste, meest verfijnde vingers die ze ooit bij een man gezien had. Zijn nagels waren gemanicuurd. Hij gaf de envelop slechts met tegenzin uit handen. Daarna verdween hij, de trap af, het station van de ondergrondse in en ze zag hem nooit weer. Ze had het geld van Hunter geleend (hij was tegen deze transactie geweest), met de afspraak dat ze hem elke maand terug zou betalen met het geld dat ze kreeg uit haar appartement op York Avenue en van haar huurders. (Uiteindelijk noemde Hunter de diverse huurders 'Beths muildieren'.) De avond dat ze de sleutels kreeg vroeg ze of hij langskwam. Het appartement was nog leeg, het late zonlicht stroomde door de ramen (het was zomer). Ze sloot een gettoblaster aan, deed er een cassette van Chopin in, trok haar zwarte glinsterende jurk met de kwastjes uit de tweedehandswinkel aan en walste van kamer naar kamer tot Hunter kwam met champagne. Hij deed alle ramen open en een zacht briesje stroomde uit de binnenstad naar binnen. Die avond gaf ze hem een kus. Eentje maar, dat was alles. Een enkele kus die haar geen schokken en scheuten en steken bezorgde, die haar niet hongerig achterliet. Het leek eerder of de kus, klein als hij was, zich als water om haar heen wikkelde, zoals die gigantische hemel van Colorado die de aarde omhult. 'Het spijt me,' zei ze terwijl ze hem van zich af duwde.

'Wat spijt je?' vroeg hij.

'Dat ik dit niet kan,' zei ze.

'Waarom niet?'

Ze zei niets en hij wist waarom.

'Je had naar Wall Street moeten komen,' zei hij na een tijdje, met een groot gebaar van zijn arm door de woonkamer om aan te geven hoe hij haar prestatie waardeerde. 'Je geeft niets om risico's en je hebt oog voor mogelijkheden. Je zou nu multimiljonair kunnen zijn.' En hij hief zijn glas naar haar.

Ze dacht altijd aan Cesare. En zijn telefoontjes kwamen altijd, met grote tussenpozen, toegegeven, maar ze verlichtten de duisternis als sporadische lichtspoorkogels.

Toen ze op een avond met Hunter in Carnegie Hall was om naar een kwartet te luisteren waarin een paar vrienden van hem uit Duitsland speelden, werd ze smoorverliefd op een kleine violist genaamd Hans, en hij op haar, tot Hunters grote teleurstelling. Beths bevlieging zou tot gevolg hebben dat Hunter in een eigen romance verwikkeld raakte die heel serieus zou worden. Het meisje heette Dina, werkte als model voor Bloomingdale, en met haar lange benen kon ze gemakkelijk een minirok dragen. Als Beth 's nachts in bed lag stelde ze zich altijd voor dat ze de stad uit waren en al Hunters geld uitgaven, en dat Dina geen gevoel had voor zijn bizarre uitstapjes naar tweedehandswinkels en Perzische tapijtmarkten. Maar Beth had tenminste geen last meer van schuldgevoelens.

Beth en Hans zagen elkaar na de voorstelling, bleven de hele nacht buiten, wandelden bij zonsopgang door Central Park naar haar appartement net toen de joggers en de zakenlieden de dag begonnen. Ze kleedde hem in haar keuken uit. Op de plek waar de viool tegenaan drukte had zich op zijn kaak een ruwe leerachtige plek gevormd. Die raakte ze aan. De plek was zwart en lelijk als een enorme molshoop. Hij was even groot als zij. Ze hoefde niet tegen hem op te kijken, ze kon eerder recht in hem kijken. Ze begon de leren plek te kussen, zijn nek, zijn ogen. Ze vond het heerlijk dat hij even groot was als zij. Ze kuste zijn sleutelbeen, zijn tepels, zijn navel. Bij zijn penis talmde ze even tot hij haar optilde, tegen zich aandrukte en haar uitkleedde, hij gooide haar geraffineerde Franse kleren op de grond en streek haar geraffineerde Franse haren naar achteren. En ze brachten de dag door in haar nieuwe appartement, terwijl haar huisgenoten veilig aan het werk waren. Dat deden ze altijd wanneer hij naar New York vloog, in zijn hotel boven Carnegie Hall, in een taxi, in het park. Soms legde hij haar naakt op het bed en speelde Mozart voor haar op zijn viool tot ze het niet meer uithield. Hij schreef haar uit Duitsland lange wanhopige liefdesbrieven die haar aan het lachen maakten. Ze vond het heerlijk bewonderd te worden, ze vond het heerlijk dat mannen haar aantrekkelijk vonden. Daardoor wilde ze meer mannen, veel mannen.

Overal kwamen mannen vandaan. Ze had voortdurend afspraakjes. Ze sliep nooit. Ze ging uit met een Braziliaanse architect die van tong hield en zorgde dat ze stoned werd en haar nam boven op zijn architectuurtekeningen en het kindermeubilair dat hij ontworpen had. Via hem maakte ze kennis met een vrouw die een heleboel geld in Hollywood verdiende omdat ze het unieke talent had ongewone geluiden te kunnen nadoen. Ze kon kraaien als een haan, gillen als een sirene, spinnen als een poes, grommen als een hyena. Beth had een kortstondige en verrukkelijke verhouding met de man van die vrouw, die opgetogen was dat ze geen dierengeluiden nadeed als ze klaarkwam. Al deze mannen glipten door haar leven, gleden voorbij alsof ze op een transportband stonden alvorens te verdwijnen. Ze ging uit met vriendjes van andere mensen; ze ging uit met andere getrouwde mannen. Ze namen haar mee naar chique restaurants; ze pikten haar laat na het werk op. Ze boden haar dure wijnen aan, wat drugs, gaven haar mooie cadeautjes, nodigden haar uit op reisjes naar verre landen waar ze toevallig voor hun werk moesten zijn. Ze had een verhouding met een man twee keer zo oud als zij, die drie kinderen had, van wie de oudste maar drie jaar jonger was dan zij. Bij geen van die mannen was ze ooit emotioneel betrokken. Het kon haar niet schelen of zij wegmochten of als ze zelf wegging. Ze waren amusant, dat was alles. Ze was een expert in het loslaten en daar genoot ze van.

Met hulp van Cosella, die nu alles wist over Beths leven op Claire, haar dode moeder, en haar Italiaanse liefdesaffaire, en die als gevolg daarvan Beth als een soort dochter had geadopteerd, begon Beth nu een klein cateringbedrijf, verzorgde partijen voor Leo en Cosella in hun appartement op Fifth Avenue. Leo wilde nooit koken als hij vrij was. Voor hen, voor hun partijen, wilde Beth alles koken, alles behalve Italiaans. Ze was niet bang om te experimenteren, maar ze maakte vaak haar uitgebreide Indiase en Perzische feestmaaltijden en spoorden Leo en Cosella aan hun gasten aan te moedigen met hun vingers te eten. Hun vrienden waren belangrijke mensen en Beth vond het opwindend voor hen te koken: politici, toneelspelers, zangers, beroemde schrijvers, een paar jazzmusici. (Ze kookte zelfs voor Bill Clinton – voor hij kandidaat voor het presidentschap was.) Beth had of van Leo en Cosella's vrienden gehoord, of wist dat het aan haar lag als ze niet van hen gehoord had, alleen al door de manier waarop Cosella hun namen uitsprak. Deze diners leidden tot andere diners en Beth kon al spoedig, met instemming en de goodwill van Cosella haar baan bij Lago opgeven. Tegen die tijd was ze sous-chef bij de banketbakkers en verder zou ze het bij Lago nooit brengen. Zij wist het; Cosella wist het. De hogere posities zouden nooit vrijkomen, dus gaf Cosella haar op een andere manier een kans. Mensen hielden van de uitgebreide uitstallingen die Beth creëerde, de verfijnde details – die vingerkommen en het rozenwater, de zuurbessen (waarvan ze het bestaan niet kenden) en de goddelijke rijstvermicellisorbet. Aan het eind van de maaltijd kwam Beth altijd uit de keuken om zelf rozenwater op de handpalm van de gasten te sprenkelen, stralend in een schitterende uitrusting met een schoon wit schort om haar middel geknoopt en haar haren naar achteren getrokken in een haarband of omhoog in een piepklein knotje. Dan stond Cosella aan het hoofd van de tafel, hief haar glas op Beth en bracht een toast uit, vroeg Beth een buiging te maken. En dan klapten alle beroemde gasten.

Als Beth buiten op straat in de kou kwam, de jas van kasjmier uit haar boetiekje stevig om haar middel en haar nek getrokken, haar sjaal hoog onder haar kin geknoopt, haar muts over haar oren getrokken, als ze de vinnige kou van die januarilucht voelde, in het zuiden de gebouwen boven het park zag uittorenen, haar adem zag, naar een taxi keek die over Fifth Avenue scheurde, een stelletje bewonderde dat laat hand in hand een beetje aangeschoten naar huis slenterde, naar Madison Avenue liep om de bus in noordelijk richting te nemen, de verlichte ramen van de chique winkels bewonderde, alle mooie kansen die ze beloofden, met een enorme cheque voor haar diner in haar zak, dan kreeg ze een heerlijk gevoel. Ze kon het, geloofde ze. Wát het ook was, ze kon het.

Een vriend uit Cesares jeugd kwam naar New York. Hij nam haar mee naar een beroemd steakhouse en bestelde een kreeft van bijna twee kilo voor hen beiden en zij liet hem precies zien hoe je hem moest eten, hoe je precies het laatste kleine stukje van de kop eruit moest halen, hoe die stukjes het lekkerste en het zachtste zijn. (Ze vertelde hem niet dat zo'n grote kreeft belachelijk was en ongetwijfeld veel taaier dan een kreeft van een pond.) Vertelde hem hoe je een kreeft moest doden, vertelde hem dat kreeft oorspronkelijk het voedsel van contractarbeiders en slaven geweest was en dat die in de koloniale tijd in opstand waren gekomen om te protesteren tegen het feit dat ze alleen maar kreeft te eten kregen; ze wilden iets anders; ze wilden vlees.

'Hoe weet je in hemelsnaam zoveel over kreeft?'

'Ik ben chef-kok,' zei ze met een blik van verrukking in haar blauwe ogen. Toen ze dat zo zei had ze het gevoel dat ze een beetje oneerlijk was, alsof ze iets van iemand afpakte. Maar ze vond het hoe dan ook heerlijk om te zeggen, de allereerste keer: *Ik ben chef-kok.* Mensen vroegen je altijd om een lijst te maken van je bekwaamheden, om een nauwkeurige cv te geven om jezelf te bewijzen. *Ik ben chef-kok.* Ze bloosde een beetje van zelfvertrouwen. Het was gemakkelijker om dit tegen een Italiaan te zeggen; ze wist dat Italianen daar niet om gaven.

Deze man, Gianni, was Cesares oudste vriend. Ze waren elkaar als kind tegengekomen toen ze op een bevroren vijver in Città aan het schaatsen waren. Toen waren ze vijf, en ze waren altijd goed bevriend gebleven. Gianni was arts, en hij was verloofd. Beth had zijn verloofde in Città ontmoet, ze heette Grazia en ze was lang en slank met heel veel haar en een vrolijke lach die haar grote tanden goed liet uitkomen. Ze was ongelooflijk lief, maar niet al te snugger. Grazia torende boven Gianni uit en plaagde hem vaak met zijn lengte, maar niet op een bedreigende manier waardoor haar lengte op de een of andere manier iets moederlijks leek te krijgen, alsof ze zijn hele leven als een moeder voor hem zou zorgen omdat ze zo groot was. Grazia had de ambitie om de vrouw van Gianni te zijn, als een moeder voor hem en zijn kinderen te zorgen – een ambitie, vermoedde Beth, die haar leven eenvoudig maakte: ze hoefde alleen maar slank en sexy en zacht voor Gianni te blijven, tegen hem aan te kruipen als een kat en te zorgen dat hij zich veilig en op zijn gemak voelde. Gianni was een klein mannetje met een warm rond gezicht en scherpe ogen. Zijn professionele specialisme was bloed en hij was naar New York gekomen voor een conferentie bij Sloan-Kettering die betrekking had op de verhouding tussen een zeldzaam T-cellymfoom en de ziekte van Pfeiffer en die iets met Japan te maken had. Beth had altijd meer vragen voor Gianni gehad dan voor Grazia, eindeloze vragen over zijn onderzoek en de samenstelling van bloed en de behandeling van de verschillende soorten leukemie. Bloed was geen onderwerp waar Grazia iets over wilde horen. Dus was ze niet met hem naar New York gekomen.

Terwijl ze de kreeft aten en de zachte stukjes vlees uit de minieme spleten trokken vroeg Gianni aan Beth of ze hem wilde voeren. Dat deed ze. Daarna voerde hij haar een stukje van de staart. Hij liet zijn wijsvinger op haar lip rusten, precies zo lang dat ze zich afvroeg wat zijn bedoelingen waren. Zijn gezicht werd beschenen door de kaars die op tafel stond. De ober kwam dichterbij om een vraag te stellen, maar verdween weer snel in de draaikolk van het restaurant. Beth liet Gianni geheime spleten in de staart zien en voerde hem stukjes daaruit, alleen maar flintertjes vlees op haar vinger, en hij zoog ze eraf. Hij schonk haar nog een glas wijn in. Ze spraken Italiaans, wat ze heerlijk vond omdat het lang geleden was dat ze dat had kunnen doen. Hij deed haar wat betreft zijn lengte en zijn zelfvertrouwen een beetje aan de violist denken. Ze bedacht, en het flitste verrukkelijk en pijnlijk door haar heen, dat er niemand ter wereld was om mee naar bed te gaan van wie het Cesare meer zou kwetsen. Ze wilde Cesare kwetsen. Gianni bestelde een chocoladedessert, een combinatie van cake en soufflé, vochtig warm vanbinnen, een populaire cake, erg in trek in New York. Hij voerde haar hapjes chocola, die ze langzaam opat, terwijl ze deed alsof ze geen idee had dat hij haar verleidde. Cesare werd niet eenmaal genoemd. Gianni betaalde de rekening en nam haar mee naar zijn hotel en bedreef onder de koele gestreken hotellakens heel teder en heel voorzichtig de liefde met haar (alsof hij broos porselein dat niet van hem was in handen had). Heel langzaam, heel geduldig, heel grondig zodat ze wel van genot moest exploderen, tot het haar begon te dagen, vervuld van afschuw en te laat om het onafwendbare tegen te houden, het idee op zichzelf zinnenprikkelend, dat dit precies Cesares bedoeling was.

Terwijl Gianni's vingers na afloop over haar hele rug, haar blote armen dwaalden, drukte ze haar wang in het zachte koele kussen en stond zichzelf toe de brandende gewaarwording in haar ogen en haar neus te voelen. Daar lag ze, stil, een hele tijd. Gianni viel in slaap. De dikke ramen van het hotel zorgden dat alle geluiden van New York buiten bleven. Maar ze kon door een spleet in de gordijnen zien dat het buiten regende. Ze stak een van zijn sigaretten aan en rookte die op en daarna nog een, en zag de regen naar beneden komen. Ze was geen roker, nooit geweest.

'Heeft dit zich volgens plan voltrokken?' vroeg ze Gianni voor ze wegging. Ze verwachtte half en half dat hij zijn portefeuille te voorschijn zou halen om haar te betalen.

'Hij houdt van je,' zei Gianni.

'Ik haat je,' zei ze tegen Cesare aan de telefoon, in een bepaald opzicht blij dat ze een excuus had om hem te bellen.

'Onzin,' zei hij.

'Waarom?' vroeg ze. Toen begon ze te huilen. Niemand zei een tijdje iets. Ze kon de statische elektriciteit in de lijn helemaal de Atlantische Oceaan over horen sissen en trillen, helemaal Spanje en de Middellandse Zee over, onderlangs de Alpen naar Città.

Omdat ik een deel van je ben. Ik ben wat jij miste toen je opgroeide. Ik ben je dode moeder, ik ben je vader zoals hij geweest zou zijn, ik ben het leven dat je gehad zou hebben als je moeder niet gestorven was. Ik ben onmogelijk. Ik ben de At-

lantische Oceaan, een andere wereld. Omdat je een onlosma-
kelijk deel van mij bent, mijn ambitie, mijn mogelijkheden,
mijn kracht. Jij belichaamt het, belooft het, beantwoordt het.
Omdat jij weigert en ik weiger te geloven in de macht van de
geschiedenis en de tijd.

Campanilismo, dacht Beth. Ze herinnerde zich Valeria, die boven de menigte op het feest in Fiori opdoemde en met haar verslagen gezicht wanhopig naar het been van de kunstenaar reikte alsof ze probeerde de tijd terug te draaien, terwijl hij onafwendbaar oprees in de wolk.

Benvenuto had alleen in Florence gewoond. Denk eens hoe we zijn opgeschoten, dacht ze. Cesare kan met een Florentijnse gaan. Misschien zal hij over driehonderd jaar met een Amerikaanse mogen gaan. Daarna dacht ze aan Benvenuto die de liefde ontvluchtte voor wat hij het liefste wilde, voor wat hij liever wilde dan Valeria. Daarna dacht Beth over zichzelf, haar onvermogen Amerika te verlaten, haar eigen loyaliteit, wat ze het liefste wilde. *Campanilismo*, dacht ze nog eens, en ze zag al die wolkenkrabbers van Manhattan voor zich, hun toppen die de hemel in schoten. Haar klokkentorens.

'Waarom heb je de behoefte om mij te kwellen?' vroeg ze. 'Waarom heb je de behoefte om mij te vernederen?'

'Omdat ik wil dat je ophoudt van me te houden,' zei hij.

'Ik haat je,' zei ze, en in hun dwaze dans werd verachting verleiding.

'Kom me opzoeken,' zei hij.

'Als jij mijn ticket betaalt,' zei zij.

'Natuurlijk,' zei hij.

'Dit voelt als een verslaving,' zei zij.

'Het is erger,' zei hij. 'Het is een geloof.'

Hij stuurde haar een vliegticket. Ze troffen elkaar in Frankrijk bij het meer van Annecy. Beth had nog nooit water gezien dat zo'n kleur had, smaragd als de edelsteen. Ze troffen elkaar in Parijs. Ze troffen elkaar in Milaan toen zij op weg was naar India om Hunter (en Dina) op te zoeken. Haar bezoekjes waren geheim. Hij vertelde het nooit aan zijn familie. Zij vertelde het niet aan Bea. De reisjes duurden kort, een paar dagen, en waren ongemakkelijk. Beth was aanvankelijk hoopvol. Maar ze besefte al snel dat de afstand hen allebei in vreemden had veranderd en binnen slechts een paar uur, een dag, verdween haar hoop. Cesare kon niet verdragen wat New York van Beth gemaakt had, iemand die stijlloos geld achteroverdrukte door middel van een ingewikkeld netwerk van twijfelachtige onroerendgoedtransacties waar zelfs geen rechtvaardigheid aan te pas kwam, iemand die op krediet kocht en geld uitgaf, iemand die wanhopig meer wilde, groente hakte en geloofde dat ze op weg was om iets te bereiken. Voor Beth was Cesare vastgeroest, vastgeroest in een leven als bankier, door geld uit te lenen om de dromen van anderen in stand te houden. Hij had geen boek meer bij zich. Sterker nog, hij las nooit, schreef nooit. Ze voelde zich treurig; ze kende hem niet meer. Desondanks geloofden ze allebei een tijdlang koppig dat ze op een of andere manier naar vroeger terug konden, de tijd konden stilzetten, dat ze elkaar nog konden bevrijden van hun levens.

Toen stierf zijn vader. Hij stierf 's avonds laat thuis in zijn bed. Zijn vrouw en dochter en zoon waren erbij. Cesare stond bij het bed, hield zijn vaders hand vast, wreef die om hem te troosten, stille tranen rond zijn ogen, stille beloftes rond zijn lippen. 'Maak die sigaret uit,' zei de vader tegen zijn jongen. Zijn jongen voelde zich echt een jongen – een kind dat een standje krijgt – niet een man die van een man afscheid neemt, maar een jongen die op wilde groeien en bewonderd worden door de enige figuur die er niet zou zijn om de transformatie te waarderen. Het was zijn beurt de traditie voort te zetten, dwaasheid achter zich te laten door Beth eens en voor altijd te vernietigen en, als hij dat deed, zichzelf te vernietigen. Waarvoor? 'Maak die sigaret uit,' had zijn vader gezegd, en kort daarna stierf hij.

Jaren later zit Cesare onder het fresco in het heldere duister van de late septembernacht. Waarvoor? Waarvoor? Hij kan niets anders zien dan de broosheid van de nacht, de moed van de ochtend die probeert binnen te dringen door de scheiding in de dikke fluwelen gordijnen.

De volgende ontmoeting was in Città. Beth bleef vier dagen en vloog daarna naar huis in de wetenschap dat de liefdesaffaire definitief voorbij was. Cesare was nu een nieuwe en volkomen onherkenbare man. Hij verafschuwde Beth vanaf het moment dat hij haar zag en het leek dat hij haar alleen maar naar Italië gehaald had om haar te laten zien op welke gebieden hij haar nu niet kon verdragen. Hij wilde haar geen kus geven; hij was bang dat ze aids zou kunnen hebben. Hij zei dat hij nooit met haar getrouwd zou zijn, zelfs niet op het hoogtepunt van hun romance, omdat hij wist dat ze hem nooit een zoon zou kunnen schenken omdat haar moeder alleen maar een dochter had en haar vader alleen maar dochters had. 'Laat mijn moeder hier buiten,' zei ze. Hij zei dat ze zo chaotisch was dat ze haar kinderen ergens op straat kwijt zou raken. Hij wilde haar niet meenemen naar Fiori. Hij wilde geen dag voor haar vrij nemen. Hij liet haar integendeel achter in zijn appartement (hij had de familievilla verlaten). Het was een lelijk modern appartement met uitzicht op de stad en haar spottende klokkentoren. Toen hij haar ten slotte op het vliegveld afzette, nam hij haar handen in de zijne en hield ze teder vast en zei alsof hij een gunst bewees dat hij er voor haar zou zijn als een broer, niet meer, maar altijd als een broer.

'Ik haat je niet,' zei ze tegen hem, en keek hem scherp in zijn ogen. Reizigers stroomden om hen heen, en alle geluiden van een vliegveld. Er steeg een vliegtuig op.

'Jij, je ogen, herinnerden me zo net aan je grootmoeder.' Een enkel ogenblik leek hij gevoelig. Daarna zei hij, alsof hij probeerde elke zwakheid uit te branden: '*Addio.*'

Zo'n kil woord, *addio*, het kwam aan als een harde stomp, zoals zijn bedoeling was. Als ze naar Cesare keek kon ze alleen maar zijn vader zien. Ze zei nog eens: 'Ik haat je echt niet', omdat ze hem niet wilde laten winnen. Alles in haar binnenste deed pijn, bonsde zowaar. Ze draaide zich om en verdween in de vertrekhal. Ze wilde hem niet laten winnen omdat ze niet met Cesare praatte maar met een of andere bedrieger die bezit had genomen van de Cesare die zij gekend had als gevolg van omstandigheden die veel verstrekkender en diepgaander waren dan zij kon begrijpen.

Ze vloog naar huis terug, naar New York en huilde de hele reis, verjaagd, verbannen, beroofd. Ergens boven de Atlantische Oceaan, de golven ver onder haar net wolken, het water net lucht, ging ze plotseling rechtop zitten. Ze zou haar vader bellen. Ze zag hem voor zich, terwijl hij haar hand vasthield – haar kleine hand warm in zijn grote hand. Ze was vier en hij was met haar aan het spelen; ze zat op zijn schouders. 'Rennen, papa, rennen,' zei ze altijd als ze hem op Claire door de velden liet stormen. Ze stoorde hem altijd als hij aan het werk was, in zijn kantoor, in de velden, in de boomgaarden en ze kreeg hem zover dat hij met haar kwam spelen en dat deed hij. Dat deed hij altijd. Ze had nooit met zoveel woorden gevraagd, dwingend gevraagd, of hij naar haar toe wilde komen. Ze had het altijd halfhartig gevraagd; ze had nooit verwacht dat hij zou komen. Nu zou ze volhouden en blijven vragen. Ze maakte een plan. Een dikke oude man die in het vliegtuig naast haar zat vroeg of hij haar maaltijd mocht opeten. Ze had zich niet eens gerealiseerd dat de maaltijd al een hele tijd voor haar stond. Er stroomde zonlicht door het raam. Haar vader. Ze zou haar vader bellen. Zo eenvoudig als wat. Ze zou met hem praten over liefde, over haar moeder. Hij zou naar New York komen en haar opzoeken. Het werd van levensbelang dat haar vader Claire voor haar verliet. Ze was een en al hoop, een kracht van hoop en optimisme.

'Maar je weet dat ik dat niet kan, lieverd,' zei hij in de hoorn.

'Maar ik heb je nodig.'

'Er is niets mis met lijden, meisje.' Ze had het hem nooit zo vol overgave en vol begeerte gevraagd, met zoveel vertrouwen in zijn antwoord. Ze had het hem nooit gevraagd omdat ze niet afgewezen wilde worden. Het was gemakkelijker voor haar om nooit te vragen dan om wel te vragen en een negatief antwoord te krijgen. Ze zag haar moeder voor zich die haar vader aan Claire verankerde, alsof ze met een kogel en een ketting en lood en cement aan zijn been gekluisterd was. Opnieuw haatte ze haar moeder.

'Alsjeblieft,' fluisterde ze in de telefoon. 'Alsjeblieft,' zei ze nog eens. Ze wilde niet dat hij wist hoe hard ze moest huilen. In een naburig appartement werd gewerkt; een drilboor was iets groots en massiefs aan het slopen. Jackson zweeg. Ze kon zien hoe Claire zich in al haar schoonheid om hem uitspreidde, de verre afgelegen heuvels met de kleine farms als miniaturen oplichtten, als iets kostbaars; het rustige gezang van de vogels, een tractor op de akker. Stilte. Een gouden stilte. Een stilte die mogelijkheden bood, die alles kon verhelpen. Haar vader zou New York inrijden in zijn pick-up, haar in haar appartement opzoeken, uit Claire vers lamsvlees voor haar meenemen en eieren en appels, een verrukkelijke maaltijd met haar koken, tot diep in de nacht met haar praten over liefde en liefde die misgegaan was en liefde die de tijd stilzet en de ontzaglijke sprong die zich voltrekt als de tijd weer begint te lopen, hoe de tijd sneller gaat als om de verloren tijd in te halen, de afschrikwekkende schok van de werkelijkheid en dat wat onvermijdelijk is. Hij zou haar alles geven wat mooi was aan zijn pijn en aan zijn kennis, alles waar zij verstoken van was geweest. Hij zou haar haren strelen, haar een tedere kus op haar hoofd geven, haar rug wrijven – zijn meisje, weer zijn dochtertje van drie toen alles nog was als het moest zijn en zij in de paradijselijke fase verkeerde dat zij het middelpunt was, wat voor die leeftijd gewoon was. Hij zou uit haar ramen naar het zuiden kijken en zeggen: 'Wat heb je een fantastische wereld voor jezelf gecreëerd.' Misschien zou hij zeggen: 'Je bent precies je moeder.' Wat zaten er een mogelijkheden in die stilte, een dikke wolk die alles en niets inhield.

'Alsjeblieft,' zei ze, zo zacht dat je het bijna niet kon horen.

'Nee,' zei hij. Laat me niet nog eens nee zeggen.

Een paar dagen later zocht ze in haar appartement naar die

lijstjes die ze lang geleden gemaakt had, van wat ze had en wat ze wilde. Ze werkte ze bij en ging snel daarna aan het werk.

De jaren negentig van de twintigste eeuw – de gestage groei van de aandelenmarkt, van de dollar, van internet, van de rijkdom. Bill Clinton werd president. Hij verscheen 's avonds laat op de televisie in praatprogramma's waarin hij op een manier die voor een president volstrekt niet passend was de draak stak met zichzelf. Hij kon saxofoon spelen samen met de besten. Newt Gingrich. The New Republicans. O.J. Simpson. The Unabomber. Oprah. Julia Roberts. Yoga. Het Zelf. Steeds maar meer. Prinses Diana ging dood. John-John Kennedy ging dood. Chefkoks werden onbetwistbare supersterren. Lucent en Cisco en eBay en AOL en Intel en Amazon. De mobiele telefoon. Bill Gates. (Er werd beweerd dat hij zo veel geld verdiende dat hij het niet de moeite waard vond zich te bukken om een biljet van vijfhonderd dollar op te rapen. Sommige van Hunters vrienden van Wall Street vatten dit als een uitdaging op en berekenden hoeveel hun tijd waard was, hoeveel zij konden laten liggen, de waarde van hun tijd in aanmerking genomen. 'Walgelijk,' zei Beth. 'Zielig.') Amerika bewoog zich in opwaartse richting, groeide, groeide om tegemoet te komen aan de behoefte aan steeds maar meer.

Als klein meisje was Beth dol op chocola. Beth wist dat Jackson zich dat goed realiseerde. Ze genoot vooral van haar pogingen het geheim van de brownie te ontsluieren – hoe maakte je die zo zacht alsof hij uit de winkel kwam in plaats van uit het niets. Toen ze zes, zeven, acht jaar oud was, stond ze in de keuken op Claire en bleef het maar proberen en iedereen moest meehelpen en haar tips geven en helpen met recepten. Haar brownies waren vreselijk, keihard. De schilfers vlogen van je tanden als je erin beet. Sommige kinderen gebruikten ze als ammunitie voor hun katapult. Een van haar brownies ging door een raam. Maar Jackson wilde de belangstelling stimuleren. Hij wilde niet dat ze het opgaf. Hij hield van haar nieuwsgierigheid, haar energie, haar verlangen het door te krijgen. Hij bestelde een doos Duncan Hines browniemixen voor haar verjaardag zodat haar brownies nooit meer konden mislukken – een compromis, dat is waar, maar hij wilde dat het haar zou lukken zodat ze meer zelfvertrouwen zou krijgen. 'Maar dit is niet vanuit het niets. Dit is bedrog,' zei ze terwijl ze hem aankeek. Zijn dochter was een purist, op zoek naar echtheid. Hij bewonderde zijn meisje, dat zag je aan zijn trotse glimlach. Hij vertelde het verhaal aan iedereen die maar wilde luisteren. 'Mijn dochter is een purist,' zei hij dan. 'Mijn dochter van acht heeft *de mix* afgekeurd.' Zijn trots stimuleerde haar. Ze wilde dat hij erkende dat ze nog meer bijzondere dingen had. Ze kon er niet genoeg van krijgen.

Hij probeerde de brownie op een andere manier te benaderen. Hij bestelde voortreffelijke Belgische chocola en Franse kookboeken met recepten voor chocoladetaart zonder bloem. Hij bestelde een au bain-mariestel en een rubberen spatel en een springvorm en gardes in alle mogelijk maten en een stel maatbekers en lepels en beslagkommen voor Beth, helemaal voor haar alleen. En hij hielp haar de recepten onder de knie te krijgen, hielp haar te ontdekken dat geduld essentieel was, hielp haar te begrijpen dat chocola, eieren, een bijzondere gebruiksaanwijzing hadden. Op haar negende kon ze een perfecte *gâteau au chocolat* maken: le Diablo uit *Simca's Cuisine* van Simone Beck, de partner van Julia Child. Hij herinnerde zich, zij herinnerde zich een lange tafel van mensen die bij kaarslicht haar chocoladetaart savoureerden, en naar het kleine meisje keken dat hem gemaakt had. Ze had een wit schort om haar middel geknoopt, een brede lach om haar mond, want ze wist dat het haar gelukt was. Geen twijfels of onzekerheden, ze wist het overduidelijk. 'Ik ben goed,' dacht ze. 'Ik heb talent.'

Op haar tiende had Beth Julia Childs roomloze mousse onder de knie. Ze had de soufflé en de truffel onder de knie. Op haar elfde viel ze voor Preveena en haar curry's in. Ze was verslaafd aan eten, liet de hele productie van Claire door haar handen gaan alsof het een pasgeboren baby was, en dacht aan de grote handen van al die chef-koks die haar vaders producten gebruikten. Ze had respect voor eten, waardering, empathie zoals je alleen vindt bij iemand die er echt om geeft. Haar vader vond het heerlijk naar haar te kijken, kon, als hij in de glazen eetkamer zat met de *New York Times* voor zich op tafel uitgespreid, uren kijken naar zijn kleine meisje dat gewikkeld in haar witte schort in de keuken druk bezig was met smelten en mengen en zeven en brouwen, en hem af en toe iets bracht om te proeven en te keuren. En het was zijn blik die haar voorwaarts dreef. Terwijl ook zij, samen met het bruisende decennium, in opkomst was, terwijl ze haar lijstjes bijwerkte, terwijl ze nadacht over wat ze gedaan had en wat ze wilde bereiken, was het haar vaders blik, zijn geloof in haar, dat haar voorwaarts dreef. En de koppige hoop dat hij haar, als ze maar genoeg bereikte, op een dag zou komen opzoeken.

In het najaar van 1992, een paar maanden na Beths definitieve terugkeer uit Italië, arriveerde Bea. Ze had een paar dagen eerder midden in de nacht gebeld om te zeggen dat ze wegging bij haar man, dat hij het niet wist, dat hij er niet achter zou komen tot ze weg was, dat ze bij Beth in New York kwam wonen, was dat goed? Ze hadden elkaar lang niet gesproken. Bea was razend op Beth geweest omdat ze op weg naar India in Italië geweest was zonder het haar te vertellen en als gevolg daarvan had ze Beth zo lang doodgezwegen dat Beth haar, toen ze in Città was niet had durven bellen. Beth was verrast de stem van haar vriendin te horen. 'Ik wist dat je kwaad was,' zei Beth tegen Bea over de telefoon. 'Daarna durfde ik je niet meer te bellen.'

'Je wist dat ik het niet goedgekeurd zou hebben. Je weet dat ik gezorgd zou hebben dat je geen tijd meer aan hem verspilde.' En ze had natuurlijk gelijk. Beth had af en toe gedacht dat hun vriendschap voorbij was, dat ze eraan ontgroeid waren of haar opgegeven hadden of gewoon kwijtgeraakt door de tijd en de veranderingen zoals vaak gebeurt met een jeugdvriendschap. Nu ze Bea's stem hoorde, besefte ze dat dat nooit zou gebeuren.

Bea arriveerde met een aantal koffers en al haar bazige enthousiasme, klaar om haar eigen leven en dat van Beth op poten te zetten. Ze pakte haar koffers uit, hing haar perfect geperste kleren in Beths kast, legde haar opgevouwen blouses en keurig geperste ondergoed en bh's tussen de spullen in Beths ladekast. Hoewel alle details van Bea's garderobe hetzelfde waren gebleven, waren haar gezicht en haar lichaam compleet veranderd. Haar lange neus was een wipneus geworden, door haar dikke zwarte haren, zo lang dat ze erop kon zitten, liepen blonde strepen, haar bruine ogen waren groen geworden en haar volle lichaam was broodmager.

'Ik herken je nauwelijks,' zei Beth.

'Stel je voor. Hierna wilde hij dat ik mijn tieten onder handen liet nemen.' Met *hij* bedoelde ze haar echtgenoot. 'Daarom ben ik weggegaan.'

Bea gaf haar goedkeuring aan al Beths Franse kleren. Beths haar, dat uit model was gegroeid, keurde ze af, en het duurde niet lang of Bea had het geknipt en haar een coupe soleil gegeven en Beth geleerd (eens en voor altijd) hoe ze het in model moest föhnen.

Omdat Beth twee huisgenoten had, nestelde Bea zich in Beths bed. 's Avonds laat vertelde ze Beth over Giorgio, haar vreselijke echtgenoot. Ze had hem via een vriendin in de stad ontmoet en zich tot hem aangetrokken gevoeld omdat hij kunstenaar was en boodschappentassen ontwierp voor warenhuizen in Milaan, Florence en Rome – een lucratieve baan. Bea had aanvankelijk gehoopt – zelfs geloofd – dat ze uit Città weg zouden gaan om in Milaan of Rome op grotere voet te gaan leven. Ze waren drie jaar getrouwd, en nooit uit Città weggegaan, maar tegen het eind van die drie jaar maakte hij voortdurend afspraken voor haar met de plastische chirurg en bij de zonnebank. Hij begon alleen maar dieetvoedsel voor haar te kopen en gaf haar speciale kookboeken voor een dieet met weinig koolhydraten. Het kon hem niets schelen toen hij ontdekte dat ze boulimie had. Bij de zonnebank kwam ze een getrouwde man tegen op wie ze, alleen maar omdat hij haar aan het lachen maakte, verliefd werd. 'Hij was niet aantrekkelijk, een klein mannetje met slechte tanden, maar ik moest om alles wat hij zei lachen.' Hij beloofde dat hij bij zijn vrouw weg zou gaan. Hij gaf Bea een ring. Ze gingen ervandoor naar Venetië ('wat niet zo romantisch is als ze zeggen want de kanalen stinken en het krioelt er van de toeristen'), naar Florence en Rome en het eiland Giglio. 'Giorgio heeft er nooit iets van gemerkt,' zei ze. 'Ik weet zeker dat hij zijn eigen avontuurtjes had.' Na een jaar was de getrouwde man, Marco, nog niet bij zijn vrouw weggegaan, dus Bea belde Beth en pakte haar biezen. Haar man had geen idee waar ze was. Ze schreef hem een brief op een hoogte van zevenendertigduizend voet en postte die bij aankomst in New York.

Als Beth naar Bea luisterde had ze het gevoel dat ze weer zestien waren, en praatten over de vriendjes van hun tienerjaren die er spoedig niet meer toe zouden doen, zoals wanneer je een zus had, een ouder zusje dat alle antwoorden kende, zelfs als er in haar eigen leven niets was dat daarop wees. Toen Bea de onderwerpen Giorgio en Marco uitputtend behandeld had, kwam het gesprek op Beth en haar affaires en natuurlijk op Cesare. Beth vertelde haar over de afgelopen vijf jaar van uit elkaar gaan en hoe wreed hij in Città was geweest en daarna alles over de affaire voor een nacht met Gianni. 'Wees blij dat je van hem af bent,' zei Bea over Cesare. Ze ging rechtop zitten in de kussens en keek naar Beth, haar ogen glanzend in het donker, terwijl de ventilator aan het plafond krakend de lucht in beweging hield. 'Hij was nooit voor jou bedoeld. Hij was dom, Beth. Een domme Cittadino die niet verder kon kijken dan de schaduw van zijn klokkentoren.'

'Die verdomde klokkentorens. Het is echt verbazingwekkend dat er niet meer zijn neergehaald.'

'Dat zou de moeite niet waard zijn,' antwoordde Bea. En daar, 's avonds laat in Beths bed, barstten plotseling al Bea's eigen wilde ambities, zo lang opgesloten, los. En daar, 's avonds laat begonnen ze plannen te maken en te bekokstoven en te dromen over manieren om hun wensen te verwezenlijken. Bea wilde inkoper bij een groot warenhuis worden, de hele wereld rondvliegen om onweerstaanbare objecten en kleren te zoeken, om vrouwen mooi te maken en hun het gevoel te geven dat ze bijdetijds en volmaakt en aantrekkelijk waren. Bea zou inderdaad werk gaan zoeken, waarbij ze de connecties van haar familie gebruikte. Ze zou een baan krijgen en de rest van haar leven in Amerika blijven wonen. Na de dood van Beths grootmoeder zou Bea het appartement van Beth overnemen en Beth zou in dat van haar grootmoeder trekken. (Grammy stierf op negentigjarige leeftijd in haar slaap aan een hartstilstand, in 1995.) Uiteindelijk zou Bea een Amerikaan tegenkomen en met hem trouwen en een bloeiende carrière bij Lord & Taylor krijgen. Ze zou Valeria's peetmoeder worden en haar na de dood van Beth adopteren, in ieder geval in die geest, en Valeria kon op elk moment bij haar aankloppen. Bea zou nooit zelf kinderen krijgen maar ze zorgde met een intense toewijding voor de kinderen van haar vrienden. Zelfs Cesare zou later met haar in contact komen toen zijn zoon Leonardo naar New York kwam voor zijn doctoraat kunstgeschiedenis aan de universiteit van Columbia. Cesare zou Bea bellen en haar vragen op hem te letten. Een onverwacht telefoontje en een telefoontje dat een bepaald beeld dat Bea van hem had zou veranderen – een beeld dat levendig en helder en sterk was toen ze met haar diepbedroefde vriendin in bed lag.

Maar dat was allemaal later. Nu kon Bea zien dat haar vriendin evenveel vaste grond onder de voeten nodig had als zijzelf. Beth liet Bea haar lijstjes zien en Bea verfrommelde ze en gooide ze bij de vuilnis en zei tegen haar dat ze haar cateringbedrijf moest blijven koesteren en aan haar kookboek moest beginnen, zei dat het meer een autobiografisch verslag van haar tijd in Italië moest zijn met recepten als ornamenten die de ervaringen extra glans geven – pasta carbonara bereid door een mooie Italiaanse man op wie ze onder een volle zilveren maan op een hete Griekse avond voortdurend verliefd werd, terwijl het geheim van hun liefde nog steeds zelfs voor henzelf een mysterie was.

Beth deed zoals haar gezegd was en ging op haar slaapkamer achter een bureau zitten en werkte een jaar lang dag in dag uit aan het boek. Als ze niet schreef was ze bezig met catering, soms met hulp van Bea. Als ze niet schreef of met catering bezig was, probeerde ze Bea te koppelen aan Hunter, die weg was bij Dina. Ze kwamen elkaar onverwacht bij de Met tegen voor Mozart en wijn en giechelden en vertelden verhalen over de escapades van jaren geleden. Hunter keek vertederd naar de meisjes als ze beschreven hoe ze in een park in Athene sliepen, hun bagage op straat achterlieten, of over Beths poging haar benen met was te ontharen – dat ene behaarde been, Bea die Beth smeekte de klus af te maken. 'Het zag eruit alsof het onthaarde been een prothese was.' Hunter stelde vragen en de meisjes haalden hartstochtelijk herinneringen op en Bea bekeek Hunter zorgvuldig, met die kritische blik van haar die er altijd zo goed in was uit een stapel van wel honderd sjaals de mooiste te pikken. Ze keek hoe Beth haar hoofd schuin hield en haar lippen krulde en bijna onmerkbaar bloosde, terwijl ze een vluchtige blik op Hunter wierp om te zien hoe hij het vond, om te zien of ze hem aan het lachen maakte. Daarna begon Bea direct een gesprek met hem over het hedge fund, daarna over Beth en haar kookboek en haar befaamde etentjes en haar wens een restaurant te openen en hij gaf een gedetailleerde beschrijving van Beths partijen (het rozenwater en de bloemblaadjes en de conversatie, de jurken die ze aanhad en de muziek die ze draaide en de mensen die ze uitnodigde). Beth tilde haar hand op om Bea de Perzische ring te laten zien die hij lang geleden voor haar gekocht had. Bea bewonderde hem, hield Beths hand op tegen het licht, draaide hem rond en geloofde dat haar vriendin niet goed bij haar hoofd was. Ze keek naar Hunter. 'Je hebt hem gekocht omdat ze romantische ideeën had over Perzisch eten? Slim.' Ze kneep haar lippen samen en knikte bijna onmerkbaar met haar hoofd, begreep de hele situatie volkomen. Van de ring naar de tapijten naar Sylvia naar Claire naar Jackson en daarna terug naar Beth. Het duurde niet lang of ze had hem zover dat hij haar hielp de financiering voor Beths toekomst te berekenen. Tijdens discussies over het vinden van een stille vennoot en een zakelijk onderpand en leningen en wat dies meer zij, werd zijn conversatie even levendig als zijn gezicht.

Toen ze door het park naar huis liepen, met een volle maan in de halfdonkere hemel, zei Bea tegen Beth: 'Hij is zo overduidelijk verliefd op je.' Ze slenterden arm in arm om het reservoir, over het ruiterpad, langs alle speelplaatsen met de spelende kinderen die langzaam verdwenen, samen met het daglicht terwijl rolschaatsers en fietsers en de alomtegenwoordige joggers voorbij stormden. Het was herfst en warm, een warmte die een belofte van het voorjaar leek in te houden.

'Ik weet het,' zei Beth, alsof het een last was.

'Dan neem ik aan dat je niet weet dat jij op hem verliefd bent?'

'Doe niet zo idioot,' zei ze, maar haar gedachten waren vol van zijn kus, die kus in haar lege appartement, gloednieuw voor haar en net een herenhuis, die kus warm en beschermend zo niet hartstochtelijk, zoals het dak van de hemel. 'Hij is net een broer,' voegde ze toe. En daarna verduidelijkte ze meer over zijn jaren op Claire.

'Het is een schat,' merkte Bea op.

'Vind je? Dat zie ik niet meer.'

'We kunnen hem opknappen,' zei ze. 'Hij kan natuurlijk geen Italiaan worden. Hij is echt een Amerikaan. Maar we kunnen de penny's uit zijn schoenen halen.' Ze begonnen allebei te giechelen over de grootsheid van het dwaze idee om Hunter op te knappen.

'Je moet niet onderschatten hoeveel kracht en charme je krijgt als je gekoesterd wordt,' zei Bea, opeens serieus. Er scheurde een fietser voorbij en ze draaide abrupt haar hoofd om. Al haar haren kwamen achter haar aan, als een wolk van zijden kwastjes, als de jurk die Hunter lang geleden aan Beth gegeven had.

Het kookboek werd verkocht, liep redelijk goed, en zorgde ervoor dat Beth met een vriend van Hunter in contact kwam –

een handelaar in obligaties, een man met een lage stem die Bas heette. Hoewel hij Henry heette, was het Bas geworden omdat hij graag speculeerde à la baisse. Hij hield er ook van grote weddenschappen af te sluiten en grote uitdagingen aan te nemen. Hij daagde Beth uit naar Wall Street te komen, zei tegen haar dat hij, als ze hem achttien maanden gaf, een handelaar in obligaties van haar zou maken. 'Een fluitje van een cent,' zei hij, en vroeg vervolgens of ze zich ooit met kansberekening had beziggehouden. 'Kansberekening?' vroeg ze geschokt. Er was niets dat haar akeliger in de oren klonk dan achttien maanden Wall Street. Het was ook de ondergrondse, de gedachte dat ze daar elke dag helemaal mee naar Wall Street moest. Maar er was in het geheim, in zekere zin, iets intrigerends aan het binnenhalen van zoveel geld. Ze dacht aan de beschrijving die Henry James gegeven had van de Amerikaanse schaalverdeling van het winst maken, die zich nergens door liet tegenhouden, alles opofferde, als het zoveel opleverde dat het de moeite waard was. Beth had zo hard en zo lang geknokt dat de gedachte om meer geld te verdienen dan ze mogelijkerwijs kon uitgeven een zekere aantrekkingskracht had. Wat verrukkelijk zou het zijn als ze net als Cosella was, een overwinning op haar eigen voorwaarden met een leven waarin je permanent met geld en alles wat je ermee kon kopen in de watten gelegd werd. Bas en zijn vrouw benaderden dat een beetje. Bas verdiende vijf miljoen dollar per jaar. Zijn vrouw een miljoen. 'Genoeg voor de oppas,' zei hij altijd schuddebuikend met zijn joviale lach, en zijn rode haar dat in brand leek te staan. Voor Bas hielden de weddenschappen nooit op en kwam er nooit een eind aan de projecten: er kwamen steeds meer dingen die hij wilde funderen en financieren en steunen. Beth werd een van zijn projecten. Ze vond het heerlijk om zijn project te zijn. Als kleine jongen had hij al kok willen worden. Zijn appartement had een keuken met de nieuwste snufjes, waaronder een Wolf Range kookplaat met zes pitten en een bakplaat, en een Sub-Zero ijskast. Een vier meter hoge glazen kast met een constante temperatuur stond in het midden van zijn keuken, vol excellente wijnen – niets minder dan zeventig dollar per fles. Er was een ladder op wieltjes die om de kast gleed. Bas' ganzenvet werd uit Frankrijk binnengevlogen, tegelijk met zijn foie gras; zijn olijfolie en parmezaanse kaas werden uit Italië binnengevlogen; zijn chocola uit België, enzovoort en ga zo maar door. Hij had een vrouw in dienst die alleen maar de koperen potten en pannen sprankelend schoon hoefde te houden, wat niet moeilijk was omdat de keuken zelden gebruikt werd. Hij had geen tijd en zijn vrouw vond koken vreselijk. Ze had er, zelfs als ze het gewild had, geen tijd voor gehad, want ze werkte op internet als aandelenanalist.

Hij vond Beths boek fantastisch en besloot om in haar restaurant te investeren zodat hij ervan kon genieten terwijl zij het werk deed. Hij gaf haar geld dat haar in staat stelde om een bouwvallige winkelpui op Avenue A in een modieuze trekpleister te veranderen waar je de verse eenvoud van de Noord-Italiaanse keuken kon proeven. De keuken werd door een glazen wand van het restaurant afgescheiden zodat de gasten het grote spektakel dat zich afspeelde voor al het chroom van de fornuizen en ovens konden zien. De chef-kok (die sous-chef geweest was voor ze hem van Cosella weggelokt had) en de keukenstaf waren druk bezig in hun witte schorten met hun witte mutsen.

Bas omringde zich met zijn bewonderaars aan de mahoniehouten bar die uit Italië geïmporteerd was en at zijn maaltijden – *Tonnarelli con la Belga e la Pancetta Affumiciata, Risotto con Carciofi, Filetto d i Bue alla Moda di Como* en dergelijke – 's avonds laat met zijn makkers uit Wall Street terwijl ze alles en nog wat over de tong lieten gaan. Hij nam hen er allemaal mee naartoe. Bas had in het bijzijn van zijn vrienden altijd suggesties voor Beth om hun te laten zien hoe betrokken hij was, ideeën over de verlichting, de kruiden in bepaalde gerechten, de wijnkaart, en zelfs belachelijke suggesties zoals het importeren van fruit uit Rome. Dan lachte ze toegeeflijk en klopte hem op zijn schouder, gaf hem een kus en vertelde hem op die manier dat zij de baas was. Maar toch: 'Ik heb het mogelijk gemaakt,' schreeuwde Bas dan boven het kabaal van alle gelukkige gasten uit.

Een eigen restaurant zou hij nooit krijgen, maar dit kwam er het dichtst bij in de buurt. Hij had twee kinderen, zou er nog twee krijgen, een vrouw, in hogere regionen met zijn megalomane appartement, zijn keuken, zijn wijnen, onderwijs, universiteit, pensioen – vreemd hoe snel zes miljoen per jaar erdoorheen gaat. Hij kon het risico zelf niet nemen. Hij handelde in plaats daarvan in pandbrieven hoog in de North Tower waar hij uiteindelijk zou sterven, gelijk met Beth – iets dat intiemer is dan het bedrijven van de liefde met iemand anders.

Nadat ze twee jaar met elkaar waren omgegaan, trouwde Beth in de zomer van 1996, dankzij Bea, de koppelaarster, die precies doorhad hoe de vork in de steel zat, met Hunter – rustige ontspannen Hunter die op Claire op het grote grasveld recht voor haar stond. Beth droeg de trouwjurk van haar moeder, een volumineuze witte jurk met wel honderd knoopjes op de rug die uitkwamen bij een queue de Paris. Hij was van glanszijde met een wijde onderrok van organza. De zijde was door de jaren roomkleurig geworden, maar desondanks was de jurk nog steeds mooi, met bolle mouwen en een lijfje van kant, en hij zat Beth als gegoten. Ze had precies dezelfde maat als haar moeder. Als ze de jurk aanhad voelde Beth zich dichter bij haar moeder dan ze ooit tevoren ervaren had, alsof Claire naast haar stond, een echte vrouw – niet een abstract begrip of een droom of een farm. Toen haar moeder de jurk droeg in aanwezigheid van tweehonderd mensen in New York (in het Pierre), was ze tien jaar jonger dan Beth, en Grammy had zich heimelijk verontschuldigd voor de zwaarlijvigheid van de schoonmoeder van haar dochter. Beth dacht ook aan haar grootmoeder, hoe ze Claire de jurk had helpen uitzoeken bij Bergdorf Goodman, en op conventie en traditie had aangedrongen alsof alleen de jurk al Claires partnerkeuze had kunnen veranderen.

Beth wilde dat haar grootmoeder haar huwelijk met Hunter

nog had kunnen meemaken omdat hij bij Grammy in de smaak viel: hij was charmant, zijn familie was in orde (hoe gek ze ook waren), hij verdiende fabelachtig veel, en hij had in alle stilte haar rekeningen betaald zodat ze toen ze oud werd de beste medische verzorging kon krijgen, had zelfs gezorgd voor een hulp die zich bekommerde om de kleinigheden van haar leven waar zij niet meer mee om kon gaan (toen Beth de rekeningen ontdekte voelde ze zich wat milder jegens hem gestemd). 'Hij komt uit een goed nest,' zei Grammy graag. 'Laat deze nu eens niet door je vingers glippen.' Dat zei ze de dag voor ze doodging. Toen ze daar stond in haar moeders jurk stelde ze zich voor dat ze voor Grammy Claire geworden was, en weer helemaal opnieuw begon. De jurk was opgeborgen op een hoge plank in een diepe kast in het huurappartement van haar grootmoeder, vacuüm verpakt in een goudkleurige doos. De doos had een doorzichtig plastic raam zodat je de jurk gedeeltelijk kon bewonderen, wat Beth natuurlijk heel vaak gedaan had – eerst op aandringen van haar grootmoeder en dan uit zichzelf, alsof ze een deel van haar moeder bewonderde als ze door het plastic raampje gluurde, en haar met de tijd zag veranderen van nuance en karakter. Na de bruiloft deed Beth de jurk weer in de gouden doos, om hem te bewaren voor de dochter die ze, zoals ze wist eens zou krijgen.

Het leven rolde door als een snel stromende rivier. Ze zou nooit van Hunter houden zoals ze van Cesare gedaan had, met een wanhopige, verstikkende, verrukkelijke, onmogelijke liefde – een onstuimige liefde die de tijd stilzette. Het was eerder een rustige liefde die gestaag stroomde, met en door de tijd groeide als een dagschone of een andere mooie onstuitbare klimplant. Niets teers aan, zo betrouwbaar als die lucht.

Het hedge fund waarvoor Hunter werkte stortte ineen toen een ontevreden werknemer praatjes vertelde waardoor er een onderzoekscommissie ingesteld werd en de maatschappij tachtig procent van zijn investeerders kwijtraakte. Voor de eigenaar van de maatschappij, ooit miljarden waard, bleef er (betrekkelijk) weinig over, en Hunter moest vertrekken. In plaats van een nieuwe baan te zoeken besloot hij Beth te helpen met haar tweede kookboek, weer een biografie, nu helemaal gewijd aan Claire (haar moeder en de farm) met recepten als ornamenten, uit India en Iran en van over de hele wereld (waaronder een voor kamelenstoofpot, benodigdheden: een grote kameel; tien middelgrote schapen; dertig middelgrote kippen; enzovoort); sommige van de recepten waren van Preveena of van Nasim of van haarzelf, andere waren achtergelaten door de verschillende bewoners van Claire. Dit boek liep beter dan het eerste en hielp (samen met Bas) de eerste investering te maken voor Matera, Beths Zuid-Italiaanse antwoord op Como, geïnspireerd door een foto die ze gezien had van Matera's *Sassi*, de nederzetting van stenen die uit de tufstenen heuvels waarop de stad ligt gehouwen waren. Ze zou nu dezelfde formule gebruiken als bij Como: een chef-kok zoeken, het restaurant openen – ze was liever manager (een aardige Cosella) dan chef-kok – en het verkopen zodra het succes had. Ze maakte nu ook plannen om Como te verkopen.

Valeria kwam een jaar na het huwelijk van Beth en Hunter ter wereld. Ze werd genoemd naar een krachtige vrouw van wier gezicht je de essentie en de hartstocht van het leven kon aflezen in die bijzondere combinatie van intense pijn en haar verlangen tijd te stelen, uit de lucht te graaien. Valeria was nauwelijks geboren of haar ogen straalden een furieuze hartstocht uit die Beth onmiddellijk en geheel en al opeiste, en haar met een liefde vervulde die tot reusachtige proporties opzwol, die alle andere liefde even uitwiste en haar daardoor doodsbenauwd maakte. Ik ben van jou, zeiden de ogen, Ik ben levenslang van jou, en daarmee maakten ze een volstrekt unieke aanspraak op Beths hart. Als Beth naar Valeria keek, volmaakt in haar pasgeboren schoonheid, wist ze dat iedere keuze die ze gemaakt had die haar naar dit moment geleid had de juiste was geweest.

Tegen de zomer van 2001 was Beth bezig met een ondernemingsplan voor weer een volgend restaurant – Preveena – en probeerde ze Bea, die niet zo dol was op Indiaas eten, over te halen haar nog eens te helpen. Er stond nu meer op het spel. Hoewel de twee eerste restaurants heel goed ontvangen waren en goede kritieken gekregen hadden en zelfs een paar prijzen gewonnen hadden, waren ze helaas geen financieel succes geweest en had Beth ze niet kunnen verkopen. Een derde restaurant, nog wel geïnspireerd door India, opgezet door een Amerikaanse, nog wel een vrouw, was geen onderneming waar je gemakkelijk aan begon. Maar dat deerde Beth niet. Ze wilde Preveena openen. Ze geloofde in Preveena, het menu, het eten, geloofde dat het een succes kon worden; ze zag een soort salon in een herenhuis voor zich waar mensen naar een grote bar konden komen en konden eten wat er die avond op het menu stond. Ze was vastbesloten. Ze was een en al wil. Niemand zou haar tegenhouden. Bas zóu haar helpen. (Dit was toen ze, al die jaren later, zich voorstelde hoe Georgia Lazar, de vrouw die haar appartement aan Beth had onderverhuurd, zich vastklampte aan haar stukje New York, en zich met gebalde vuisten, woest en hoekig gezicht, een weg baande door de mensenmassa's.) Tijdens een reis van anderhalve maand naar Italië die Hunter had voorbereid (Beth was er sinds 1992 niet meer geweest), brachten ze een week in het zuiden van Frankrijk door, om te helpen Bas te overreden door hem en zijn gezin te volgen naar het stadje Saint-Rémy waar hij in de heuvels van Les Alpilles, niet ver van Les Baux, een kasteel had, in het geheimzinnige wilde woestijnlandschap van de Provence, zo verbrokkeld en schitterend in zijn naaktheid. Terwijl de kinderen onder een hemel van vallende sterren (in de Provence was 2001 daar een goed jaar voor) rumoerig rondrenden, en zij nipten aan koele witte wijn uit Bellet, uit Mas de Daumas, Gassac, probeerde Beth om Bas te verleiden met haar plannen voor Preveena. Ze was in de greep van het verlangen; het ging verder dan de gedachte. Het was een noodzaak. Ze was uitgehongerd van ambitie. Ze was vastbesloten en onstuimig en doortastend. Ze wilde meer: nog een restaurant, nog een boek, een eetwinkel, nog een baby. Het deed er niet toe dat de andere twee geen financieel succes geweest waren. Dit zou dat wel zijn. Ze wist het, zoals je sommige dingen gewoon weet. Ze had het vermogen. Ze had mogelijkheden en kon iets nieuws maken, iets worden, iets beters. Ze was meer. Ze was winst op Amerikaanse schaal. Ze was Amerika.

7

Lachesis

De tijd is net een blaasbalg. Het heden drukt zich tegen het verleden om het te kussen en wat ertussen ligt wordt geplet. De lucht stroomt eruit zodat het verleden nu de herinnering raakt, niet verbleekt door de rommel van de tussenliggende jaren. Een brandweerman uit Seattle die een jaar of wat op Claire was komen wonen en met Beth bevriend was geraakt, vertelde haar eens dat hij tijdens de oorlog in Vietnam op een marineschip gezeten had. Het schip was een Japanse haven binnengelopen en hij was aan land gegaan en had een bus genomen naar de luchtmachtbasis waar hij als kind gewoond had. Het was donker toen de bus wegreed naar de basis, een duisternis die niets onthulde, maar desondanks wist de brandweerman precies waar hij was; hij kende elke afslag, elke bocht, elke kromming, elke oneffenheid, elk recht stuk van de weg. Hij was een jongen van zeven die weer de vertrouwde route reed en aan het eind stonden zijn dode ouders te wachten tot hij terugkwam. Hij probeerde iets terug te halen, was blijven hangen om aan de onderstroom te ontsnappen.

Ze had altijd geweten dat ze hem nog eens zou zien. Ze wist dat het zou gebeuren op het moment dat ze het het minst verwachtte. Ze stelde zich het moment lang voor, tijdens een of andere exotische reis, als ze op een kameel door de hete woestijn van Jaisalmer reed, als ze op een olifant over een strand in Puket reed, stelde zich voor wat ze tegen elkaar zouden zeggen, stelde zich voor dat er niets veranderd zou zijn: of ze nu in de dertig, de veertig, de vijftig of zelfs in de zestig zouden zijn, ze zouden elkaar op de vertrouwde manier omhelzen. Ze droomde van die omhelzing – zag het levendig in een flits, een ogenblik, een nanoseconde. Hij zat daar, ergens, en hield haar vast. Ze kon noch zijn hoofd zien noch het hare. Ze kon noch zijn benen zien noch de hare. Ze zag alleen maar haar bovenlijf dat zich naar het zijne boog, voelde zijn armen om zich heen, een studie in overgave en macht, los van de tijd en de ruimte en het lichaam, tot in eeuwigheid. Het beeld schoot door haar dromen als een dia die niet op zijn plaats zit, flitste voorbij terwijl ze hem herkende, en verdween. Als ze weer wakker was voelde ze hoop. Natuurlijk vertelde ze het niet aan Hunter. Ze hield te veel van hem, maar het was een andersoortige liefde: een praktische liefde, een gearrangeerde liefde, hecht en stabiel en duurzaam, niet bruisend en hartstochtelijk. Op andere momenten stelde ze zich voor dat ze Cesare zag en dat ze gewoon zouden praten en op dat moment zouden alle verklaringen over waarom ze niet bij elkaar waren eindelijk ergens op slaan, en ze zouden vaststellen hoe een niet beëindigde liefde toch voorbij kan zijn.

Ze zag hem opnieuw in de Provence in de hete zomer van 2001. Ze zag hem onder een bladerdak van platanen in een gietijzeren stoel aan een tafel zitten en hij las een krant en dronk een espresso. Ze zag hem daar zitten, alleen. Op de tafel voor hem lag een groen notitieboekje, waarvan ze dacht dat het een dagboek was, en ze stelde zich voor dat hij weer was gaan schrijven en dat maakte haar gelukkig. Hij had een kaki legershort aan, net zo een als Bea en zij op de markt in Milaan gekocht hadden, waar er onafzienbare stapels van waren, weggegooid door jongens voor wie de dienst erop zat. (Beth herinnerde zich hoe verbaasd ze was dat er zo'n kleine man bestond dat zijn short haar paste.) Hij had een wit T-shirt aan en Timberlands en zijn zwarte haar was nog even zwart, week nog even vaag bij zijn slapen terug. Hij was bruinverbrand en straalde gezondheid uit. Hij was niet veranderd. De schok was zo hevig, alsof ze een mes tussen haar ribben kreeg, dat ze maakte dat ze uit zijn gezichtsveld kwam en de donkere hal

van het hotel in schoot. Ze was van het zwembad komen aan-
lopen over het uitgestrekte grasveld van het hotel, met haar
dochters pop in haar hand. De lappenpop had op zijn gezicht
van stof een glimlach die alles scheen te vertegenwoordigen
wat er nu was. Hij, daar verderop in zijn stoel onder de schaduw van het bladerdak, was alles wat was geweest. De tijd had
geplet. Ze snakte naar adem. Zo had ze het zich nooit voorgesteld.

De hal had hoge plafonds, een vervallen grandeur, afbladde-
rende verf en pleisterkalk, portretten van sinds lang vergeten
personen van koninklijken bloede, goudverf die glinsterde in
het doffe licht, een marmeren trap met een roodfluwelen loper.
Daar stond ze, klein, en ze hoopte dat hij haar ook gezien had,
hoopte dat hij achter haar aan naar binnen zou komen, dat hij
haar in zijn armen zou nemen, en dat alle warboel van de afgelopen negen jaar zou verdwijnen, en het zou een moment worden zoals ze zich altijd had voorgesteld. Ze wachtte een eeuwigheid voor haar gevoel, maar het was waarschijnlijk maar
een minuut of twee. Buiten was het heet, maar ze rilde in de
koele hal. Toen ze terugliep naar het zwembad was hij weg en
ze vroeg zich af of hij haar ook gezien had.

Een jaar als ieder ander: George W. Bush was op de een of andere manier president van de Verenigde Staten van Amerika
geworden. Hij sprak uitvoerig over belastingverlaging en Star
Wars en Irak. De economie zat in een dal. Bij een aardbeving in
Gujarat in India waren bijna twintigduizend mensen omgekomen. De FBI-agent Robert Hanssen was gearresteerd wegens
spionage voor de Russen; Slobodan Milosevic gaf zich over
aan de politie om terecht te staan wegens oorlogsmisdaden;
Tony Blair werd herkozen; voor het eerst bereikte een blinde
man de top van de Mount Everest; in China werd Zhonghua
Sun door de Volksrepubliek ter dood gebracht omdat ze weigerde zich te laten steriliseren. In juni was er een totale zons-
verduistering. In juli namen Hunter, Beth, en de kleine Valeria
van vier en een half, het vliegtuig naar Italië.

Beth had Hunter de reis cadeau gedaan en het was de eerste keer dat ze weer in Italië kwam sinds 1992 – het jaar van haar definitieve breuk met Cesare. Ze bleven zes weken, reden in een huurauto naar een vijftiende-eeuws kasteel dat tot hotel verbouwd was in Spongano, Puglia, omringd door citroenboomgaarden en grenzend aan een zwembad zo groot als een klein meer. De eigenaar, een aardige man, was dol op Amerikanen en maakte voor Beth en Hunter en Valeria elke avond uitgebreide maaltijden klaar met de plaatselijke vis. Ze aten onder de sterren, en de tafel was verlicht met citronellakaarsen om muskieten weg te houden. Er waren karaffen plaatselijke wijn, *vino bianco un po' frizzante.* Ze hadden het over de politiek en over Bush en Berlusconi en de Amerikaanse voorliefde voor grote badkamers. 'Ik moest de kamers ontwerpen met grote badkamers in gedachten, allemaal eersteklascomfort, als ik het voor Amerikanen aantrekkelijk wilde maken,' vertelde de eigenaar hen.

Ze waren de enigen op het kasteel, maar Beth vroeg zich af wat voor soort Amerikanen deze gasten zouden zijn en verbaasde zich over dat typische kenmerk. Later vroeg ze Hunter of hij het prettig vond dat ze een grote badkamer hadden. 'Het is beter dan een kleine vieze badkamer,' had hij gezegd, terwijl hij lui in een bubbelbad lag. Hij gaf een klopje op het water. Zijn glimlach nodigde haar uit er ook in te komen. De herinnering aan de nacht dat ze in het Atheense park sliepen vloog door haar heen, aan het bordeel in Barcelona, aan de vieze kleine badkamer beneden in de hal die ze met alle andere gasten deelden. Hoe lang was dat geleden? Negentien jaar? Het was moeilijk te accepteren dat ze zo oud was dat ze het over negentien jaar geleden kon hebben.

De eigenaar vertelde hun dat het kasteel in Spongano eigendom was geweest van zijn overgrootvader, een man met twaalf kleinkinderen. Het werd nagelaten aan de oudste zoon, zoals de gewoonte was. De zoon stierf kinderloos en dus ging het naar de zoon die daarna kwam (er zaten twee dochters tussen). Deze zoon had ook geen kinderen, maar hij had een hond waarvan hij meer hield dan hij van een kind gehouden zou hebben. Hij had het kasteel aan de hond willen nalaten, maar dat was natuurlijk onmogelijk. Maar een van zijn jongere broers had een zoon die bijzonder op de hond gesteld was, de hond de lekkerste stukjes vlees gaf en risotto voor hem klaarmaakte zoals hij lekker vond, met verse boter en salie en parmezaanse kaas. De man liet bij zijn dood het kasteel en al het land aan zijn neef na. Deze jongen (een tiener toen hij de erfenis kreeg) was de vader van de man die het verhaal vertelde.

'Geen wonder dat je van Italië houdt,' zei Hunter toen ze door de rijen citroenbomen liepen terwijl het kasteel glansde in het maanlicht.

Toen ze gehoord hadden dat de kust van Puglia vanaf een boot gezien een van de mooiste van Italië was, huurden ze er een om er een tochtje mee te maken, en bewonderden de zwarte rotsachtige kusten die glinsterden in de krachtige zon. 'De kust van Amalfi zonder Amalfi,' had een vriend gezegd over een bijzonder heuvelachtig en schilderachtig traject dat dicht langs de kust liep. En Beth dacht aan Cesare, wist dat ze hem hier niet zou zien. Herinnerde zich de gigantische veerboot die wegvoer uit het dok van Brindisi, herinnerde zich dat ze gezegd had hoe mooi ze de kust vond die ze achterlieten terwijl de veerboot naar Griekenland voer op een van hun vele tochtjes daar. '*Terroni* vakantie daar' had hij gezegd. *Terroni*, een kleinerende term voor de mensen uit het zuiden van Italië, die van het land, die het land bewerkten, aten wat het land opbracht, het land waren. Het was een moment, herinnerde ze zich, dat Cesare zich voor een klein deel had laten kennen, op een manier die ze niet vleiend vond. Zijn commentaar onthulde de waarheid achter zijn schijnbare hoffelijkheid, onthulde zijn geloof in hiërarchie, en het had haar even wantrouwend jegens hem gemaakt – als dit zijn houding tegenover Italianen was, hoe zat het dan met Amerikanen? Achteraf kon ze dat zien als een vingerwijzing voor hun toekomst. De rotsachtige kust had grote *grotti* waar de boot in kon varen, donkere grotten waarin hun stem en het kletsen van de deining die tegen de muren van de grot stuksloeg en de boot hevig heen en weer schudde, teruggekaatst werden.

Van Puglia reisden ze het binnenland in naar de Sassi van Matera, waar ze vanuit hun slaapkamer naar de zonsondergang keken die de kleine kloof van de grotten verlichtte. Het was Beths eerste reis hierheen hoewel haar restaurant toch hiernaar genoemd was. Toen ze in bed lagen en Valeria sliep en een volle maan de nacht verlichtte, zei Hunter: 'Ik moest je hiernaartoe brengen.' Dat was Hunter, dacht altijd aan wat haar verbeelding op gang bracht. Hij wilde haar zo graag gelukkig maken dat ze zijn liefde als vanzelfsprekend kon beschouwen en naar het onmogelijke kon verlangen, beschermd door de trage gestage groei van die mooie wingerd.

Van Matera reden ze naar de middeleeuwse stad Castellabate, waar ze in een hotel logeerden dat ruim driehonderd meter direct boven de Tyrrheense zee lag. Vanaf hun terras bestond hun vergezicht uit de uitgestrekte oppervlakte van de zee, de eilanden Ischia en Capri, en de kust van Amalfi in mist gehuld, in de dichte zomernevel. Het uitzicht deed Beth aan Sylvia denken die nog in Californië was, maar zich voorbereidde op een loopbaan in Silicon Valley omdat ze uiteindelijk te praktisch was om erop te rekenen dat ze met schrijven de kost kon verdienen. De eilanden dreven als mythen ter hoogte van de kust. Na Castellabate kwam Herculaneum met zijn goed bewaarde Romeinse ruïnes, tempels die indrukwekkend in de hitte opdoemden, verzadigd van zon en kruipende oleander, en daarna de kust van Amalfi met, inderdaad, te veel Amalfi. 'Het is een winkelpromenade,' verklaarde Beth, hoewel een deel van haar graag door de straten gedwaald zou hebben om de winkels te bewonderen. Maar Hunter wilde daar niets van weten, dus gingen ze door naar Pompeji, van Pompeji naar Maremma, van Maremma naar Giglio – een klein eiland net ten noorden van Sardinië en net ten zuiden van Elba.

Daar ontdekten ze een bescheiden hotel met kleine bungalows die op de rand van een klip lagen, allemaal verscholen tussen eucalyptusbomen. Een schitterende plek waar je alleen met een boot kon komen, en waar je als je er eenmaal was nooit meer weg wilde omdat de omgeving betoverend was – een klip die uit zee oprees naar een terras waar je kon zonnebaden en eten en drinken, naar een restaurant, een jacuzzi, een hellende vlakte waarop geiten ronddoolden die de melk leverden voor de eigen verse geitenkaas van het hotel, die elke avond met *miele di castagna* (kastanjehoning) opgediend werd. Voor Beth was dit een heel nieuw Italië. In dit Italië was ze een toerist. Haar oude Italië was een ander land waar ze *signorina* genoemd werd en waarvan ze ontegenzeggelijk deel van uitmaakte, een burger was. Maar ze sprak nog steeds Italiaans en Hunter vond het verrukkelijk om haar over alles wat ze nodig hadden te zien onderhandelen terwijl hij er nauwelijks iets van verstond.

'Ik haat het om *signora* genoemd te worden,' zei ze tegen hem terwijl ze zichzelf bekeek in een hotelspiegel, in een van die badkamers van Amerikaans formaat. Ze ging met een vinger langs haar ogen, raakte behoedzaam de kraaienpootjes aan. Valeria stond naast haar en deed het ook. 'Mijn ogen,' zei Beth tegen Hunter, terwijl ze hem in de spiegel strak aankeek. 'Mijn ogen, papa,' zei Valeria, net als haar moeder. Maar dat is alles wat ze tegen hem zei over het interval van negentien jaar, de kloof tussen haar Italië en dit Italië. Ze voelde zich nog steeds een meisje met de mogelijkheden aan haar voeten, precies binnen haar bereik. Ze boog zich voorover en kuste Valeria op haar hoofd. 'Mijn kleine aapje,' zei ze. 'Mijn kleine knuffelbeestje.'

'Je bent mijn *signorina*,' zei Hunter en hij kuste Beths oor. Het kriebelde en ze deinsde achteruit. Ze hield van hem, echt, zei ze tegen zichzelf. Ze draaide zich om en kuste hem.

'De eerste keer dat ik naar Rome ging was met Bea en haar grootmoeder,' zei Beth. 'Ik was zestien.' De herinnering was net naar boven geborreld, ze had er lang niet aan gedacht. 'De zuster van Bea's grootmoeder was een heel kleine, heel oude non, en ze woonde in een klooster en we gingen haar opzoeken. Het leek wel of we daar uren waren, in een kamer met oude nonnen, in habijt en ze spraken Italiaans, wat ik nog niet verstond. De oude nonnen knepen in mijn wang en lachten lief tegen mij omdat ik niets verstond en omdat ik een Amerikaanse was, alsof ik een soort zeldzaam troeteldier was. Toen ze zich realiseerden dat ik niet gedoopt was waren ze niet bepaald geschrokken, eigenlijk meer nieuwsgierig hoe ze me konden redden. Ze zouden net een doop gaan regelen. Ze wilden dat Bea's grootmoeder langer bleef zodat ze er tijd voor hadden. Maar dat ging niet.' Ze herinnerde zich hoe signora Cellini schrok toen ze hoorde dat zij een heiden was.

'Zo dichtbij en toch zo ver,' zei Hunter en hij kuste haar zondige voorhoofd.

'Je houdt altijd al van me, toch?' zei ze.

'Sinds ik je voor het eerst zag.'

'Volhardend.'

'Ik wist dat je van me zou gaan houden.'

'Hardnekkig.'

'Ik heb het op de lange termijn bekeken.'

'Mis je het dat je niet meer je eigen geld verdient?'

'Zoveel zorgen, mijn lief.' Hij stak zijn handen in haar haren en ze voelde wat ze het meest van hem liefhad – dat hij zich zo gemakkelijk kon aanpassen – en hoe hij daardoor vrij werd.

Toen ze vanaf de klippen van het hotel op Giglio de zee in zwom, kreeg ze gezelschap van een bijzonder knappe, zij het oudere, Italiaanse man. Hij was vlak na haar de zee in gedoken en volgde haar op een flinke afstand, zo ver dat de mensen die op de rotsen in de zon lagen klein leken. Beth vond het vreemd dat deze man haar wilde volgen. Hij had geen contact gezocht, hoewel de meeste andere gasten dat wel gedaan hadden, en was daarom opgevallen. Alle maaltijden waren gemeenschappelijk en bij zonsondergang genoot men samen van een cocktail. Zijn vrouw, een grote oudere blonde vrouw met een verweerde huid, toonde nooit ook maar de kleinste glimlach, hoewel Beth haar een Amerikaanse roman had zien lezen en vermoedde dat ze een Amerikaanse was. Maar in het water zat haar man duidelijk achter Beth aan. Beth lachte, trappelde water, bewonderde de schoonheid van de klippen. Hier en daar waren *ombrelloni* tegen de zon neergezet, staken als exotische bomen tussen de rotsen uit. Een kind met een snorkel zwom vlak bij de kust rond, tilde zijn hoofd op om de naam te schreeuwen van de beesten die hij onder water gezien had. Op het terras, zo'n dertig meter hoger, werden de voorbereidingen voor de lunch getroffen, Beth kon het gerinkel van zilver en glaswerk horen. '*Americanina*,' zei de Italiaan, en Beth knikte. Toen ze zijn zwarte terugwijkende haar en zijn scherpzinnige ogen zag stelde ze zich voor dat Cesare er op zijn zestigste zo zou uitzien. 'Deze plek is een juweel,' ging hij in het Italiaans verder. 'Dat is waar,' beaamde Beth, en ze vroeg zich af of ze hem misschien verkeerd beoordeeld had, of hij misschien aardig was. 'Ik kom hier al jaren,' zei hij. 'Niemand weet van het bestaan van dit hotel.' Ze dobberden in het water, en de golven duwden zachtjes tegen hen aan. Dit zou haar leven geweest zijn. 'Een geheim.' Beth glimlachte. 'Vertel het aan geen enkele Amerikaan,' zei hij met een plotselinge strengheid terwijl hij heel dicht naar haar toe zwom. Ze dacht even dat hij misschien zou proberen haar te verdrinken. 'Wat?' vroeg ze. 'Amerikanen, die zullen het ruïneren. Ga niet terug naar New York om er daar alles over te vertellen. Kijk wat ze met Toscane gedaan hebben na dat boek, die draak van een Toscaanse Zon. Kapotgemaakt.'

Beth kreeg een slok zeewater binnen en begon te hoesten. Ze herinnerde zich dat een oude man, toen ze een paar jaar geleden in Spanje waren, gemerkt had dat Hunter een Amerikaan was en de oude man zei tegen Hunter dat hij Amerikanen haatte en daarna keek hij naar Beth en zei: 'U bent een Italiaanse. Italianen zijn goed, die maken me aan het lachen.' Ze was trots geweest om voor een Italiaan gehouden te worden, maar ze wilde zich verontschuldigen voor alle Amerikanen, hun behoefte aan grote badkamers en hun luide vraatzuchtige mond. Daarna haatte ze de oude man om zijn categorische haat net als ze nu de aanmatigende zwemmer naast haar haatte.

'Wat doet u?' vroeg hij, nu vriendelijk toen ze samen terug

naar de kust zwommen. Het was alsof ze over een grote kloof zwom, het onmogelijke. Ze hield stil, keek hem in zijn ogen, draaide op haar rug en dreef onder de zon. 'Ik schrijf,' zei ze.

In Pisa herinnerde ze zich dat ze hard gereden hadden in de Maserati, dat ze Miki op de pier van Forte dei Marmi gekust had – zijn grote handen en zijn grote voeten en zijn grote penis. De hele verrassing van Griekenland dreef zonder dat ze het kende voor haar ogen voorbij. Wat was het fantastisch geweest om achttien te zijn, snel naar Parma te rijden om tortellini en verse parmezaanse kaas te eten, zonder iets over de kloof te weten.

Noordelijker dan Parma wilde ze deze reis niet gaan. In plaats daarvan trokken ze weer naar het zuiden en gingen op weg naar Florence om een week in de villa van een vriend in het zuiden van Toscane in het kleine stadje Cetona door te brengen: luie dagen van lekker eten en lezen en meer *vino locale un po' frizzante* drinken onderbroken door dagtochtjes naar plaatselijke markten, en naar Assisi en Orvieto en Montepulciano. Ze gaf zich over aan haar nieuwe rol als toerist, liet de oude *signorina* los, en het duurde niet lang of het heden kuste het verleden niet meer.

Toen hoorde ze, terwijl ze op het terras van de villa in Cetona onder een druivenprieel zat en over een vallei uitkeek naar het stadje Città della Pieve dat op een heuvel lag, haar mobieltje afgaan. Het was Bas, die belde uit de Provence. 'Oké, liefje,' zei hij toen hij haar stem hoorde. 'Je bent in Europa en je komt naar mijn optrekje in de Provence. Je komt zo snel als je kunt en als je praatjes hebt kun je het bedrijfskapitaal op je buik schrijven. Je komt hiernaartoe en praat me Previn of wat de idiote naam ook is aan en je gaat die Indiase brouwsels en toverdranken voor me koken en je gaat me verleiden.' Bas deed haar op een of andere manier altijd aan Texas denken hoewel hij beslist geen Texaan was. Sterker nog, hij was geboren en getogen in Connecticut en had nooit een voet in Texas gezet. Maar hij had politieke wetenschappen als hoofdvak gedaan en in het bijzonder Lyndon Johnson bestudeerd, en, vermoedde Beth, wat van de snoeverij en de grootspraak van de president overgenomen. Ze lachte. Bas kende haar maar al te goed. 'Ik kan gewoon voelen dat je lacht, Beth,' bulderde hij, 'en dus weet ik dat je komt.'

'Het is hier schitterend,' zei ze. Het terras liep af naar een terrasgewijs aangelegde wijngaard waaronder een groep olijfbomen stond die uitkwam op een golvend veld. Midden in het veld glinsterde een zwembad waarin Valeria en Hunter zwommen.

'Zes weken is genoeg in Italië,' zei Bas door het gekraak van de verbinding. 'Tijd voor wat Franse invloed en tijd voor die dochter van jou om door mijn gebroed bedorven te worden.' Het was even stil. 'Kom op, schat.' Hierdoor besefte ze dat haar vakantie nu officieel voorbij was en dat ze naar Frankrijk moest of haar plan voor Preveena opgeven. Bas was nu een week in de Provence, net lang genoeg om een beetje uitgekeken te raken op Elaine, zijn vrouw, en hij had behoefte aan nieuw gezelschap om indruk op te maken, zodat ze bewonderd konden worden door mensen die minder goed bedeeld waren – een tijdverdrijf waar Bas' vrouw ook dol op was. En Beth begreep heel goed dat door de rol te spelen van armlastige vriendin en door alle vereiste bewondering op te brengen, ze haar restaurant zou verdienen.

'Preveena,' zei Beth. 'Het heet Preveena.'

'O, oké, schat. Zoals je wilt. We hebben het nog wel over die naam.' En hij verbrak de verbinding waarna zijn stem door de satelliet werd opgezogen.

'Hunter,' gilde ze naar het zwembad beneden, 'Valeria.' Ze schoot haar slippers aan en rende de heuvel met de olijfbomen af met haar mobiel in haar hand om hun te vertellen dat ze naar Saint-Rémy gingen om Bas op te zoeken.

Het hotel was een verwaarloosd château in het centrum van de stad, omgeven door uitgestrekte tuinen, platanen, en een groot groen grasveld met een vijver waarin grote goudvissen rondzwommen. Een kleine stenen putto spoot water uit zijn mond en kleine kikkertjes sprongen in het rond terwijl de onophoudelijke cicaden hun eeuwige lied zongen. Het château was vier verdiepingen hoog. Op de tweede verdieping, direct in het midden, als een mond, was de glazen erker van de voornaamste suite, die natuurlijk voor Beth en Hunter was – betaald door Bas omdat hij geloofde dat ze zich in een hotel meer op hun gemak zouden voelen dan in zijn villa met zijn kroost. 'Het gebaar lijkt alleen maar extravagant, snoes,' had Bas gezegd en daarna deelde hij hun mee dat de kamers 'spotgoedkoop' waren. 'Vergeet nooit hoe belangrijk de illusie is,' zei hij tegen Beth met zijn veelbetekenende lach met de kuiltjes in zijn wangen. Het hotel had nog lage prijzen en kleine badkamers (en, trouwens, geen andere Amerikanen) omdat het nog gerenoveerd moest worden. Aan de rand van het park was een manege en de vier kinderen van Bas en Valeria hadden elke dag les terwijl Bas en zijn vrouw en Hunter en Beth uitstapjes maakten naar L'Isle-sur-la-Sorgue om antiek te kopen, naar Avignon om over de pausen te horen, naar Arles om de stadsgezichten te zien die Van Gogh geschilderd had, naar Aix om door de kronkelende straatjes te dwalen en te winkelen en de vergezichten te zien die Cézanne geschilderd had. Naar de Camargue, door velden lavendel en tarwe en klaprozen. Wijn proeven in Châteauneuf-du-Pape, in Beaumes de Venise, in Mas de Daumas. Ze ontdekten dat Saint-Rémy om drie dingen beroemd was: hier was een van de oudste archeologische vindplaatsen van Europa – de resten van de factorij van Glanum, uit de derde eeuw voor Christus voordat Rome onder Julius Caesar de macht kreeg; hier was het gesticht waar Van Gogh een jaar verbleef voor hij zelfmoord pleegde; en in 1503 werd Nostradamus in de stad geboren. Bas liep hier overal rond als een pauw, strooide met dollars en francs en euro's en met zijn Frans dat hij niet eens probeerde op de juiste manier uit te spreken.

Valeria vond het heerlijk om bij de 'grote kinderen' te zijn en raakte verzot op paardrijden hoewel de lessen in het Frans gegeven werden, wat ze natuurlijk niet kende, maar op de een of andere manier begreep. Na afloop van de lessen krioelden Bas' kinderen altijd om de volwassenen (die altijd laat van hun avonturen terugkwamen) en vertelden hun over Valeria's prestaties. Ze was op de pony in slaap gevallen; ze was van de pony gevallen... en zat er direct weer op; ze draafde; ze draafde in galop; ze had geleerd hoe ze haar pony moest laten stilstaan. Bas bracht Preveena geen enkele keer ter sprake. Maar Beth wist dat ze haar werk deed. Ze bewonderde alle kleerkasten en stoelen en divans die zijn vrouw in L'Isle-sur-la-Sorgue kocht. ('Vorig jaar hadden we een hele container vol,' vertelde Elaine aan Beth. Hun appartement in New York was zo groot dat het zelfs volledig gemeubileerd, ruimte had voor nog een container antiek uit de Provence.) Ze dwaalden over de markten die elke dag op een andere plaats stonden, kochten honing en stukken zeep en tassen en hoeden en verse kazen en brood voor picknicks en Beth luisterde plichtsgetrouw hoe goedkoop alles was: de dollar stond die zomer sterk. Het 'optrekje' van Bas was een uitdijende villa van twee verdiepingen, met zeven slaapkamers (vijf badkamers – allemaal inderdaad enorm, zoals Hunter betoogde, die er een met Beth binnenglipte, om even te kunnen lachen) in het hart van Les Alpilles. Hoewel het landschap verdord was had Bas een groene tuin, vol bloeiende rozen in alle kleuren. Zijn zwembad van een bijna olympische lengte, aan de voet van een bosje cipressen, was tot de rand gevuld met koel water. Het middelpunt van de hele benedenverdieping was de keuken met zijn Le Cornue fornuis van dertigduizend dollar, gedecoreerd met koper zodat het goed bij de kookpotten paste. Beth wilde koken op dat fornuis, maar Elaine zei altijd dat het te heet was en dan stelde ze Oustaù de Beaumanière voor of een ander geliefd restaurant voor een etentje onder de sterren en dan zochten ze een oppas voor de kinderen en gingen ze ervandoor naar het diner en naar gesprekken over het antiek dat ze die dag gekocht hadden, de koopjes die ze op de kop getikt hadden, de uitspattingen waaraan ze zich te buiten waren gegaan. Elaine probeerde om Beth voor een strohoed van negentig euro te laten vallen. 'Het is design,' zei ze. 'Je betaalt voor het design.' 'Maar doe je er langer mee dan met een gewone strohoed?' antwoordde Hunter, waardoor ze half in de lach schoot – een moment waarop ze zelf kon waarderen hoe absurd ze was. Beth zag haar echtgenoot veel liever als tussenpersoon, die achter haar stond, dan als bankier, en ze prees zich vaak gelukkig dat hij ontslagen was. Maar ze wist dat Hunter soms verlangde naar die exorbitante dagen toen het geld als manna uit de hemel leek te vallen, wist dat geld verdienen hem meer het gevoel had gegeven dat hij een man was, ook al zou hij dat nooit toegeven. Ze zei tegen zichzelf dat ze de weelde die je met geld kon kopen nooit miste, hoewel dat natuurlijk niet helemaal waar was.

Bas en Elaine vroegen Beth vaak naar de tijd die ze in Europa had doorgebracht, en dat vond ze heerlijk omdat het haar het gevoel gaf dat haar verleden belangrijk was, een verleden dat haar gemaakt had tot wie ze was. Er was een verhaal dat ze al kenden, en dat ze steeds weer wilden horen. Beth was met Bea's familie op Favignana geweest. Bea en Beth hadden samen gegeten en signora Nuova wilde weten wat Beth gegeten had, had ze lekker gegeten? 'Ik zei dat ik *pompini* gegeten had,' zei Beth. Ze had *polpettini* tegen signora Nuova willen zeggen – 'gehaktballetjes,' *Pompini* was totaal iets anders. 'Je had niet gegeten maar je had gepijpt,' zei Bas terwijl hij zich schaterend op zijn knieën sloeg, geamuseerd door de vergissing van deze vrouw die hem niet tot zo'n verspreking in staat had geleken, en hij zag haar als een bruinverbrande tiener op een Italiaans eiland en zag wat ze had kunnen uithalen, welke ervaringen ze had kunnen hebben waardoor ze zo'n woord geleerd had.

Ze hadden het over hun volgende vakantie en hoe oud de kinderen moesten zijn voor ze 'Azië konden doen'. Elaines veertigste verjaardag was elke avond het belangrijkste gespreksonderwerp onder het eten. Moest het Marokkaans of Perzisch worden? 'O, Beth, jij zou Perzisch kunnen doen. Een Perzisch thema! Of Indiaas of Chinees. Nee, nee, niet Chinees, het idee!' Ze waren van plan alle meubels uit hun appartement te laten halen voor de avond, wat het thema ook was. Beth dacht over de Italiaan op Giglio die haar probeerde in te halen toen ze aan het zwemmen was, haar probeerde tegen te houden kwaad te doen, haar met klem verzocht alles met rust te laten, te behouden, onaangetast. Wat ze ook gevoeld had, toen ze daar op haar rug in het water dreef, was macht – een plotselinge gewaarwording van macht.

Later die avond vroeg Beth aan Hunter of het idee voor Preveena slecht was. 'Ben ik gewoon nog zo'n gids die mensen meeneemt naar het exotische, het exotische dat ik niet echt ken?' 'Is je belangstelling oprecht?' vroeg hij terwijl hij het antwoord al wist. En ze zag Preveena op Claire kerriepoeder voor kip maken, zag haar op het fornuis de komijn- en mosterd- en korianderzaden roosteren, herinnerde zich hoe het net was of ze een toverdrank aan het bereiden was, hoe ze van de geheimzinnige werking hield, wat de specerijen met de kip deden. Beth dacht over haar vader, over hoe Claire mensen verzamelde. Ze waren door het toeval overal vandaan gekomen, allemaal met de wens iets anders met hun leven te doen – al was het alleen maar om opnieuw te beginnen en erachter te komen wie ze eigenlijk waren. Tijdens haar jeugd had Beth van de verschillen tussen mensen genoten alsof dat gewoon was. Deden ze dat niet allemaal – Bas, zijn vrouw, Hunter – tot op zekere hoogte? Ze voelde een hevig verlangen om naar Claire terug te gaan en te zorgen dat het lukte. 'Laten we het doen,' zei ze later tegen Hunter omdat ze, schijnbaar voor het eerst, het mooie van haar vaders ambitie waardeerde.

Maar dat was later. Tijdens de maaltijd kwam het gesprek weer op Azië waar Bas' vrouw in Bangkok een vriendin had die een 'goedkope, zo goedkope' inwonende hulp had 'de klok rond' die 'kookt en schoonmaakt en voor de kinderen zorgt. En ze kookt fantastisch. Stel je voor dat we Beth de klok rond konden hebben.' Bas glimlachte teder en liefdevol naar haar, een glimlach waaruit bleek dat hij doorhad wat een onnozele vrouw hij had. Maar Hunter kon het niet laten: 'Stel je voor dat we jou de klok rond konden hebben' zei hij tegen Elaine, 'als onze inwonende binnenhuisarchitect en programmeur van feesten?' Elaine lachte om zichzelf en gaf Beth een kus, een en al gezelligheid en fantasie. 'Bas gaat Preveena financieren,' verklaarde Elaine, en haar lieve lach straalde als een ster op haar gezicht. Elaine zag er goed uit zoals onaantrekkelijke vrouwen die geld en zelfvertrouwen hebben dat kunnen. Haar lange gezicht leek op dat van een paard, maar ze had heldere groene ogen, dik lang zwart haar met dikke, veerkrachtige krullen, en een lach die haar lange wangen ronder maakte. Beth wist dat Preveena binnen een jaar zou opengaan, omdat Elaine haar vanwege haar blunder steunde.

En toen zag ze hem. Een stekende pijn. Zoals de eerste keer toen ze hem in de zon op die trap zag staan, en hij in Oudgrieks onderhandelde met de verhuurster die er geen woord van begreep. Daar zat hij met zijn espresso onder de platanen, en zijn bovenlichaam helde elegant naar de tafel. Ze voelde zich misselijk. In de koele hal vroeg ze een dienstmeisje om een glas water. Ze vroeg het in haar vreselijke Frans en hard genoeg dat hij het kon horen en haar stem kon herkennen en naar haar toe kon komen. Hij zou naar haar toe komen. Hij moest naar haar toe komen. Haar stem klonk onbeschaamd en veeleisend, onstuimig Amerikaans. Bet, ik ben Bet, wilde ze schreeuwen. Zoals in alles op het spel zetten. Ze had de hele tijd gelijk gehad. Ze zou hem weer zien op een moment dat ze dat het minst verwachtte. Ze had de neiging om naar het zwembad te rennen en het aan Hunter en Valeria te vertellen. Ze had de neiging om steels naar hem toe te lopen, om haar vingers op zijn ogen te leggen en te fluisteren '*Indovina chi sono.*' '*Sei Bet sei,*' zou hij zeggen omdat er maar een mogelijkheid was, alleen maar een Beth.

Maar hij was weg toen ze weer uit de lobby te voorschijn kwam in de hete julizon. Ze liep terug naar het zwembad en ze dacht aan de brandweerman en ze dacht aan de afgelopen zes weken in Italië en ze dacht aan zijn reis over de donkere weg, hoe hij elke kromming en elke bocht kende, en ze realiseerde zich nu dat zij, ook, de hele tijd geweten had dat ze op een bekende weg was die haar terugbracht, net als die trein die in de Spaanse nacht gesplitst was haar naar Cesare had gebracht. Ze voelde zich ziek van verwachting. Ze liep snel terug naar het zwembad, terug naar haar leven. Ze was tot barstens toe gevuld met hoop en verlangen en belofte. Haar gezicht krulde van plezier. Wat belachelijk, wat absurd, dacht ze. Wat onafwendbaar. Natuurlijk.

Hij had haar ook gezien. Hij had haar het eerst gezien toen ze over het gras van het zwembad naar het hotel liep. Ze had een bikini met roze bloemen aan. Om haar middel had ze een rode sarong gewikkeld, die tot op haar enkels viel. Ze had een pop van een meisje in haar hand. Haar haren waren opgestoken met een klem. Haar lippen waren donker gestift. Te donker, dacht hij. Ze was nu meer een vrouw dan een meisje, maar verder was ze niet veranderd. Dezelfde manier van lopen, dezelfde vastbeslotenheid, hetzelfde sterke lichaam. Hij kon zien dat ze een missie had. Eerst dacht hij dat ze recht op hem af kwam. Zijn hart ging sneller kloppen. Hij glimlachte. Hij wilde net op gaan staan toen hij merkte dat ze niet naar hem keek. Ze had hem niet gezien. Hij pakte zijn krant weer en deed alsof hij las. Hij zat heel stil, schijnbaar in beslag genomen. Hij wilde weten of ze hem zou herkennen als ze langs hem liep, wat ze zou doen. Hij was kalm, hoewel hij zweette. Hoe lang was het geleden? Vanuit zijn ooghoeken voelde hij dat ze langsliep. Zij was het laatst naar Italië gekomen en hij was wreed tegen haar geweest met de bedoeling haar voorgoed weg te sturen. Zijn missie was geslaagd, maar hij was natuurlijk wel aan haar blijven denken. Ze verdween in het hotel en hij was weer alleen. Hij haalde diep adem, teleurgesteld. Toen hoorde hij haar stem om een glas water vragen – haar zelfde Amerikaanse accent dat over vreemde woorden struikelde, die woorden een doodsteek gaf met Amerikaanse medeklinkers en klinkers. Hij herinnerde zich hun eerste kus in de straten van Paros 's avonds laat toen ze zich schuilhielden voor de anderen, wat had het allemaal belangrijk en dringend geleken. '*Tu sei perfetta*,' had hij gezegd, en zij had de woorden herhaald met dat accent van haar, dat haar tegelijkertijd teer en onschuldig en veeleisend had doen lijken, vol van de ambitieuze energie van iemand die vanaf haar geboorte geleerd heeft dat je moet dromen, dat accent had gezorgd dat hij haar wilde beschermen en behoeden voor de broosheid van dromen en alles wat er verkeerd was aan de wereld. Wat had hij gewild dat ze ook hem zou redden.

Cesare was naar Saint-Rémy gekomen met vrouw en kind omdat zij geïnteresseerd was in een festival ter ere van een zeldzame peer die alleen in de omgeving van de stad gevonden werd. Cesare kende de naam niet en zou normaal gesproken niet zoiets gedaan hebben, maar hij had het gedaan omdat zijn zoon het hem gevraagd had en hij deed alles wat de jongen maar wilde. Ze waren vier dagen in Saint-Rémy en de peer in kwestie was er een die zijn vrouw graag wilde proeven om te kijken of hij de kosten waard was en of hij een aanwinst zou zijn voor de verscheidenheid waar de zaak van haar familie met exotische vruchten en groente beroemd om was. Leonardo en zij waren de hele dag op het festival geweest en toen ze terugkwamen waren ze gaan zwemmen. Cesare zat in de tuin op hen te wachten. Maar toen hij Beths stem hoorde was hij naar zijn kamer geglipt. Vanuit zijn raam op de tweede verdieping keek hij hoe Beth terugliep naar het zwembad.

Waarom keren we terug? Kunnen we terugkeren? Moeten we terugkeren? Aan het eind van zijn reizen op de donkere maar vertrouwde weg had de brandweerman zijn ouders natuurlijk niet gevonden. In plaats daarvan vond hij niet-vertrouwde gezichten die niet-vertrouwde levens leidden in een huis dat ooit van hem was. Hij klopte op de deur van het huis waar zijn familie gewoond had. Een man had de deur geopend. Het was een zaterdagmorgen geweest, na de avond van de busrit, en de man die daar stond verwachtte kennelijk iemand anders. De brandweerman wilde verwelkomd, binnengehaald en rondgeleid worden door het huis, wilde dat het leven van deze man op een of andere manier iets over zijn eigen verloren leven onthulde. Maar de man, in zijn pyjama, zag er alleen maar beduusd uit. 'Het komt niet goed uit,' zei hij. 'Mijn vrouw is ziek en de jongen en het meisje zijn over hun toeren.' Hij deed de deur dicht en de brandweerman nam de bus terug naar het schip en het schip terug naar Vietnam, niet in staat aan de onderstroom te ontsnappen.

Beth stootte haar teen toen ze terugliep naar het zwembad. Een kikvors sprong met een plons de vijver in, en een vlinder streek neer op haar haren. De cicada's zongen, de hitte deed haar ogen tranen, en alles duizelde haar. Haar dochter rende met een nieuw vriendje tussen de trappen van het zwembad en de douche heen en weer. Beth sloeg er geen acht op. Hunter kuste haar. Er lagen nog wat mensen op ligstoelen onder parasols, te slapen, te lezen, te roken. 'Ik heb het zo heet,' zei ze. 'Echt waar?' vroeg hij plagerig, flirtend. Hij kuste haar weer en ze haatte hem. Ze wendde zich af. Hij stonk uit zijn mond. Ze probeerde een boek te lezen maar ze kon zich niet concentreren. Ze probeerde een boek te lezen over een vrouwenleven verteld aan de hand van verhalen over eten maar ze vond het irritant en ongeloofwaardig. Ze sprong in het zwembad en voelde zich opgefrist maar nog steeds onrustig. Ze wilde hem zien. Een mooie vrouw liet haar lange benen in het zwembad bungelen. Haar ingesmeerde lichaam leek de hitte te absorberen. Ze rookte routineus een sigaret en las de *Elle*. Beth vroeg zich af of het de vrouw van Cesare was. Ze wist hoe zijn vrouw heette, Isabella. Beth wilde hardop 'Isabella' zeggen, wilde dat Isabella antwoord gaf, wilde naar Isabella toe zwemmen en een gesprek met Isabella voeren. Valeria en haar nieuwe maatje schreeuwden het uit van verrukking, spatten elkaar nat met het koude water van de douche. Beth wilde tegen Isabella zeggen: 'Ik ben Beth.' En Isabella zou precies weten wie ze was, en die wetenschap zou haar zenuwachtig maken, zou bedreigend zijn voor haar serene schoonheid en kalmte. En Beth zou van

Isabella te weten komen dat er geen dag voorbijging dat Cesare niet aan haar dacht; ze zou te weten komen dat hij een schrijn gewijd aan foto's van haar aan de muur van zijn kantoor had hangen. Isabella zou zeggen dat hij met haar had moeten trouwen, dat het de enige grote treurnis van zijn leven was. 'Echt?' zou Beth vragen, verrast door deze waarheid, maar niet echt. Hunter probeerde met haar te praten, maar ze kon niet horen wat hij zei, zo was ze op liefde uit. Ze wilde hem vertellen dat ze Cesare gezien had, hem vragen wat ze moest doen, het doorprikken, gewoon maken, niet al te belangrijk. Misschien konden ze allemaal eten met Bas. Cesare kon zien wat ze bereikt had, dat ze iets van zichzelf gemaakt had. Deze gedachte gaf haar een belachelijk gevoel, maar ze stelde zich voor dat Bas, die met geld strooide, het bewijs leverde dat ze iemand was. 'Als je nu maar niet kok wilde worden,' had Cesare ooit tegen haar gezegd, alsof uitgerekend dat verlangen er de oorzaak van was geweest dat er een kloof tussen hen ontstaan was. Ze stond op en wikkelde haar rode sarong om haar middel en zei tegen Hunter dat ze even ging liggen voor ze uitgingen met Bas, die hen over ongeveer een uur zou komen halen om weer een avond rijkelijk te dineren en te drinken. Ze zou hem vinden. Ze was een en al vastbeslotenheid en vertrouwen. Ze zou hem weer zien. Ze zou zorgen dat hij zijn mond opendeed.

Als je daar was geweest, midden op het grasveld had gestaan en naar het huis gekeken had, zou je gezien hebben dat voor alle ramen op de tweede verdieping de luiken op een na gesloten waren. Je zou de erker als een miniatuur glazen paleis uit de gevel hebben zien steken. Daarbinnen zou je een vrouw gezien hebben in een zijden onderjurk, die in een leunstoel zat, gestoffeerd met grote bloemen in goud brokaat, en je zou een vaas rozen gezien hebben die op de salontafel torende waarop haar voeten rustten. Als je je lens had ingezoomd om beter te kunnen kijken had je gezien dat ze huilde, vage tranen die gemakkelijk met zweet verward konden worden. Maar ter hoogte van haar borst, daar zou je liefde behoorlijk hebben zien bonzen, de glooiing van haar borst hebben zien zwellen. Je zou een vrouw gezien hebben die gevangen was, bevroren in de zomerhitte, gevangen in de kloof, de grote afgrond. Als je nog wat scherper keek zou je in het ene raam zonder luiken rechts van het glazen paleis de man gezien hebben. Je zou gezien hebben dat zijn ogen op de rug van de vrouw gericht waren. Als je een god was en kon voelen wat deze twee voelden, dan wist je dat zij die ogen op haar rug voelde en het was die gewaarwording die haar aan de leunstoel van brokaat vastnagelde. Hij praatte tegen haar. Zij praatte tegen hem. Ze zeiden wat ze altijd hadden wilden zeggen. Ik houd nog van je. Ik ben altijd van je blijven houden. *Wat heeft je geobsedeerd, waar heb je naar verlangd, wat heb je gemist en waar heb je van gedroomd?* Ze stelde hem ontelbare vragen. *Weet je nu wie je bent?*

Bet, zei hij met zijn mooie accent. Bet, je bent niets veranderd.

Je bent van mij, zei ze. Stilte.

Je bent met Hunter getrouwd, zei hij ten slotte, die oude zweem jaloezie.

Je wist dat ik dat zou doen. Net als ik altijd wist dat je met een vrouw uit Città zou trouwen. Ik had alleen gedacht dat ze groot en dik en afschuwelijk zou zijn.

Hij lachte. Ik dacht niet graag aan degene met wie jij zou trouwen, zei hij.

Jij had een keus. Je koos voor luiheid, zei ze.

Jij koos ook, zei hij. Maar je koos niet te geloven dat je een keus maakte.

En ze vielen weer even stil zoals vaak gebeurt als je een moeilijk gesprek voert. De pauze werd net een ademhaling. Ze dacht na over de verklaring. Had ze een keus gemaakt? Zij herinnerde het zich totaal anders. Hij had een Florentijnse gekozen die zijden hoeden maakte, waarvan hij er wreed een aan haar gaf. Het namiddaglicht kreeg een gouden gloed. De hitte werd beroerd door een licht briesje. Op de salontafel naast haar voeten stonden twee lege potten aardbeienjam, schoongelikt door Valeria die niet van de Franse keuken hield en alleen maar jam at.

Ik kon niet tegen jouw ambitie op, zei hij. En ik kon het niet tegenhouden.

Ik was niet ambitieus, zei ze. Alleen maar voor jou.

Wees eerlijk, Bet, zei hij. Sta dat jezelf toe.

Je bent zo pragmatisch, zei ze. Wist ze dit alles niet al? Wat ze wilden was een leven dat onleefbaar was, de verloren kans binnenstappen.

Beth kon uit het raam haar dochter met haar maatje van het zwembad over het gras zien wervelen. Precies op dat moment wist ze het – dat was Cesares zoon. Ze hielden stil bij de kikkervijver, begonnen er met stokken in te prikken. En de leuke vrouw die haar lange benen in het zwembad liet bungelen was zijn vrouw.

Dat is Leonardo, zei ze.

En Valeria? vroeg hij.

Het volmaakte einde, zei zij.

Altijd romantisch, zei hij.

Ben je gelukkig? vroeg zij.

Ben je gelukkig? vroeg hij.

Valeria en de jongen sprongen hand in hand rond over het gras. De jongen had lange zwarte krullen die glinsterden om zijn ronde gezicht. Het zonlicht kwam door het glas en prikkelde haar schouders. Ze voelde zijn ogen op haar rug, die langzaam bleven branden. De kinderen stoven door de tuinsproeiers en waaierden koud water over het onnatuurlijk smaragdgroene gras.

Heb ik nu een keus? Ze herinnerde zich hun eerste kus. De kinderen bleven stilstaan om iets te onderzoeken, zij aan zij, hoofden dicht bij elkaar, ze kijken voorzichtig naar iets in het gras waarvan ze denken dat het een magische schat is. Welke taal spraken ze? Valeria sprong op als een fontein die plotseling aangezet wordt en rende van de jongen weg met de schat in haar hand. Hij ging haar achterna en zij gooide het naar hem en sprong daarna weer in de sproeier. Haar dochters lijfje is lang en lenig. Beth hield van dat lijfje, hield ervan het in haar armen te nemen, Valeria tegen haar borst te drukken om het constante kloppen van haar hart te horen.

Hoe had ik je kunnen vragen om iets te doen wat ik zelf niet kon? zei hij.

Tranen in haar neus en achter in haar keel. Haar borst zwol ervan op. Je had het me moeten vragen. Die beslissing had ik zelf moeten nemen.

Nu verscheen Hunter op het grasveld. Hij leek wel klein, gebogen, oud. Valeria rende naar hem toe. Het jongetje stond naast Hunter en keek naar hem op. Hij knielde en begon de kinderen ergens mee te helpen. De zon wierp haar laatste stralen van de dag en de kamer werd in een gouden nevel gehuld. Ze stond op. Hunter verdween.

Cesare dwong haar met zijn wil zich niet om te draaien. Als ze zich net nu omdraaide zou ze hem zien. Hij wist dat ze wist dat hij daar was. Hij kon haar zien in haar roze onderjurk. Hij kon de scherpe hoeken van haar schouderbladen zien. Hij wilde dat ze zich wel en dat ze zich niet omdraaide. Als ze zich alleen maar omdraaide. Hij wilde haar gezicht nog een keer zien, er een teken op zien. Nu vingen de kinderen krekels in hun handpalm.

Een kamermeisje klopte op de deur en kwam binnen. Ze zei in haar gedempte Frans dat ze de kamer kwam klaarmaken voor de nacht. Ze sloeg het bed open. Ze haalde de lege jampotten van de tafel weg. Ze begon de zware gordijnen voor de hoge ramen te trekken. Beth vroeg haar de gordijnen open te laten. 'Pardon,' zei het meisje, 'pardon.' Beth hoorde de kinderen buiten gillen. Ze wilde hem zien. Even maar. Ze wilde weten of hij daar was, of ze het goed had. Had hij iets tegen haar gezegd? Ze voelde die ogen; ze waren daar, zijn ogen. Ze wilde het meisje vragen of er een man in het raam zat, dat raam met de open luiken. Was hij daar? Wat deed hij? Keek hij deze kant uit? Hij zei haar dat ze zich niet moest omdraaien. Ze begon zich om te draaien. Ze smeekte hem te wachten. Ik wil je aanraken, zei ze. Ik wil je zien, je ruiken, je inademen, je voelen, je zijn. Ze was onoverwinnelijk, van goud in het gouden licht in haar glazen paleis. Het was een intens gevoel, het was een gewaarwording die in al zijn diepte en schoonheid het leven was, helemaal wazig van chaos en verwarring en verlangen en wil. Het werd bijna een spel, met haar wil. Nog een enkele snelle blik achterom. Beneden hoorde ze de luidruchtige stem van Bas rustig bevelen geven. Ze hoorde de kinderen. Ze zag Valeria, zag haar radslagen maken waarbij haar dikke donkere haren, nat van de sproeiers, tegen het gras zwiepten. De jongen kon er niets van, maar hij probeerde het. Ze dacht aan de brandweerman en zijn dode ouders en ze zag hem aan tafel zitten op Claire terwijl hij haar het verhaal vertelde. 'Voor ik daar was, voor ik de man in de deur van mijn oude huis zag, die daar stond en tegen me zei dat ik weg moest gaan, was het echt geweest. Ik had mijn moeder gezien. Ik had mijn vader gezien. Ze leefden nog.' Ze ging zitten.

'sOchtends vlogen ze allemaal naar huis.

8

L' America

De ochtend komt zoals altijd. Eerst bleekblauw, maar je kunt zien dat het een mooie dag wordt, een van die wolkeloze septemberdagen die de hele wereld helder laten lijken. De zon die de lucht in kruipt brandt de dikke mist van de nacht weg, en hoewel het vroeg is, is de zon al hoog genoeg om de met sneeuw bedekte bergen te beschijnen, om ze te laten glinsteren als een luchtspiegeling. Als hij zou gaan staan en de gordijnen open zou trekken, zouden de bergen hem in de verte begroeten, drijvende eilanden in de zee van de lucht. Maar hij zit stil in zijn fluwelen stoel, te wachten. Te wachten tot zijn zoon opstaat, tot zijn vrouw zich verroert, tot de dag op gang komt, om hem voort te duwen. Maar het licht dat door de fluwelen gordijnen sijpelt voorspelt met zekerheid hoe de dag eruit zal zien. Het licht valt in Valeria's verlangende, smekende ogen. *De genialiteit van de kunstenaar*, had Beth gezegd. *Hij laat de interpretatie aan ons over, en onze keuze onthult net iets meer over onszelf.*

Nu bekijkt hij de schildering. Niet het bovenmaatse meisje of haar liefde of het feest dat om hen heen aan de gang is, maar eerder de kleine details: de klokkentoren aan de rand van de stad, de heuvel vol bloemen, de weg (niet meer dan een dun lijntje) die van de stad beneden loopt in de richting van het meer. Hij zal vandaag over die weg rijden. Hij bedenkt hoe weinig het landschap in vijfhonderd jaar veranderd is. Hij zal vandaag met zijn vrouw over die weg rijden om met bouwvakkers en een ontwerper en een steenhouwer te praten, die allemaal betrokken zijn bij de aanleg van het zwembad. Ooit was het van Città naar Fiori met paard en rijtuig een dag rijden. Nu is het met de auto een halfuur. Het zwembad zal, als het klaar is op de plaats liggen waar zijn vaders groentetuin was, schijnbaar vooruitspringend uit een rotsmuur, en het zal de illusie wekken dat het hoog boven het meer in de lucht hangt. Het zwembad zal, als het klaar is, de eerste verandering van het landschap zijn in vijfhonderd jaar. De gedachte schiet door hem heen, niet voor de eerste keer, maar nu maakt het hem overmoedig in plaats van dat het hem schuld bezorgt. Wat zal hij nog meer doen? Hoe zal zijn zoon er over twintig jaar aan toe zijn?

Op de tafel naast hem staat een telefoon, naast de telefoon staat een asbak, in de asbak liggen zeker tien half opgerookte en uitgedrukte sigaretten. Achter de tafel hangen de gesloten gordijnen waar het licht doorheen sijpelt, achter de gordijnen liggen de met sneeuw bedekte Alpen, achter de Alpen ligt de rest van de wereld bedekt met de grote hoeveelheid levens die buiten de kronieken vallen, met de mensen zoals jij en ik die onze geheime mythen leven, onze kleine vriendelijkheden offreren. Het stukje papier waarop de e-mail staat valt uit Cesares hand op de grond. Hij hoort het kind zachtjes naar de wc schuifelen, hij hoort het kind plassen en daarna doortrekken. Hij hoort zijn vrouw het kind roepen en hem zachtjes en liefdevol vertellen dat hij moet doen wat hij net gedaan had. Cesare ruikt de as in de asbak, voelt de rook in zijn longen. Hij rookt niet, maar het is een goed gevoel om die rook daar nu te voelen.

Valeria was het jaar nadat Benvenuto was weggegaan getrouwd. Ze trouwde met een man die op de schildering voorkwam. Hij is de enige gast wiens ogen zich tot de kijker richten, maar hij is zo klein dat je hem gemakkelijk over het hoofd zou kunnen zien. Ze kregen drie kinderen en hij werkte met succes als rechtsgeleerde voor de vele industrieën die in de al rijke stad Città floreerden. Ze werden samen oud en toen ging hij dood en toen ging zij dood en toen gingen haar kinderen dood en toen gingen de kinderen van haar kinderen dood enzovoort en ga zo maar door. En nu zit Cesare onder haar, voor het eerst sinds de drieënveertig jaar dat hij het geluk heeft gehad deze schildering te kunnen aanschouwen, in staat om te beseffen, dat dit ogenblik, dat zo precies tussen het Ervoor en het Erna valt, niet alleen haar hele leven vastlegt maar ook dat van twintig generaties van haar familie – met hoofdletters, de vurige wens vrij en niet vrij te zijn.

'*Babbo?*' roept Leonardo. Hij staat voor Cesare en wrijft de slaap uit zijn ogen. Hij klimt op zijn vaders schoot en nestelt zich daar. Leonardo ruikt naar slaap. Zijn lijfje is warm. Cesare houdt de jongen stevig vast, voelt het ritme van zijn adem. Hij laat zijn vingers door het dikke zwarte haar van het kind gaan, en ademt zijn zoete geur in. Valeria, hoog oprijzend in haar fresco, leidt hen met haar vraag over vrijheid. Het kind wordt groter en groter in zijn armen. Hij is een tiener die in Amerika wil studeren. Hij is drieëntwintig en wil in Amerika lesgeven. Hij is dertig en wil met een Amerikaanse trouwen en met haar ergens in Connecticut een huis bouwen. Hij is veertig en woont op het platteland van Amerika met drie Engels sprekende kinderen. (*Getrouwd met mijn Valeria?* stelt hij zich voor dat Beth vraagt. *Altijd romantisch*, stelde hij zich zijn antwoord voor. *Is dat wat je voor je zoon wilt?* kon hij haar horen vragen. *Moet hij het leven leiden waar jij geen kans voor kreeg? Weet je het zeker?*) Cesare houdt de jongen nu vast met alles wat hij heeft en pas dan, pas na de nacht en de mist en het verhaal van dit alles, na vijfhonderd jaren die hun hoogtepunt vinden in een Amerikaanse droom, pas dan begint hij te huilen.

'*Babbo?* Ik praat tegen je. Ik wil vandaag naar Fiori, *Babbo*. Alsjeblieft. Ik wil niet naar school.' Hij hoort zijn vrouw de kraan in de badkamer opendraaien. Ze zal haar gezicht afspoelen met koud water, haar tanden poetsen. Daarna hoort hij haar de kraan uitdraaien. Hij hoort haar de gang door lopen en daarna de trap af naar hen toe. 'Mama zegt dat ik mee mag als jij het goed vindt. Ik wil mee.' Hij zet een zeurderige stem op zoals kinderen van vijf vaak doen. En dan verschijnt zijn vrouw. Ze ziet er op een of andere manier gloednieuw uit, vreemd en niet vertrouwd met haar grote donkere ogen en haar porseleinen huid.

'Je hebt vannacht niet geslapen, *tesoro?*' vraagt ze. Haar lange zwarte haar zit in een knot achter op haar hoofd. Haar ogen zijn uitgerust en helder, klaar voor de dag. Ze heeft haar witte badjas om haar dunne middel geknoopt en ze heeft roze balletslippers aan haar voeten zoals ze altijd heeft in plaats van gewone slippers. Ze heeft altijd iets aan haar voeten. Nu zal ze de keuken in gaan en koffie voor zichzelf zetten, en ook voor Cesare, als ze in een edelmoedige bui is. Ze zal een paar lekkere stukjes fruit uitkiezen en die voor zichzelf schillen. Daarna zal ze met de telefoontjes beginnen: naar haar zuster, naar haar ouders, naar het leger van mensen dat naar Fiori komt om de plannen voor het zwembad te bespreken. Leonardo kronkelt in Cesares armen, roept naar zijn moeder dat hij meegaat naar Fiori en niet naar school hoeft. Hij staat stijf van de spanning over het vooruitzicht dat de dag biedt: een dag vrij van school, een dag met zijn ouders grote mensendingen doen, wat voor een kind fantastische consequenties heeft. Hij ziet zich al in het zwembad spartelen volgende zomer met al zijn vriendjes. Isabella trekt de gordijnen open en het zonlicht stroomt naar binnen, kaatst terug van de marmeren vloer, doordrenkt de kamer met de schittering van de helderblauwe dag en alle hoop die daarin besloten ligt. Cesares ogen zijn bloeddoorlopen en hij heeft zware donkere kringen onder zijn bruine ogen. Ze ziet de sigaretten maar ze zegt niets. Ze vraagt geen verklaring, wil alleen graag dat hij vertelt wat hij kwijt wil. Ze bukt zich en raapt het stukje papier van de grond en werpt er een snelle blik op en zegt: '*L'America*', met een lichte ondertoon van laatdunkend ongeduld, maar ook met een toegeeflijke glimlach. Ze kent haar echtgenoot, heeft hem gestimuleerd in zijn belangstelling om zaken te doen met een Amerikaan uit Baltimore. In haar elegante hand wappert het witte stukje papier teer als vloeipapier, verder niets. Ze buigt zich naar hem toe en geeft hem een zachte kus op zijn voorhoofd. Het papier blijft op zijn schouder liggen. Ze heeft geen idee wat erop staat. Ze fluistert, zodat Leonardo het niet kan horen, en vraagt aan Cesare of ze de jongen kunnen verwennen, meenemen, hij is zo enthousiast en zo benieuwd naar het zwembad. De jongen begrijpt stilzwijgend wat een grote problemen dit zwembad vertegenwoordigt – weet het zoals kinderen dat soms doen, verstandiger dan je op grond van hun leeftijd zou verwachten. Ze wendt haar gezicht van Cesare af en brengt haar lieve lachje in stelling en hij lacht instemmend terug en Leonardo, die het begrepen heeft, springt van zijn vaders schoot en stormt gillend van verrukking weg om zich aan te kleden. Isabella gaat naar de keuken met het papier nog in haar hand, zonder te weten wat ze in haar hand houdt, zonder te weten dat Cesare gehuild heeft, een en al zakelijkheid en efficiëntie, klaar om de dag te beginnen. En wat zou dit nieuws voor haar betekenen? De plotselinge schok zou haar aangrijpen. Ze zou de droefheid van haar man even voelen (ze weet natuurlijk wie Beth is); ze zou een schok krijgen door haar nieuwe betrokkenheid bij de ramp. Maar ze zou vooral, weet hij, afgrijzen door zich heen voelen stromen, heel even maar, en daarna zou ze het even gemakkelijk weer weg voelen stromen, zoals dat altijd gaat met zulke emoties bij mensen die ontsnapt zijn aan de tragedie van iemand anders. Dus zegt hij niets.

Hij hoort dat de koffie gezet wordt, hoort de selectie van het fruit, hoort de telefoontjes beginnen. Ze zou haar zusters deelgenoot gemaakt hebben van het nieuws, nog een verhaal om van te genieten – en daar is niets mis mee. Kletsen is gewoon een andere vorm van verhalen vertellen, een andere manier om die dingen te begrijpen die nergens op slaan, om ze te ontwarren en uit te pluizen en om ze op te blazen, om ze te vergelijken met je eigen situatie en die ernaast te leggen. Het zonlicht onttrekt het fresco aan het gezicht, omdat het licht door het beschermende glas teruggekaatst wordt en de schildering in een witte leegte verandert. De dag is begonnen. Ze zullen weldra op de vertrouwde weg zijn en dan is ook dit ingelijfd, opgenomen bij al het andere, bewerkt en verwerkt zoals glas op het strand met de tijd gepolijst wordt, doordat het steeds maar weer rolt tegen zand in de golven.

Daar was ze: twee momenten: het eerste en het laatste. Een Grieks eiland. Een krachtige, verblindende zon in de namiddag. Hij stond met een in het zwart gehulde oude Griekse vrouw te praten op een trap naar een appartement. Hij probeerde met haar te onderhandelen over de prijs voor nog een kamer. Zij sprak geen Italiaans of Engels dus hij probeerde met haar Oudgrieks te praten. Dat begreep ze ook niet. Daarop begon hij met zijn handen gebaren te maken. Hij wreef zijn vingers tegen elkaar, haalde zijn schouders op. Hij was een goede mimespeler. Ze begreep het. Ze gingen vooruit. Hij rook rozemarijn en citroenbloesem. De krachtige zon stak in zijn gebruinde armen. Zijn vrienden arriveerden met hun Amerikaanse meisjes. Hij draaide zich om om hen te begroeten, en daar was ze, kleine blonde Amerikaanse met haar engelachtige lach met kuiltjes in haar wangen. Ze bloosde, wendde haar ogen af, keek hem nog eens aan, en haar vastbesloten ogen doorboorden hem. En hij wist dat hij op de rand van iets enorms, iets geweldigs stond. Hij voelde zich duizelig, was bang dat hij de trap af zou vallen. Hij had zich negentien jaar herinnerd hoe ze daar stond, gehuld in iets wat haar niet stond, iets belachelijks van Bea, oranje en onpraktisch, dat bij iemand anders misschien elegant was geweest, maar niet bij haar. Ze wendde haar ogen alleen maar af om hem nog eens aan te kijken op een manier die onmiddellijk haar vermogen om zowel verlegen als zelfverzekerd te zijn vastlegde, dat maakte dat hij van die trap wilde vallen en aan haar voeten terecht wilde komen, haar hand in de zijne wilde nemen en de wandeling wilde beginnen, waarvan de echo nog in zijn hoofd weerklonk, nog weerkaatste met elke ademtocht.

En dan haar rug naar hem gekeerd, zijn ogen die haar rug doorboren, de bandjes van een roze zijden onderjurk die haar slanke schouders sieren. De schoonheid van haar gebruinde rug, de scherpe lijnen van haar botten die als vleugels uitsteken

– alsof ze een vogel was en weg kon vliegen. Het gesprek in het Franse hotel, de kinderen die elkaar op het gras achternazaten, de kleine dingen ontdekten – een springende pad, een klaver, een cicade, het grote door wormen aangevreten blad. Dansend in de vlekkerige schaduw van de platanen. Er was beweging in die schouders. Ze wilde zich omdraaien. Ze wilde hem nog eens terugzien, een laatste keer. Dit kleine verhaal de mythe van hun leven, van zijn leven en van haar leven, uitgedijd in hun binnenste, deze woorden hun monument zoals het fresco een monument was, zoals Claire een monument was. Ze hadden een ogenblik het vermogen om de tijd en de geschiedenis te trotseren, een verhaal te worden voor hun kinderen en de kinderen van hun kinderen enzovoort en ga zo maar door. *Ik vertrouw je*, had ze gezegd. Haar rug nu krachtig, onverzettelijk. Ze was geen Orpheus. De middagzon verluchtte haar met stralenkransen van licht. *En denk niet dat ik omkijk.*

Hij staat op uit de fluwelen stoel om de dag te beginnen die hem verder zal voeren, weg van hier waar alles en niets is veranderd, door dezelfde patronen van herinnering, van het werk op zijn bank, nieuwe ideeën voor sokken en schoenen aandragen en ondersteunen, van dromen van een ander lot, van zijn kind terechtwijzen en aanbidden en ongeduldig en liefdevol zijn tegen zijn vrouw, van de poging om angst met een lach te temmen, van een aperitief drinken op de autoloze keienstraatjes vol winkelende mensen die hun brood en hun gebak kopen, verpakt in vetvrij papier met een strik, elkaar begroeten met glimlachjes en verhalen over hun gecompliceerde tragedies zoals ze al zoveel jaar en zoveel generaties doen, net als overal, gewone mensen bezig met gewone levens en meer is er niet.